古龙经典

七种武器 3

离别钩 · 霸王枪

文匯出版社

目　录

离别钩

霸王枪

离别钩

“我知道钩是种武器，在十八般兵器中名列第七，离别钩呢？”

“离别钩也是种武器，也是钩。”

“既然是钩，为什么要叫作离别？”

“因为这柄钩，无论钩住什么都会造成离别。如果它钩住你的手，你的手就要和腕离别；如果它钩住你的脚，你的脚就要和腿离别。”

“如果它钩住我的咽喉，我就要和这个世界离别了？”

“是的。”

“你为什么要用如此残酷的武器？”

“因为我不愿被人强迫跟我所爱的人离别。”

“我明白你的意思了。”

“你真的明白？”

“你用离别钩，只不过为了要相聚。”

“是的。”

第一部

离 别

黯然销魂者唯别而已。

第一章

不爱名马非英雄

01

此间无他物，唯有美酒盈樽，名驹千骑，君若有暇，盍兴乎来。

这是关东落日马场的二总管裘行健代表金大老板发出的请帖，为的是落日马场第一次在关内举办的春郊试骑卖马盛会，地点在洛阳巨富“花开富贵”花四爷的避暑山庄，日期是三月月圆时。

这样的请帖一共只发出十几张，值得裘总管邀请的对象并不多。

被邀请的当然都是江湖大豪，一方雄杰，不爱名马非英雄，来的都是英雄，都骑过落日马场的名驹。

——只要有日落处，就有落日马场的健马在奔驰。

这是马场主人金大老板的豪语，也是事实。

三月，洛阳，春。

十七夜的月仍圆，夜已深，风中充满了花香，山坡后的健马轻嘶，隐约可闻，人声却已静了。月光从窗外斜照进来，把独立在窗前的裘行健高大魁伟的影子，长长投影在地上。他的浓眉大眼、高颧、鹰鼻、虬髯，在月光下看来更显得轮廓明显而突出。

他是条好汉，关外一等一的好汉，现在却仿佛有点焦躁不安。

这是他第一次独担重任，他一定要做得尽善尽美。从十五开始，这三天来的成绩虽然不错，最大的一圈马也已被中原镖局的王总镖头以高价买去，可是他一直在期待着的两位大买主，至今还没有来。

他本来就不该期望他们来的。

威震江湖的河朔大侠万君武，自从三年前金盆洗手退隐林下后，就没有再踏出庄门一步。

视富贵功名如粪土的世袭一等侯狄青麟，多年来一直浪迹天下，也许根本就没收到他的请帖。

他希望他们来，只因为他认为由他远自关外带来的一批好马中，最好的一匹只有他们才识货。

只有识货的人才会出高价。

他不愿委屈这匹好马，更不愿把它带回关东。

现在已经是第三天的深夜了，他正开始觉得失望时，庄院外忽然有人声传来，三年未出庄门的“威震河朔”万大侠，已轻骑简从连夜赶到了牡丹山庄。

02

万君武十四岁出道，十六岁杀人，十九岁时以一把大朴刀，割大盗冯虎的首级于太行山下，二十三岁将惯用的大朴刀换为鱼鳞紫金刀时已名动江湖，未满三十已被武林中人尊称为河朔大侠。

他的生肖属鼠，今年才四十六岁，年纪远比别人想象中小得多。

这次他没有带他的刀来。

因为他已厌倦江湖，当着天下英雄好汉面前封刀洗手，那柄跟随他多年的鱼鳞紫金刀已用黄布包起，被供在关圣爷泥金神像前的檀木架上。

可是他另外带来了三把刀。

他的师兄“万胜刀”许通，他的得意弟子“快刀”方成，和他的死党“如意刀”高风。

一个像他这样的人，手边如果没有刀，就好像没有穿衣服一样，是绝不会随便走出房门的。

但是他相信这三个人的三把刀。

无论谁身边有了这三把刀，都已足够应付任何紧急局面。

洛阳三月，花如锦。

牡丹山庄后面的山坡上，开遍了牡丹，山坡下刚用木栏围成的马圈里，处处都有马在腾跃。

马不懂欣赏牡丹，牡丹也不会欣赏马，但同样是值得人们欣赏的。

牡丹的端庄富贵、美丽大方，如名门淑女；马的矫健生猛、灵活雄骏，如江湖好汉。

山坡上下都挤满了人，有的人在欣赏牡丹的柔美富态，有的人在欣赏马的英姿焕发，可是让大多数人最感兴趣的还是一个人。

万君武却好像对什么事都不感兴趣了，半闭着眼，斜倚在一张用柔藤编成的软椅上。

他太累。

无论谁在一夜间连换三次快马，赶了九百三十三里路之后，都会觉得很累的。

他的师兄、弟子、死党，一直都在他身边，寸步不离，一群群好马被带到他面前的木栏里，被人用高价买去，他的眼睛都是半闭着的。

直到最后有匹很特别的马，单独被带进马栏时，他的眼睛才睁开。

这匹马是裘总管亲手牵进来的，全身毛色如墨，只有鼻尖一点雪白。

人群中立刻发出了惊叹声，谁都看得出这是千中选一的好马。

裘行健轻拍马头，脸上也露出欣喜骄傲之色。

“它叫神箭，万大侠是今日之伯乐，当然看得出这是匹好马。”

万君武却懒洋洋地摇了摇头。

“我不是伯乐，这匹马也不是好马。”他说，“只听这名字就知道不好。”

“为什么？”裘行健问。

“箭不能及远，而且先急后缓，后劲一定不足。”万君武忽然改变话题，“我少年时有个朋友，作风也跟裘总管一样。有次他请我吃了只鸡，却是没有腿的。”

他忽然说起少年时的朋友和一只没腿的鸡，谁也不明白他是什么意思。

裘行健也不懂，忍不住问：“鸡怎么没有腿？”

“因为那只鸡的两只腿，都已经先被他切下来留给自己吃了。”万君武淡淡地说，“裘总管岂非也跟他一样，总是要把好的马藏起来留给自己？”

裘行健立刻否认：“万大侠法眼无双，在万大侠面前，我怎么会做那种事？”

万君武眼睛忽然射出了刀锋般的光：“那么裘总管为什么要把那匹马藏起来？”

他眼睛盯着最后面一个马栏，马栏中只有十几匹被人挑剩下的瘦马，其中有一匹毛色黄中带褐，身子瘦如弓背，独立在马栏一角，懒懒地提不起精神，却和别的马都保持着一段距离，就好像不屑和它们为伍似的。

裘行健皱了皱眉。

“万大侠说的难道是那一匹？”

“就是它。”

裘行健苦笑：“那匹马是个酒鬼，万大侠怎么会看上它呢？”

万君武的眼睛更亮。

“酒鬼？它是不是一定要先喝点酒才有精神？”

“就是这样子的。”裘行健叹息，“如果马料里没有掺酒，它连一口也不肯吃。”

“它叫什么名字？”

“叫老酒。”

万君武霍然长身而起，大步走过去，目光炯炯，盯着这匹马，忽然仰面大笑！

“老酒，好！好极了。”他大笑道，“老酒才有劲，而且愈往后面愈有劲，我敢打赌，神箭若是跟它共驰五百里，前面百里神箭必定领先，可是跑毕全程后，它必定可以超前两百里。”

他盯着裘行健：“你敢不敢跟我赌？”

裘行健沉默了半天，忽然也大笑，大笑着挑起了一根大拇指。

“万大侠果然好眼力，果然什么事都瞒不过万大侠的法眼。”

人群中又发出赞叹声，不但佩服万君武的眼力，对这匹看来毫不起眼的瘦马也立刻刮目相看了，甚至有人在抢着要出价竞争，就算明知争不过他，能够和河朔大侠争一争，败了也有光彩。

最高价喊出的是“九千五百两”，这已经是很大的数字。

万君武只慢慢地伸出了三根手指，比了个手势，裘总管立刻大声宣布："万大侠出价三万两，还有没有人出价更高的？"

没有了。每个人都闭上了嘴。万君武意气飞扬，正准备亲自入栏牵马，忽然听见有个人说："我出三万零三两。"

万君武的脸色立刻沉了下去，喃喃地说："我早就知道这小子一定会来捣乱的。"

裘行健却喜形于色，大笑道："想不到狄小侯终于还是及时赶来了！"

人丛立刻分开，大家都想瞧瞧这位世袭一等侯，当今天下第一风流侠少的风采。

03

一身雪白的衣裳，一尘不染，一张苍白清秀的脸上，总是显得冷冷淡淡的，带着种似笑非笑的表情，身边总是带着个风姿绰约的绝代佳人，而且每次出现时，带的人又都不同。

这就是视功名富贵如尘土，却把名马美人视如生命的狄小侯爷狄青麟。

无论走到什么地方，他都是个最引人注意、最让人羡慕的人。

今天也不例外。

今天依偎在他身旁的，是个穿一身鲜红衣裳的美女，白玉般的皮肤，桃花般的腮容，春水般的眼波，酒一般地醉人。

谁也不知道狄小侯是从什么地方把这么样一位美人找来的。

万君武看到他，只有摇头叹气："你来干什么？你为什么要来？"

狄小侯冷冷淡淡地笑了笑，简简单单地告诉万君武："我是来害你的。”

“害我？你准备怎么害我？”

“不管你出多少，我都要比你多出三两。”

万君武瞪着他，眼睛里光芒闪动，也不知瞪着他看了多久，忽然大笑：“好，好极了。”

大家都以为这位威震河朔的一方大豪，一定又要出个让人吓一跳的高价。

想不到万君武的笑声忽然停顿，大声道：“这匹马我不买了，你卖给他吧！”

裘行健怔住，万君武一说完话，掉头就走，想不到狄青麟却叫住了他：“等一等。”

万君武回头瞪了一眼：“你还要我等什么？”

狄小侯先不回答，却问裘行健：“还有没有人肯出更高的价？”

“大概没有了。”

“那么这匹马现在是不是已经可以算是我的？”

“是。”

狄小侯转身面对万君武：“那么我就送给你。”

万君武也怔住。

“你说什么？你真的要把这匹马送给我？你为什么要做这种事？”

他不懂，别人也不懂，狄青麟却只淡淡地说：“我也不为什么，把一匹好马送给一位英雄，本来就是天经地义的事，又何必要为了什么？”

这就是狄青麟做事的标准作风。

04

夜，华灯初上，筵席盛开。美酒像流水般被倒进肚子，豪气像泉水般涌了出来。

万君武一直在不停地喝。

江湖中人人都知道他是海量——“万大侠不但刀法无双，酒量也一样天下无双”。

今天他当然喝得特别多。

他不能不接受狄青麟的好意，接受了后又不知道是高兴还是不高兴。

所以他喝酒，喝点酒之后总是高兴的。

他的师兄、弟子、死党，让他这么喝，因为喝酒的这地方是在花四爷的私室里，客人并不多，而且他们已经把每个人的来历都调查过了。

万君武常常告诉他的朋友：“在江湖中成名太快，并不是件好事，成名太快的人，晚上都难免有睡不着的时候。”

像他这种人无论做什么都不能不特别小心，所以他才能活到现在。就算有人想要他的命，也永远没有机会。

先退席的是狄青麟。

他一向不喜欢喝酒，他已很疲倦，主人为他准备的客房中，还有美人在等他——对大多数男人来说，只要有最后一个理由就已足够。

大家都带着羡慕的眼光目送他出去，不但羡慕，而且佩服——“这位小侯爷做事真漂亮，难怪女人们都爱死他了。”

花四爷也是海量。

他高大、肥壮、诚恳、热心，胖嘟嘟的一张脸上，连一点机诈的样子都没有，虽然每年都要上别人几次当，可是他一点都不在乎。

万君武问他："这次你买了几匹马？"

"连一匹都没有买。"

花四爷笑嘻嘻地解释："因为金大老板和裘总管都是我的朋友，我不能害朋友，要他们让我上当，所以我只上别人的当，不上朋友的当。"

万君武大笑。

"说得好，好极了，我敬你三杯。"

三杯之后，花四爷又回敬三杯，万君武就要去"方便"一下了。

他的酒量好，因为他喝酒有个秘诀——他能吐。喝多了就去吐，吐完了马上就能回来再喝。

这是他的秘密。

虽然他的师兄、弟子、死党，都知道他这个秘密，他却以为他们不知道。他们也只有装作不知道，所以他要去"方便"，他们只有让他一个人去。

很深的坑上面，用紫檀木装成个架子，架上铺着锦垫，坑底铺满鹅毛。

花四爷是个很懂得享受的人，一切都力求完美，连"方便"的地方也不例外。

万君武走进来，带醉的锐眼中露出赞赏之色。决定回去后也照样做一间。

于是他开始吐了。

这并不难，把食指伸进嘴里，在舌根上用力一压，就会吐了出来。

这次他没有吐出来。

他刚把食指伸进嘴里，就有只手从后面伸过来，托住了他的下颚。用他自己的两排牙齿，咬住了他自己的指头。

他痛极，可是叫不出，他用力以肘拳撞后面这个人的肋骨，可是这个人已经先点了他肘上的“曲池穴”。

他苦练武功二十八年，可是现在全身的功夫力气，连一点都使不出来。

他身经百战，杀人无算，要杀他的人也不少，只有这个人才能抓住最好的时机，把握住最好的机会。

他只想知道这个人是谁。

这个人也愿意让他知道，在他耳畔轻轻地说：“我告诉过你，我是来害你的，我已调查过你很久，对你的每件事我都很清楚，也许比你自己还清楚，我也知道你一定要来吐，”这个人的声音冷冷淡淡，“所以你死得并不冤。”

万君武知道这个人是谁了，只可惜他已永远没有机会说出来。

最后他只看见了一道淡淡的刀光，淡得就像是黎明时初现的那一抹曙色。

然后他就觉得心口一阵剧痛，一柄刀已刺入他的左胸肋骨间，刺入他的心脏。

一柄其薄如纸的刀。

没有人能形容这把刀出手的速度。

拔出时也同样快。

一柄太薄太快的刀刺入再拔出后，伤口是不会留下任何痕迹来的。

所以没有人会替万君武复仇。

因为他的死，只不过由于他的酒喝得太多，在大多数人的观念中，都认为一个人如果酒喝得太多，往往就会突然暴毙。

大家当然更不会想到刚送了一匹名马给他的狄小侯，和这件事有任何关系。

所以名马还是随灵柩而去，狄小侯还是陪伴着他的美人走了。

等到他下次出现时，大家还是会用一种既羡慕又佩服的眼光去看他，还是没有人会相信他曾经杀过人，在无声无息无形无影间杀人于一刹那中。

这就是狄青麟杀人的标准方法。

05

车厢宽大舒服，马匹训练有素，车夫善于驾驭，坐在狄小侯的这辆用一斛明珠向某一位王妃换来的马车上，就像是坐在水平如镜的西湖画舫上那么平稳，甚至感觉不出来马在行走。

思思穿着一件鲜红柔软的丝袍，像猫一样蜷曲在车厢的一角，用一双指甲上染了鲜红凤仙花汁的纤纤玉手，剥了颗在温室中培养成的葡萄，喂到她男人的嘴里。

她是个温柔的女人，聪明美丽，懂得享受人生，也懂得让男人享受她。

她不愿失去现在在她身边的这个男人，可是她知道现在已经快要失去他了。

狄小侯从来不会在任何一个女人身上留恋太久。

可是她下定决心，一定要想法子留住他。

狄青麟看看他身边的这个女人，看看她露在丝袍外一双纤柔完美的脚。

他知道她在丝袍里的胴体是完美而赤裸的。

她的胴体丰满光滑柔软，在真正兴奋时，全身都会变得冰凉，而且会不停地颤抖。

她懂得怎么才能让男人知道她已完全被征服。

想到她完美的胴体，狄青麟身体里忽然有一股热流升起。

他经历过太多女人，只有这个女人才能完全配合他，让他充分满足。

他决定让她多留一段时候，他身体里的热意已使他做下这个决定，他的手轻轻潜入了她丝袍宽大的衣袖，她的胸膛结实坚挺，盈盈一握。

想不到她却忽然问了他一句很奇怪的话。

"我知道你跟万君武早就认得了。"思思问狄小侯，"你们之间有没有仇恨？"

"没有。"

"他以前有没有得罪过你？"

"没有。"

思思盯着他，一个字一个字地问："那么你为什么要杀他？"

狄青麟身上热意立刻凉透。

思思还在继续说："我知道一定是你杀了他，因为他死的时候，恰巧就是你不在我身边的时候，你回来后又特别兴奋，一个晚上要了三次，比你第一次得到我时还要得多。以前我曾经听我一个大姐说过，有些人只有在杀了人之后才会变成这样子，变得特别疯，特别野，就像你昨晚上一样。”

狄青麟静静地听着，一点反应都没有。

思思又说：“我还知道你贴身总是藏着把很薄很薄的刀，我那个大姐也告诉过我，用这种刀杀了人后，很不容易看出伤口。”

狄青麟忽然问她：“你那位大姐怎么会懂得这些事的？”

“因为她有个老客人，是位很有名的捕头，这方面的事没有一样能瞒过他的。”思思说，“别人都说他心如铁石，但他对我那个大姐却好极了，在我大姐面前，简直温柔得像条小狗。”

狄青麟心里在叹息。

她不该认得她那位大姐的，一个女人不应该知道得太多。

思思看看他，轻抚他苍白的脸：“什么事你都用不着瞒我，我反正已经是你的人了，不管你做了什么事，我都一样会永远跟着你。”她柔声说，“所以你可以放心，你的事我绝对不会说出去，死也不会说出去。”

她的声音温柔，她的手更温柔。

她很快就感觉到他又兴奋起来，鲜红的丝袍立刻就被撕裂。

她放心了。

因为她知道她用的这种方法已有效，现在他已经不会再抛下她了，也不敢再抛下她了。

激情又归于平静，车马仍在往前走。

狄青麟在车座下的酒柜里，找出一瓶温和的葡萄酒，喝了一小杯后才说：“你刚才问我为什么要杀万君武，现在还要不要我告诉你？”

“只要你说，我就听。”

“我杀他，只因为我有个朋友不想再让他活下去。”

“你也有朋友？”思思笑了，“我从来不知道你也有朋友。”

她想了想之后又问："你那个朋友随便要你做什么事你都答应？"

狄青麟居然点了点头。

"只有他才能让我这么做，因为我欠他的情。"狄小侯接着说，"他是现在江湖中最庞大的一个秘密组织的首脑，曾经帮过我一次很大的忙。唯一的条件是，他需要我为他做事的时候，我不能拒绝。"

他又说："这个组织叫青龙会，有三百六十五个分舵，每一州每一府每一县每一个地方都有他们的人，势力之大，绝不是你能想得到的。"

思思又忍不住问："他既然有这么大的势力，为什么还要你替他杀人？"

"因为有些人是杀不得的。"狄青麟说，"因为杀了他们后，影响太大，纠纷太多，而且这种人一定有很多朋友，一定会想法子替他们复仇。"

"而且官府一定会追查。"思思说，"江湖中人总是不愿惹上这种麻烦的。"

狄青麟承认。

"只不过别人杀不得的人，我却能杀，也只有我能杀。"他说，"因为谁也想不到我会杀人，所以我杀了人后绝不会引起任何麻烦，更不会连累到我那个朋友。"

思思没有追问下去，因为她更放心了。

一个男人只有在自己最喜爱最信任的女人面前，才会说出这种秘密。

她决心替他保守这个秘密，因为她喜欢这个有时温柔如水，有时冷淡如冰，有时又会变得热烈如火的男人。

她相信自己可以管得住他的。

可惜她错了。

她虽然了解男人，这个男人却是任何人也没法子了解的。

也许连他自己都不了解自己。

车马仍在继续前行，车上却已经只剩下狄青麟一个人。

思思已经在这个世界上消失了。

狄青麟有三种能够让人忽然消失的方法，对思思用的是其中最有效的一种。

没有人知道他用的是什么方法，他那三种方法都是只有他一个人才知道的秘密。

他的秘密除了他自己之外，永远不会有第二个活人知道。

思思错了。

因为她不知道狄青麟永远不会信任任何一个还能呼吸着的人。

她也不知道狄青麟唯一真正喜爱的人只有他自己。

一个像思思这样的女人如果忽然消失，是绝不会引起什么纠纷麻烦的。

她这样的女人就像是风中的杨花，水中的浮萍，如果她不见了，很可能是跟一个没有根的浪子走了，也很可能是被一个腰缠万贯的大腹贾藏在金屋里，甚至有可能是自己躲到深山中某一个小庙里去削发为尼。

像她这样的女人，是什么事都做得出来的。

所以她无论做出什么事，都没有人会觉得惊奇，也没有人关心。

所以就在她自己觉得可以全心全意依靠狄青麟的时候，狄青麟就让她离开了这个世界。

这就是狄青麟对女人的标准作风。

06

“大姐”斜倚在她那张青铜床柱上挂着粉红流苏锦帐的床边，心里在想着：“思思是不是已经该回来了？”

她喜欢思思。她在这个世界上已经没有亲人，她已经开始被人称为“大姐”。

一个像她这样的女人被人称为大姐是件多么悲哀的事。

她的年华已逝去，只希望思思不要再糟蹋自己，而能好好地嫁一个老实本分的男人。

可惜思思不喜欢老实本分的男人。

思思太聪明，太骄傲，太想出人头地，就好像她年轻的时候一样。

屋子中间一张铺着云石桌面的檀木圆桌旁，坐着一个瘦削、黝黑、沉默，还不到三十岁的男人，默默地坐在那里望着她。

他叫杨铮，是她童年时的玩伴，青梅竹马的朋友。

她十五岁时因为要埋葬双亲而沦落入风尘，经过十余年的别离后又在这里重遇，想不到他已经做了县城里三班捕快的头子。

以他的身份，是不该到这种地方来的。

但是他每隔两三天都要来一趟，来了就这样默默地坐在那里看着她。

他们之间绝对没有一点别人想象中那种关系，他们之间的情感竟没有别人了解，也没有人相信。

她总是叫他不要来，免得别人闲言闲语，影响到他的事业和声名。

可是杨铮说："只要我问心无愧，什么地方我都可以去。"

他就是这么样一条硬汉。

只要他认为应该做的事，做了后问心无愧，你就算拿把刀架在他脖子上，也拦不住他的。

他要娶她。

在他心目中，她永远都是那个梳着大辫子的小姑娘"吕素文"，既不是当年的名妓"如玉"，也不是现在的"大姐"。

她心里又何尝不想嫁给这个又倔强又多情又诚实的男人。

多年前她就为自己赎了身，只要她愿意，随时都可以跟着他走。

可是她不能这么做。他比她还小一岁，在六扇门的兄弟心目中，他是条铁铮铮的好汉，有前途，有朋友，有干劲。

她的青春却已像残花般将要凋零枯萎，而且是个人人看不起的婊子。

她不能毁了他，只有狠下心来拒绝他，宁愿在夜半梦醒时独自流泪。

杨铮忽然问她："思思是不是找到了一个很好的男人，已经有了归宿？"

"我也希望她能有个归宿。"吕素文轻轻叹息，"可惜她迟早还是会回来的。"

"为什么？"

"你知不知道狄青麟这个人？"吕素文反问。

"我知道，世袭一等侯，江湖中有名的风流侠少。"杨铮说，"思思就是跟他走的？"

吕素文点了点头："像狄青麟这样的男人，怎么会对一个女人有真情？还不是想玩玩她而已，玩过了就算了。"

杨铮又坐在那里默默地发了半天愣，才慢慢地站起来。

“我走了。”他说，“今天晚上我还有件差事要做。”

吕素文没有挽留他，也没有问他要去做什么差事。

她想留住他，想问他，那件差事是不是很危险？她心里一直在为他担心，担心得连觉都睡不着。

可是她嘴上只淡淡地说了句：“你走吧。”

夜已静。

“怡红院”大门外挂着两盏红灯笼，远远看过去就像是一只恶兽的眼睛。

一只吃人不吐骨头的恶兽，自古以来已不知有多少可怜的弱女子被它连皮带骨吞了下去。

想到这一点，杨铮的心里就好恨！

可惜他完全无能为力，因为这是合法的，只要是合法的事，他非但不能干涉，还得保护。

暗巷中的晚风又湿又冷，他逆风大步走出去，忽然有个人从横弄里闪出来，笑嘻嘻地跟他打招呼。

这个人叫孙如海，是一家镖局里的二镖头，在江湖中颇有名气，在城里也很吃得开，而且听说武功也不弱。

但是杨铮一向不喜欢他，所以只冷冷地问了句：“什么事？”

“我有点东西要交给杨头儿，是位好朋友托我转交的。”孙如海从身上掏出叠银票，“这里是十张山西‘大通’钱庄的银票，每张一千两，到处都可以兑银子，十足十通用。”

杨铮冷冷地看着他，等着他说下去。

“有了这些银子，杨头儿就可以买栋很讲究的四合院房子，风风光光地把如玉姑娘接回去了。”孙如海笑得很暧昧，“只要杨头儿今天晚上躺在家里不出去，这叠银票就是杨头儿的。”

杨铮不动声色：“这是谁托你转交的？是不是今天晚上要从这里过境的那位朋友？”

孙如海承认：“明人面前不说暗话，就是他。”

“听说他刚在桑林道上劫了一趟镖，镖银有一百八十万两，他只送我这么点银子，未免太少了吧。”

“杨头儿想要多少？”

“我要得也不多，只不过想要他一百八十万两，另外再加上两个人。”

孙如海笑不出了，却还是问：“哪两个人？”

“一个你，一个他。”杨铮道，“你干镖局，却在暗中和大盗勾结，你比他更该死。”

孙如海后退两步，银票已收进怀里，掌中已多了把寒光闪闪的手叉子，阴森森地冷笑：“一个小小的县城捕快，居然有胆子想去动倪八太爷，该死的只怕是你。”

横弄中又有个生硬冷涩的声音接着说：“他不但该死，而且死定了！”

第二章

一身是胆

01

狼牙棒是种江湖中很少见的兵器，它太重，太大，携带太不方便，运用起来也很不方便，两臂如果没有千斤之力，连玩都玩不转。

这种兵器通常只有在两军对决时，尸横遍野、血流成渠的大战场上才能偶然看得见，江湖中人用这种兵器的实在太少。

现在从横弄中冲出来的这个人，用的居然就是根最少也有七八十斤重的狼牙棒，棒上的狼牙光芒闪动，看来就像是有无数匹饿狼在等着要把杨铮一条条一片片一块块撕裂。

这个人身高九尺，横量也有三尺，赤膊，秃头，左耳上戴一枚大金环，脸上的肉都是横的，却有条直直的刀疤从额上一直划到嘴角，把一个鸭蛋般大的鼻子削成了半个，半夜里看见这种人不做噩梦的恐怕很少。

杨铮转身面对这个巨人，根本不理后面的孙如海，好像根本不知道孙如海手里的那对手叉子也是件致命的武器，而且已经有很多人死在这对手叉子的尖锋下。

杨铮也很高，可是站在这个巨人的面前，却矮了一截。

“听说倪八手下有个叫‘野牛’的苗子。”杨铮问，“你就是那个苗子？”

“老子我就是。”

“听说你又凶又横又不怕死。”杨铮又问，“你真的不怕死？”

“要死的不是老子，是你这个龟儿子。”这个苗子居然能说一口半生不熟的川语，尤其是骂人的话说得特别好。

杨铮手上没有武器，很少有人看见他用过武器。

他赤手空拳，站在这么样一个巨人面前，居然还能沉得住气。

但是就在这一瞬间，一根七十九斤重的狼牙棒已经夹带着虎啸般的风声向他斜斜地扫了过来。

他不能招架，他手上没有东西可以招架。

他也不能退，他后面还有对手叉子。

他连闪避都不能闪避。

巷子太窄，狼牙棒太长，一棒扫过来，所有的退路都被封死，不管往哪里闪避都仍在它的威力控制下。

孙如海没有出手。

他已经不必再出手，已经在想法子准备毁尸灭迹，让杨铮这个人永远消失。

他还没有想出一个完美的法子来，也不必再想了。

因为就在这一刹那间，他已经发现杨铮暂时还不会死。

在刚才那一瞬间，杨铮的确像是死定了。

不管他是准备招架，还是准备后退闪避，都难免要挨上一棒。

没有人能挨得了这一棒。

想不到杨铮既没有招架闪避，也没有后退——有些人是永远不会后退的，杨铮就是这种人。

他非但没有后退，反而冲了上去，迎着狼牙棒冲上去。

没有人想到他会这么做，因为从来也没有人敢这么做。

真正的一流武林高手当然有别的更好的方法对付这一棒，如果武功差一点的人，现在早已被棒上的狼牙撕裂。

杨铮却冲了上去。

就在那间不容发的一瞬间，他的身子忽然伏倒，双手一按地，整个人就从狼牙棒下冲了过去，一头撞在“野牛”的小肚子上。

这一招，绝不能算是武功的招式，真正的武林高手，绝不会用这一招，也不肯用。

但是这一招绝对有效。

“野牛”两百斤重的身子一下子就被撞倒，倒在地上捧着肚子打滚，惨叫的声音连三条街之外睡着了的人都听得见。

杨铮顺手掏出一条牛筋索，一下子就把他两只手一只脚捆了起来，又顺手用一个铁胡桃塞进他的嘴，然后才长长吐出口气，转身面对孙如海，淡淡地问：“怎么样？”

孙如海已经看呆了，过了半天才能开口：“这算什么武功？”

“这根本不算什么武功。”杨铮说，“我根本不懂什么叫武功。我只懂得要怎么样才能把人打倒。”

“这种不入门的招式，江湖好汉们宁死也不肯使出来的。”

“我根本不是江湖好汉，我也不想死。”杨铮说，“我只想把犯了法的人抓起来。”

孙如海握紧掌中一对纯钢手叉子：“你准备用什么法子来抓我？”

“只要能抓住你，随便什么法子都没关系，我都用得出。”

孙如海冷笑。

杨铮盯着他：“你懂武功，我不懂；你是成名的江湖好汉，我不是；你手上有家伙，我没有。如果你有种过来把我做了，我也没话说。”

孙如海虽然在冷笑，脸色却已发白。

杨铮慢慢地走过去："可惜你没种，我看准了你没种，只要你敢动一动，我就要你在床上躺三个月，连爬都爬不起来，你信不信？"

他走到孙如海面前，他的心脏要害距离孙如海掌中那对手叉子的尖锋已不及一尺。

孙如海不敢动。

"嚓"一声响，一副纯钢打成的手铐已经铐住了他的手。

暗巷外忽然传来一阵喝彩声，十来条黑衣大汉大声喝彩，大步走过来。

他们都是杨铮的属下，也是杨铮的兄弟，他们对杨铮不但佩服，而且尊敬。

"杨大哥，你真行。"

"你们也真行。"杨铮在笑，"居然一直躲在巷子外面看热闹，也不过来帮我一手。"

"我们早知道这件事就凭大哥一个人已经足够对付了，我们是来帮大哥做下面那件事的。"

杨铮的脸色沉了下去。

"你们也知道那件事？"他厉声问，"你们是怎么知道的？"

"昨天晚上府里的赵头儿派小刘连夜赶来找大哥，我们就知道有大事要办了，所以今天晌午，我们兄弟就把小刘留下来喝酒。"

"是他告诉你们的？"杨铮大怒，"我再三嘱咐他不要把这件事泄露出去，这个王八蛋好大的胆子。"

"我们明白大哥的意思，大哥不让我们知道这件事，只因为对头太厉害，事情太凶险，一失手就难免要送命。"

兄弟们纷纷抢着说："可是我们跟随大哥多年，如果不是有大哥在前面挡着，我们这票人只怕早就死了一大半，我们早就准备把这条命交给大哥了。就算拼不过别人，好歹也得去拼一拼，就算要去死，弟兄们好歹也得死在一起。”

杨铮紧握双拳，眼睛仿佛已有热泪要夺眶而出，他总算忍住了。

弟兄们又说：“我们虽然不知道那个姓倪的究竟有多厉害，可是他敢动‘中原镖局’的镖，当然是个扎手的角色。可是我们兄弟也不含糊，在大哥手下，我们也办过不少有头有脸的案子，就算要用两条命去换一条，好歹也能拼掉他们几个。”

杨铮用力握住弟兄们的手，大声道：“好，你们跟我走。”

弟兄们立刻大声欢呼，不知是谁居然还捎了一大坛子烧酒来。

“大哥要不要先喝两杯？”

“咱们用不着喝酒来壮胆，要喝，等办完了事咱们再痛痛快快地喝他娘的一顿来庆功。”

弟兄们又大声欢呼：“对，先扁那个泥王八，再喝他娘的一个不醉‘乌龟’。”

但孙如海和“野牛”总得先派两个人送回去，派谁呢？谁也不愿意去，谁都不愿错过这件大事。

大家准备抽签，杨铮却决定：“要老郑和小虎子送他们回去。”

老郑新婚，儿子还没有满周岁，老郑明白杨铮的意思，心里又难受又感激。

小虎子却不服：“大哥为什么派我去？”

杨铮先给了他一巴掌，再问他：“你难道忘了你家里的老娘？”

小虎子不说话了，掉过头去的时候，眼眶里已满盈热泪。

孙如海看着他们，忽然觉得心头一股热血上涌，大声向杨铮呼喊：“你放开我，我再跟你拼一拼，我孙如海也不是孬种，我也一样不怕死。”

在他旁边被牛筋索四马攒蹄捆住的“野牛”，忽然一口痰吐在他脸上，破口大骂：“你个龟儿子不怕死谁怕死？现在你鬼叫有个屁用？

还不快闭上你的鸟嘴。”

看着老郑和小虎子把这两个人架走，杨铮忽然叹了口气。

“孙如海本来也许真的不是孬种，只不过最近日子过得太舒服了，人也变了。”他的叹息声中颇有感怀，“一个人能在江湖中像他混得那么久已经很不容易，要真的不怕死更不容易。”

02

倪八太爷的头在疼。

他当然不是为了杨铮头痛，一个小小的县城捕头，根本没有放在他眼里。

他头痛，只因为他晚上喝的酒现在已经快醒了。晚上他喝得真不少。

“中原镖局”的总镖头“宝马金刀”王振飞，虽然因为要赶到牡丹山庄去买马而没有亲自押这趟镖，可是押镖的五位镖师也不是好对付的。

他以掌中一对跟随他已有三十年，陪伴他出生入死至少已有两三百次的“刀中拐”，和他十五个死党并肩苦战了大半个时辰，折损了六个人后，才总算把这趟镖劫了下来。只不过这还是值得的，一百八十万两雪花花的纹银，已经足够他舒舒服服地度过余年了。

他已经有五十六岁，把这笔银子运回老家后，他就准备洗手不干，到一个别人找不到的地方去享受几年。

倪八太爷是蜀人，喜欢坐“滑竿”。

两根竹竿间绑着张椅子，用两个人抬着走，就叫作“滑竿”。

坐在滑竿上，又舒服，又通风，四面八方都可以照顾到，只要一回头，就可以看到后面那一长串装满了银子的大车。

押车的都是他的死党，都是身经百战的好手。

虽然他相信在这条路上绝对没有人敢来动他，行动却还是很谨慎。

他用这种独轮车来运银子，就因为这种小车子最灵巧方便，走在道上也绝不会惊扰到别人。

这种车子是用人推的。

骡马有蹄声，人没有，骡马会乱叫，人不会。

他很放心。

天已经快亮了。

倪八太爷坐在滑竿上闭着眼养了一会儿神，偶然回过头，忽然发现后面那一长串独轮车好像短了一截！

他数了数，果然少了七辆。

在最后押车的“铜锤”，也跟“野牛”一样，是他从滇边苗疆里带出来的，无论在任何情况下都绝不会出卖他。

银车怎么会少？

倪八太爷双手一按滑竿上的扶把，人已飞身而起，凌空翻身，脚尖在后面第四辆独轮车推车夫的头上一点，刹那间就已踩过八个车夫的头顶，竟在人头上施展出他傲视江湖的“八步赶蝉”轻功绝技，掠过了这一长串银车，到了最后一辆。

后面一点动静也没有，可是在最后押车的“铜锤”已不见了。

在“铜锤”前面押车的是成刚，今天也多喝了一点，根本不知道后面发生了什么事，看见八太爷满天飞人，才赶过来问。

倪八太爷什么话都不说，先给了他两个大耳光，然后才吩咐他：“快跟我到后面去看看。”

月落星沉，四野一片黑暗，黎明前的片刻总是大地最黑暗的时候。

后面还是没有一点异常的动静，听不见人声，也看不见人。

可是路旁的长草间却好像有点不对——风吹长草，其中却有一片草没有动。

因为这片草已经被人压住了，被八个人压住了。

七个车夫已经被打晕，被人用四马攒蹄捆住，嘴里都被塞上了一枚只有公门中人才常用的铁胡桃，在最后押车的“铜锤”已经被人用一根牛筋索从背后绞杀。

倪八太爷反而镇定了下来，只问成刚：“刚才你连一点动静都没有听见？”

成刚低头，他什么都没有听见，他一直都不太清醒。

倪八从车夫嘴里掏出一枚铁胡桃，四下张望，不停地冷笑：“好，好快的手脚，想不到六扇门里也有这样的角色。”

成刚终于嗫嚅着开口：“听说这里的捕快头儿叫杨铮，手底下很有两下子。”

倪八皱眉：“难道连孙如海和‘野牛’两个人都对付不了他？如果他真是个这么厉害的角色，现在只怕已经绕到前面去对付我那顶滑竿去了。”

成刚变色：“我去看看！”

倪八却不动声色，只淡淡地说：“现在赶去恐怕已太迟。”

他果然不愧是身经百战的老江湖，虽然已中计遇伏，头脑仍极清楚，判断仍极准确。

就在这时候，车队的前面已经传来一声惨呼。是巴老秃的声音。

巴老秃也是他的得力属下，是在前面押队的。此刻无疑也已中伏。

倪八居然还是神色不变："巴老秃完了，黑鬼、黄狼、大象，三个脾气毛躁，一定会急着赶去，杨铮一定会先避开他们，转到中间去对付彭虎。"

"我们去接应他。"

"我们不去，我们哪里都不去。"

成刚怔住："难道我们就站在这里，眼看着他杀人？"

倪八太爷冷笑："他还能杀得了谁？只要我不死，他迟早都要落入我的手里。"倪八冷冷地说，"他的目标是我，我在这里，他迟早总会找到这里来送死的。"

风更急，月更黑，成刚忽然觉得一股寒意自脚底升起。

他终于明白倪八的意思了。

别人的死活，倪八太爷根本不在乎，就算是跟随他出生入死多年的死党也一样。

车子反正走不了的，车上的银鞘子也走不了，只要能坚持到最后擒杀杨铮，银子还是他的，分银子的人反而少了，他又何必急着去救人，消耗他的力气。

他当然能沉得住气，只要能沉住气等在这里，以逸待劳，杨铮就必死无疑。

成刚的心也寒了，可是脸上却不敢露出一点声色来。

他忽然又想到，就算杨铮不下手，倪八自己说不定也会对他们下手的。

如果没有人来分他这一百八十万银子，也没有人知道这秘密，他以后的日子岂非过得更舒服？

倪八太爷已拿出那对寸步不离他身边的"刀中拐"。

一把柳叶刀，一把镔铁拐，刀中夹拐，拐中夹刀；一刚一柔，刚柔并济；一攻一守，攻守相轮，正是倪八太爷威震江湖的独门绝技。

他将铁拐夹在肋下，用手掌轻拭刀锋，眼角却盯在成刚脸上，忽然问："你是不是已经明白我的意思了？"

成刚一惊，既不敢承认，也不敢否认。

黑暗中不时传来惊喝惨呼，倪八却好像完全没有听见。

"如果你心里认为我是借刀杀人，你就错了。"他淡淡地说，"这些人跟我多年，如果连一个小小的捕头都对付不了，我们为什么要管他们的死活？"

"是。"成刚低着头说，"我懂。"

"可是你不同，你跟我最久，只要能一直对我忠心耿耿，会有你好日子过的。"

"是，我懂。"

倪八太爷笑了笑："你懂得就好。"

他右手握拐，左手挥刀，刀光逆风一闪，忽然大喝："杨铮，我就在这里，你还不过来？"

车队已散乱，呼喝叱咤声却少了，黑暗中终于出现了一个人，面对倪八厉声道："姓倪的，你的案子已经发了，快跟我回去吧。"

"你就是杨铮？"

"嗯。"

倪八冷笑："对付你这种人，也用不着我八老爷亲自出手，成刚，你去做了他！"

成刚立刻反手抽出一条竹节鞭，挥鞭扑上去。

他不是不明白倪八的意思，是要拿他当试刀石，先试试杨铮的功夫。

但是他怎么能不去？

倪八太爷握紧刀拐，眼睛盯着对面这个人的双肩双腿双拳。

只要能看出这个人的出手路数和武功招式，成刚的死活他也不放在心上。自从他被人出卖过两次之后，他就已学会这一点，只要自己能活着，能活得好些，又何必在乎别人的死活？

就在成刚身子扑起时，左面草丛里忽然有“噗”的一声响。

右面草丛里被打晕了的车夫中，忽然有个人翻身滚了出来，却趁机反手打出三根弩箭，打向倪八身上面积最大的胸膛。

倪八太爷虽然料事如神，也没有料到这一招。

他大吃一惊，可是虽惊不乱，身子忽然直直地凌空拔起，就在这间不容发的一瞬间施展出最难练的“旱地拔葱”绝顶轻功，避开了这三箭。

假扮车夫的捕快还在往前滚，倪八想改变身法扑过去。

可是就在他凌空换气时，后面忽然有个人豹子般蹿过来挥拳痛击他的腰眼。

这一拳没有打空。

身经百战、老谋深算的倪八太爷，终于还是中了别人的道儿，被一拳打翻在地上，一口气几乎被噎死，几乎爬不起来。

但是他一定要爬起来，否则对方再跟过来给他一脚，他就死定了。

他勉强忍耐住气穴间针刺般的痛苦，用铁拐点地，勉强跃起。

一个瘦削黝黑沉静的人就站在他对面，用一双豹子般的亮眼看着他，而且还告诉他：“我才是杨铮，刚才你弄错人了。”

倪八满嘴苦水，却连一口都没有吐出来，反而笑了，大笑：“好，我佩服你，是我错了。”他的笑声嘶哑，“我不但弄错了人，而且低估了你，想不到你竟是这样一个诡计多端的小人。”

“我不是君子也不是小人。”杨铮说，“只不过有时候我确实会用一点诡计的，应该用的时候我就用，能用的时候我就用。”

“不能用的时候怎么样？”

“不能用的时候我就只有去拼命。”

倪八又大笑，其实现在他已经笑不出来了，可是他一定要笑。

平时他很少笑，该笑的时候他也不笑，不该笑的时候他却往往会笑得好像很开心。

他一向认为笑是种最好的掩护，最能掩护一个人的痛苦和弱点。

杨铮果然觉得很奇怪，一个人在这种时候怎么还能笑得出来？就在这时候，倪八已扑起，刀中夹拐，一招“天地失色”猛攻过来。

这一招有缺点，有空门，但是攻势却凌厉之极，这一招本来就是要和对方同归于尽的拼命招式。

在这种情况下，他已不能不用这种招式，只有这种绝中又绝的招式才能一招制杨铮的死命。

他不信杨铮真的会拼命，一个诡计多端的人通常都不敢拼命的。

只要杨铮有一点畏惧，错过了那一点稍纵即逝的机会，就必将死在他这一招绝招下。

他想不到杨铮真的拼命。

杨铮绝不是个没有脑筋的人，但是他随时随地都会准备拼命。

他不想死。

但是真的到了非死不可的时候，死也没有关系。

他抓住了那一瞬间的机会，他拼死的方法比任何人都不要命。

他用的不是正统武功，从来也没有人看见他用过正统武功。

倪八的出手也已经不太对了。

一个人在换气时腰眼上被打了一拳，运气时总难免有偏差，出手也难免有偏差。

他这一招“天地失色”虽然是正统和对方同归于尽的招式，却没有做到这一点。

所以他死了，杨铮却没有死。

成刚没有看见倪八的死。

他用尽全力挥了鞭扑过去时，并没有扑向那个被倪八当作是杨铮的人。

他趁着黑暗逃走了，就在“天地失色”那一刻逃走了。

没有人去追他，大家所关心的是倪八和杨铮的胜负生死。

倪八倒下去时，杨铮也倒了下去，只不过倪八永远再也站不起来。杨铮站了起来。

他的背后虽然挨了一拐，却还是站了起来，站起后只说了一句话：“我们喝那坛酒去。”

03

他们没有喝到那坛酒。

酒是由老郑和小虎子押解人犯时顺便带走的，可是他们没有回到衙门去。

老郑和小虎子也没有回家，他们竟和孙如海、“野牛”一起神秘地失踪了，谁也不知道他们的下落，也打听不到他们的行踪。

杨铮带着所有弟兄找遍了县城里每一个角落，也找不到他们的人影。孙如海的兄弟孙全海，带着他哥哥的一妻一妾四个儿女，在衙门外又哭又吵又闹又要上吊，吵着向县太爷要人。

——人活着见人，人死了也要收尸。

县太爷只有问杨铮要人。

老郑的新婚妻子和小虎子七十六岁的老娘，听到这消息都急得晕了过去。

他们的人到哪里去了？怎么会突然失踪?

没有人知道。

04

黄昏。

杨铮又疲倦又焦躁又饿又渴，心里更难受得要命。

他已将近有一天半水米未沾，也没有合过眼，每个人都逼着要他回去睡一觉，连县太爷都说：“着急有什么用？急死了也没有用的，如果你要查明这件事，就不能倒下去。你若倒了下去，谁来负这件事的责任？”

所以杨铮只有回去。

他虽然是单身一个人，却没有住在衙门后面的班房里，因为他初到这地方的时候，就在城郊租了一房一厅两间小屋子。

房东姓于，年老无子，只有个独身女儿莲姑，就住在杨铮那两间小屋前的院子里，于老头对待他就好像对待自己的儿子一样。

莲姑每天早上都会送四个水煮的荷包蛋和一大碗干面来给他做早点，再把他的脏衣服带回去洗。衣服如果破了，纽扣如果少了一颗，送回来时一定也已经补得好好的。

莲姑并不漂亮，但健康温柔诚实。杨铮一天没有回去，她就会急得躲到洗衣服的小溪边去偷偷流泪。

如果杨铮没有和他从小就喜欢的吕素文偶然重逢，现在很可能已做了于家的女婿。也就不会发生以后那些让人又惊奇又害怕又感动的事了。

造化弄人，阴错阳差。

改变了一个人一生命运的重大事件，往往都是在偶然间发生的。

在杨铮回家的小路上有个小面铺，附带着卖一点卤菜和酒，菜卤得很入味，打卤面都做得很合杨铮胃口。店东张老头也是杨铮的朋友，没事总会陪他喝两杯。

他已经非常非常疲倦了，但还是想先到那里去吃碗面，再切点豆腐干大肠猪耳朵下酒。

漫天夕阳多彩而绚丽，一个穿灰色衣褂敲小铜锣的卖卜瞎子，拄着根竹杖，从这条小路尽头处的一个树林子里走出来。锣声“当当”地响，随着暮风飘扬四散，虽然并不悦耳，在黄昏时听来也宛如音乐。

杨铮让开了路，站在道旁让他先走过去。

瞎子的脸上木无表情，人生的悲欢离合对他说来都只不过像是一场春梦。

铜锣轻轻地敲着，一声快，一声慢，他慢慢地走到崎岖的小路上，一脚深，一脚浅。走过杨铮面前时，杨铮的心忽然一跳，就好像忽然被一根看不见的尖针刺了一下。

他是个反应极快极敏感的人，但是也只有在面临生死危机时才会有这种感觉。

这个瞎子对他并没有恶意，而且已经从他面前走了过去。

他怎么会有这种感觉的？

杨铮忽然想起以前有个跟他极亲近的人曾经告诉过他。

——一个杀人无算的武林高手，平常时也会带着种无形无影的杀气，就好像一柄曾经伤人无算的宝剑一样。

难道这个瞎子也是位身怀绝技、深藏不露的武林高手？瞎子已经走远，杨铮也没有再去想这件事。

他已经非常非常疲倦，什么都不愿多想了，只想先去喝杯酒，好让晚上能睡得着。

穿过树林，就是张老头的小面铺。

杨铮来的时候，铺子里已经有两个客人在吃面，吃的也是杨铮平时最爱吃的打卤面，也切了一点豆腐干猪耳朵在喝酒。

这个人头上戴着顶宽边竹笠，戴得很低，不但盖住了眉毛挡住了眼睛，连一张脸都隐藏在竹笠的阴影里，杨铮只能看到他的一只手。

他的手掌很宽，手指却很长，长而瘦，指甲剪得很短，手洗得很干净。

杨铮看得出，像这么样一双手无论什么都一定拿得非常稳，无论什么人想要从这双手上抢过一样东西来，都非常不容易。

他喝酒喝得很少，吃也吃得很少，而且吃得特别慢，每一筷子夹下去都非常小心，就好像生怕夹到个苍蝇吃下去一样。

张老头的面铺虽然小，却很干净，菜里绝不会有苍蝇。只不过盛卤菜的大盘子就摆在路旁的竹纱柜里，总难免有点灰尘。这个人竟好像连每一粒灰尘都能看得见，每吃一口菜，都要先把灰尘挑出去。

他身上穿着件已经洗得发白的蓝布长衫，洗得非常非常干净，背后还背着柄装在小牛皮剑鞘里的长剑，比平常人用的剑最少要长七八寸。剑鞘已经很破旧，剑柄上却缠着崭新的蓝绫，用黄铜打成的剑锷和剑鞘的吞口也擦得很亮。

这个人无疑是个非常喜欢干净的人，连一点灰尘都不能忍受。

难道他真的连灰尘都能看得见？

杨铮的心忽然又一跳，只看见这个人的一只手时，他的心就一跳。

这个人正在专心吃他的面和卤菜，连看都没有看杨铮一眼，对他更不会有恶意。

杨铮怎么会忽然又有了这种感觉？

难道这个人也和那卖卜的瞎子一样，也是位身怀绝技的剑客？

像他们这样的武林高手，平时连一个都很难见得到，今天怎么会有两位同时到了这个无名的小城？

他们是不是约好了来的？他们到这个无名的小城里来干什么？

杨铮也叫了碗面，叫了点酒菜。

他实在太疲倦，只想吃完了之后立刻回去蒙头大睡一觉。

他自己的麻烦已够多，实在不想管别人的闲事，尤其是这种人的事，无论谁要去插手，都难免会惹上杀身之祸。

戴竹笠的蓝衫人已经站起来准备付账走了。

他一站起来，杨铮才发现他的身材也跟他的剑一样，比平常人最少要高出一个头，身上绝没有一分多余的肉。

他的动作虽然慢，却又显得说不出的灵巧，每一个动作都做得恰到好处，绝没有多用一分力气，从他掏钱付账这种动作上都能看得出。

他的力气好像随时随地都要留着做别的事，绝不能浪费一点。

面来了，杨铮低头吃面。

青衫人已经走出门，杨铮忍不住又抬头去看他一眼。就在这时候，青衫人忽然也回过头来看了他一眼。

杨铮的心又一跳，几乎连手里拿着的筷子都掉了下去。

这个青衫人的眼神就像是柄忽然拔出鞘来的利剑，杀人无算的利剑！

杨铮从来未曾见过如此锐利的眼神。

他只不过看了杨铮一眼，杨铮就已经感到仿佛有一股森寒的剑气扑面而来，到了他的咽喉眉睫间。

05

暮色渐深。

头戴竹笠身佩长剑的青衫人已经消失在门外苍茫的暮色里。

杨铮再三告诉自己，不要再去想他，更不要想去管他们的事，赶快吃完自己的面喝完自己的酒，回到自己的床上去。

张老头却在他对面拉开个凳子坐下来。

“杨头儿，你是有眼光的人，你看不看得出这个人有点邪气？”

“什么地方邪气？”

“一条条面一煮下锅，总难免有几条会被煮断的，捞面的时候也难免会捞断几条。”张老头说，“这个人吃面却只吃没有断过的，每一根断过了的面条都被他留在碗里。”

张老头叹了口气：“我真不明白，他是怎么能看得这么清楚的？”

杨铮立刻又想起他夹菜时的样子。

这个人的那双锐眼难道真的能看得见别人看不见的事？

张老头替杨铮倒了杯酒，忽然又说了句让人吃惊的话：“我看他一定是来杀人的。”他说得很有把握，“我敢打赌一定是。”

“你怎么能确定他要来杀人？”

“我也说不出，可是我能感觉得到。”张老头说，“我一走近他，就觉得全身发冷，寒毛直竖，连鸡皮疙瘩都冒了出来。”

他又说：“只有在我以前当兵的时候，要上战场去杀贼之前，我才会变得这样子，因为那时候大家都要上阵杀人，都有杀气。”

杨铮面也不吃了，酒也不喝了，什么话都不再说，忽然站起来冲了出去。

这地方的治安是由他管的，他绝不允许任何人在这里杀人，不管这个人是谁都一样。

就算他明知这个人能在一瞬间将他刺杀于剑下，他也要去管这件事。

就算他已经累得走不动了，他爬也要爬去。

第三章

暴风雨的前夕

01

夕阳已逝，暮色苍茫，在黑夜将临未临的这一刻，天地间仿佛只剩下一片灰蒙。青山、碧水、绿叶、红花，都变得一片灰蒙，就像是一幅淡淡的水墨画。

青衫人慢慢地走在山脚下的小路上，看起来走得虽然慢，可是只要有一瞬间不去看他，再看时他忽然已走出了很远。

他的脸还是隐藏在竹笠的阴影里，谁也看不见他脸上的表情，忽然间，远处传来“当”的一声锣响，敲碎了天地间的静寂。

宿鸟惊起，一个卖卜的瞎子以竹杖点地，慢慢地从树林里走了出来。

青衫人也迎面向他走过去，两人走到某一种距离时，忽然同时站住。

两个人石像般面对面地站着，过了很久，瞎子忽然问青衫人：“是不是‘神眼神剑’蓝大先生来了？”

“是的，我就是蓝一尘。”青衫人反问，“你怎么知道来的一定是我？”

“我的眼虽盲，心却不盲。”

“你的心上也有眼能看？”

“是的。”瞎子说，“只不过我能看见的并不是别人都能看见的那些事，而是别人看不见的。”

“你看到了什么？”

“看到了你的剑气和杀气。”瞎子说，“何况我还有耳，还能听。”

蓝一尘叹息：“瞽目神剑应先生果然不愧是人中之杰，剑中之神。”

瞎子忽然冷笑。

“可惜我还是个瞎子，怎么能跟你那双明察秋毫之末的神眼相比。”

“你要我来，就只因为听不惯我这‘神眼’两个字？”

“是的。”瞎子很快就承认，“我学剑三十年，会遍天下名剑，只有一件心愿未了，在我有生之年，我一定要试试我这个瞎子能不能比得上你这对天下无双的神眼。”

蓝一尘又叹了口气：“应无物，你的眼中本应无物，想不到你的心里也不能容物，竟容不下我这‘神眼’二字。”

“蓝一尘，现在我才知道你为什么叫蓝一尘。”应无物冷冷地说，“因为你心里还有一点尘埃未定，还有一点傲气，所以你才会来。”

“是的。”蓝一尘也很快就承认，“你要我来，我就来；你能要我去，我就去。”

“去？到哪里去？”

“去死。”

应无物忽然笑了：“不错，剑是无情之物，拔剑必定无情。现在你既然来了，我也来了，我们两人中总有一个要去的。”

他已拔剑。

一柄又细又长的剑在一眨眼间就已从他的竹竿里拔出来，寒光颤动如灵蛇，在晚风中一直不停地颤动，让人永远看不出他的剑尖指向何方，更看不出他出手要刺向何方。连剑光的颜色都仿佛在变，有时变赤，有时变青。

蓝大先生一双锐眼中的瞳孔已收缩。

“好一柄灵蛇剑，灵如青竹，毒如赤练，七步断魂，生命不见。”

青竹赤练，都是毒蛇中最毒的。

“你的蓝山古剑呢？”瞎子问。

“就在这里。”

蓝一尘一反手，一柄剑光蓝如蓝天的古拙长剑已在掌中。

应无物的长剑一直在颤动，他的剑不动。应无物的剑光一直在变，他的剑不变。

以静制动，以不变应万变。

如果说应无物的剑像一条毒中至毒的毒蛇，他的剑就像是一座山。

应无物忽然也叹了口气。

“二十年来，我耳中时时听见蓝大先生的蓝山古剑是柄吹毛断发的神兵利器，我早就想看一看。”瞎子叹息，“只可惜现在我还是看不见。”

“实在可惜。”蓝一尘冷冷地说，“不但你想看，我也想让你看看。”

剑一出鞘，一到了他的掌中，他就变了，变得更静，更冷，更定。

冷如水，定如山。

夜色又临，一片灰蒙已变为一片黑暗，惊起的宿鸟又归林，应无物忽然问蓝一尘："现在天是不是黑了？"

"是的。"

"那么我们不妨明晨再战。"

"为什么？"

"天黑了，我看不见，你也看不见，你有眼也变为无眼，我已不想胜你。"

"你错了！"蓝一尘声音更冷，"就算在无星无月无灯无烛的黑夜，我也一样能看得见，因为我有的是双神眼。"

他横剑，剑无声："你看不到我的剑，又低估了我的眼，你实在不该要我来的。"

"为什么？"

"因为我既然来了，去的就一定是你。"

剑势将出，还未出，人也没有去。小路上忽然传来一阵飞掠奔跑声，一个人大声呼喊："你们谁也不能去，哪里都不能去。"这个人的声音真大，"因为我已经来了。"

听他说话的口气，就好像只要他一来什么事都可以解决，什么问题都没有了。

应无物皱了皱眉，冷冷地问："这个人是谁？"

"我姓杨，叫杨铮，是这地方的捕头。"

"你来干什么？"

"我不许你们在这里仗剑伤人。在我的地面上，谁也不许做这种残暴凶杀的事。"杨铮说，"不管你是什么人都一样。"

应无物脸上完全没有表情，掌中的蛇剑忽然一抖，寒光颤动间，杨铮前胸的衣襟已经被划破了十三道裂口，却没有伤及他毫发。

这一剑不但出手奇快，力量也把握得分毫不差。

“刚才你说不管我们是谁都一样？”应无物冷冷地问杨铮，“现在还一样不一样？”

“还是一样，完全一样。”杨铮道，“你要杀人，除非先杀了我。”

应无物的答复只有一个字：“好。”

这个字说出口，灵蛇般颤动不息的剑光已到了杨铮的咽喉。

他的眼虽盲，剑却不盲。

他的剑上仿佛也有眼，如果他要刺你喉结上的“天突”，绝不会有半分偏差。

颤动的寒光间，杀招连绵不断，一剑十三杀，江湖中已很少有人能避开这一剑的。

想不到杨铮居然避开了，避得很险。

在这凶极险极的一刹那间，他居然还没有忘记要把对方击倒。

他天生就是这种脾气，一动起手来，不管怎么样都要把对方击倒，不管对方是谁都一样。

他用的又是拼命的法子，居然从颤动的剑光下扑了过去，去抱应无物的腰。

应无物冷笑：“好。”

他的蛇剑回旋，将杨铮全身笼罩，在一瞬间就可以连刺杨铮由后脑经后背到足踝上的十三处穴道，每一处都是致命的要害。

可是杨铮不管。

他还是照样扑过去，去抱应无物的腰，只要一抱住，就死也不放。

就算他非死不可，他也要把对方扑倒。

应无物不能倒下。

他能死，不能倒，就算他算准这一剑绝对可以将杨铮刺杀，他也不能被扑倒。

颤动的剑光忽然消失，应无物已后退八尺，居然不再出手，只说：“蓝一尘，我让给你。”

“让给我？把什么让给我？”

“把这个疯子让给你。”应无物道，“让他试试你的剑。”

“你也有剑，你的剑也可以杀人，为什么要让给我？是不是怕我看出你剑上的变化？是不是怕我看到你的夺命杀手？”

应无物居然立刻就承认：“是的。”

蓝大先生忽然笑了。

“剑是凶器，我也杀人。”他说，“可是只有一种人我不杀。”

“哪种人？”

“不要命的人。”蓝一尘道，“连他自己的命都不要了，我何必要他的命？”

夜渐深，风渐冷。

应无物静静地站在冷风里，静静地站了很久，颤动的剑光忽然又一闪，蛇剑却已入鞘。

他又以竹杖敲铜锣，锣声“当”的一响，他的人已消失在黑夜中。

一阵风吹过，只听见他的声音从风中从远处传来。

他的人仿佛已经在很远，可是他的声音却还是听得很清楚。

他只说了六个字，每个字都听得很清楚：“我会再来找你。”

02

杨铮全身都是汗，风是冷风，他的汗也是冷汗，风吹在他身上，他全身都是冰凉的。

一个连自己都认为自己已经死定的人，忽然发现自己还活着，心里是什么滋味？

蓝大先生看着他，忽然问他：“你知不知道那个瞎子是什么人？”

“不知道。”

“你知不知道你自己是什么人？”蓝一尘居然问杨铮，却又抢着替杨铮回答，“你是个运气非常好非常好的人。”

“为什么？”

“因为你还活着，在瞽目神剑应无物剑下还能活着的人并不多。”

“你知不知道你是什么人？”杨铮居然也这么样问蓝一尘，而且也抢着替他回答，“你也是个运气很好的人，因为你也没有死。”

“你认为是你救了我？”

“我救的也许是你，也许是他。”杨铮道，“不管怎么样，反正我都不能让你们在我这里杀人，既不能让他杀你，也不能让你杀他。”

“如果我们杀了你呢？”

“那么就算我活该倒霉。”

蓝大先生又笑了，笑容居然很温和，他带着笑问杨铮：“你是哪一门哪一派的弟子？”

“我是杨派的。”

“杨派？”蓝一尘问，“杨派是哪一派？”

“就是我自己这一派。”

“你这一派练的是什么武功？”

“我也不知道是什么武功，也没有什么招式。”杨铮说，“我练功夫只有十个字秘诀。”

“哪十个字？”

“打倒别人，不被别人打倒。”

“若你遇到一个人，非但打不倒他，而且一定会被他打倒。”蓝一尘问，“那时候你怎么办？”

“那时候我只有用最后两个字了。”

“哪两个字？”

“拼命。”

蓝大先生承认：“这两个字确实是有点用的，遇到个真拼命的人，谁都会头痛。如果你有七八十条命可以拼，你这一派的功夫就真管用了。”

他叹了口气：“可惜你只有一条命。”

杨铮也笑了笑。

“只要有一条命可以拼，我就会一直拼下去。”

“你想不想学学不必拼命也可以将强敌击倒的功夫？”

“有时也会想的。”

“好。”蓝大先生道，“你拜我为师，我教给你，如果你能练成我的剑法，你以后就用不着去跟别人拼命了，江湖中也没有什么人敢来惹你了。”

他微笑道：“你实在是个运气很好的人，想拜我为师的人也不知有多少，我却选上了你。”

这是实话。

要学蓝大先生的剑法确实不是件容易事，这种机缘，谁也不会轻易放过的。

杨铮却似乎还在考虑。

蓝大先生忽然挥剑，剑光暴涨，一柄长达三尺七寸长的剑锋，仿佛忽然间又长了三尺，剑尖上竟多出了一道蓝色的光芒，伸缩不定，灿烂夺目，竟像是传说中的剑气。

剑气迫入眉睫，杨铮不由自主后退几步，几乎连呼吸都已停顿，只听见“嚓”一声响，七尺外一棵树忽然拦腰而断。

蓝大先生剑势一发即收：“你只要练成这一招，纵然不能无敌于天下，对手也不多了。”

杨铮相信。

他虽然看不懂这一剑的玄妙，可是一棵大树竟在剑光一吐间就断了，他却是看见的。

古剑发寒光，蓝大先生以指弹剑，剑作龙吟，杨铮忍不住脱口而赞：“好剑。”

“这是柄好剑。”蓝大先生傲然道，“我仗着这柄剑纵横江湖二十年，至今还没有遇到对手。”

“你以前一定也没有遇到过不想学你剑法，也不想要你这把剑的人。”杨铮说。

“的确没有。”

“你现在已经遇到一个了。”杨铮说，“我从来都不想当别人的师傅，也不想当别人的徒弟。”

说完这句话，他对蓝一尘抱了抱拳，笑了笑，然后就头也不回地走了。

他不想再去看蓝一尘脸上的表情，因为他知道那种表情一定很不好看。

03

有星，星光闪烁，小溪在星光下看来，就像是条镶满宝石的蓝色玉带。

实际上这条小溪并没有这么美，白天女人们在这里洗衣裳，孩子们在这里大小便，可是一到晚上，经过这里的人都会觉得美极了，美得几乎可以让人流泪。

杨铮走过这里的时候，就看到有个女人坐在小溪旁的青石上流泪。

她是个结实而健康的女人，一套去年才做的碎花青布衣裳现在已经嫌太紧了，紧紧地绷在她身上，让她连呼吸都觉得困难，蹲下去的时候更要特别小心，生怕把裤子绷破。

附近的少年看见她穿这身衣裳时，眼珠子都好像掉了下来。

她喜欢穿这套衣裳，她喜欢别人看她。

她年纪还轻，但是已经不能算是小姑娘了，所以她有心事，所以她才会流泪。

她的眼泪总是为一个人流的，现在这个人已经站在她面前。

“莲姑，这么晚了，你一个人坐在这里干什么？”

她低着头，虽然已经偷偷地用袖子擦干了眼泪，却还是没有抬头，过了很久才轻轻地说：“昨天晚上你怎么没有回来？”她说，“昨天我们杀了一只鸡，今天早上特地用鸡汤替你煮了蛋，还留了个鸡腿给你。”

杨铮笑了，拉起她的手：“现在我们就回去吃，我吃鸡腿，你喝汤。”

每次他拉住她的手时，她虽然会脸红心跳，可是从来也没有推拒过。

这一次她却把他的手挣开了，低着头说："不管你有什么事，今天都应该早点回来的。"

"为什么？"

"今天有位客人来找你，已经在你屋里等了半天了。"

"有客人来找我？"杨铮问，"是个什么样的人？"

"是个好漂亮好漂亮的女孩子，好香好香，还穿着件好漂亮的衣裳。"莲姑头垂得更低，"我让她到你屋里去等，因为她说她是你的老朋友，从你还在流鼻涕的时候就已经认识你。"

"她的名字是不是叫吕素文？"

"好像是的。"

杨铮什么话都不再问，忽然变得就像是匹被别人用鞭子抽着的快马一样跑走了。莲姑抬起头看他时，他已经人影不见。

星光闪烁如宝石，莲姑脸上的眼泪就像是一串断了线的珍珠。

04

杨铮住的是一房一厅两间屋子，屋子不小，东西不少，却总是收拾得非常干净。

不是他收拾的，是莲姑帮他收拾的。

他推开门冲进去的时候，厅里面没有人，只有一碗茶摆在方桌上，早就凉了。

他的客人已经躺在他卧房里的床上睡着，一头每天都被精心梳成当时最流行的贵妃髻的乌黑头发，现在已经打开了，散在他的枕头上。

他的枕头雪白，她的头发漆黑，他的心跳得很乱，她的鼻息沉沉。

她的睫毛那么长，她的身子那么柔软，她的腿却那么长。

她清醒时那种被多年风月训练而成的成熟妩媚老练，在她睡着时都已看不见了。

她睡得就像是个孩子。

杨铮就站在床边，像个孩子般痴痴地看着她，看得痴，想得更痴。

也不知痴了多久，杨铮忽然发现素文已经醒了，也在看着他，眼波充满了温柔和怜惜，也不知过了多久，才轻轻地说："你累了。"她让出半边床，"你也来躺一躺。"

她只说了几个字，可是几个字里蕴藏的情感，有时已足胜过千言万语。

杨铮默默地躺下去，躺在他朝思暮想的女人身旁，心里既没有激情，也没有欲念，只觉得一片安静平和，人世间所有的委屈痛苦烦恼仿佛都已离他远去。

她从未来过这里，这次为什么忽然来了？他没有问，她自己却说出来了。

"我是为了思思来的。"吕素文说，"因为昨天下午，忽然有个让我想不到的人到我那里去找思思。"

"是什么人？"

"狄小侯，狄青麟。"

"他去找思思？"杨铮也很意外，"他们没有在一起？"

"没有。"吕素文道，"他说思思已经离开他好几天。"

"离开他之后到哪里去了？"

"不知道，谁都不知道。"吕素文说，"他们一起到牡丹山庄去买马，第二天晚上她就忽然不辞而别，狄青麟也不知道她是为了什么事走的。”

“是不是因为他们吵了架？还是因为她又遇到个比狄青麟更理想的男人？”

在那次盛会中牡丹山庄里冠盖云集，去的每个男人都不是平凡的人，每个男人都可能看上思思。

思思本来就是个风尘中的女人，和狄青麟又没有什么深厚的感情。

杨铮心里虽然这么想，却没有说出来，他知道吕素文一直把思思当作自己的妹妹，听到这些话一定会不高兴的。

所以他只问：“你想她会到什么地方去？”

“我想不出，也没有去想。”吕素文说，“因为我根本就不相信。”

“不相信什么？”

“不相信狄青麟说的话，不相信思思会离开他。”素文说，“因为思思曾经告诉过我，像狄青麟这样的男人，正是她梦想中的男人，她一定要想法子缠住他。”

她说：“思思在我的面前绝不会说谎的。”

——世事多变，女人的心变得更快，尤其像思思这样的女人，就算那时候她说的是真话，谁敢保证她的想法不会变？

杨铮当然也不会把这种想法说出来。

“难道你认为狄青麟会说谎？”他问吕素文，“难道你认为他会对思思怎么样？”

“我也不知道。”吕素文说，“以狄青麟的身份，本来的确是不应该会说谎，可是我心里还是觉得有点怕。”

“你怕？”杨铮问，“怕什么？”

"怕出事。"

"会出什么事？"

"什么样的事都有可能。"吕素文说，"因为我知道像狄青麟那样的男人，绝不愿意让一个女人死缠住他的。"

她忽然握住杨铮的手："我是真的害怕，所以在他面前，我什么都不敢说，什么都不敢问，他的身份虽然尊贵，可是我总觉得他是心狠手辣的人，什么事都做得出来。"

杨铮知道她是真的在害怕，她的手冰冷。

"没什么好害怕的。"杨铮安慰她，"如果狄青麟真的对思思做出了什么事，不管他的身份多尊贵，我都不会放过他，而且一定替你把思思的下落查出来。"

吕素文轻轻地叹了口气，闭上了眼睛："昨天晚上一夜都没有睡，我能不能在你这里睡一下？"

她很快就睡着了。

因为她已经放心了，虽然她从未信任过任何男人，可是她信任杨铮。

她相信只要杨铮在身边，就没有任何人能够伤害她。

夜渐深，人渐静。

在这个淳朴的小城里，人们过的日子都是单纯而简朴的，现在都早已睡了。

除了小虎子伤心欲绝的寡母和老郑新婚的妻子外，现在城里也许只有一个人还没有睡。

狄青麟还留在城里，还没有睡。

05

城里最大的客栈是“悦宾”。

这是家新开的客栈，房子也是新盖的，可是前几天忽然又花了几百两银子把西面的跨院重新整修了一遍。

客栈的老板并不愿意花这笔银子，却不能不花。

这是一位极有势力的人要他这么样做的，因为最近有一位身份极尊贵的人要到这里住一个晚上。

这个贵宾是个非常讲究的人，虽然只住一个晚上，也不能马虎。

这位贵宾就是狄青麟。

狄青麟穿一身雪白的宽袍，拿一盏盛满琥珀酒的白玉杯，斜倚在一张铺着雪白波斯羊毛毡的短榻上，仿佛在想心事，又仿佛在等人。

他是在等人。

因为这时候外面已经有人在敲门，“笃、笃笃笃”，用这种方法连敲两次后，狄青麟才问：“什么人？”

“正月初三。”门外的人又重复说了两遍，“正月初三。”

这是日期，不是人的名字。也许不是日期，而是一个约好了的暗号。

但是现在这个暗号却代表一个人。属于一个极庞大秘密组织的人。

四百年来，江湖中从未有过比“青龙会”更庞大严密的组织。

它的属下有三百六十五个分舵，分布天下，以太阴历为代表，

“正月初三”，就代表它属下的一个分舵的舵主。

狄青麟在等的就是这个人，在这次行动中，就是由这个人负责代表“青龙会”和他联络的。

人已进来了，一个高大健壮衣着华丽的人，看见他走进来，连一向不动声色的狄青麟都显得有点惊讶。

“是你？”

“我也知道小侯爷一定想不到‘正月初三’就是我的。”这个人笑嘻嘻地说，一张白白胖胖的圆脸上完全没有一点机诈的样子，“很少有人知道我也是‘青龙会’的人。”

就算有人知道，也会怀疑：财雄势大、雄踞一方的“花开富贵”花四爷为什么要屈居人下？

狄青麟却了解这一点。

如果“青龙会”要吸收一个人，那个人通常都不会有什么选择的余地。

——不入会就只有死。

——如果你是牡丹山庄的主人，如果你的家财已经多到连你的第十八代玄孙都花不完的时候，你想不想死？

就算一文钱都没有的人，也一样不想死的。

狄青麟微笑。

“我的确想不到是你。”他反问花四，“你想不想得到我会杀人？”

“我想不到。”花四爷承认，“我连做梦都没有想到过。”

“可是现在你当然已经知道了，万大侠的尸首是你亲手放进棺材的。”狄青麟啜了口杯中酒，“你们大头子交给我的事，我总算已圆满完成。”

“我已经报上去了，上面已经交代下来，如果小侯爷有什么事要做，我们也一样会尽力。”花四爷忽然不笑了，很正经地说，“如果小侯爷要花四去死，我马上就去死。”

狄青麟凝视着白玉杯里琥珀色的酒，过了很久才开口：“我不想要你死，我希望你长命富贵多子多孙。”他说，“只不过有个人我倒真不想让她再活下去，连一天都不想让她活下去。”

“小侯爷说的是谁？”

“如玉。”狄青麟说，“怡红院里的红姑娘如玉。”

狄青麟昨天确实到怡红院去过，已经见到了思思说的“大姐”，本来名字叫吕素文的如玉。

他一看见她之后就发现了一件事——这个女人实在太精明老练，无论什么事想瞒过她都很不容易。

“我要你们替我去杀了她。”狄青麟说，“随便找个人，随便找个理由，在大庭广众间去杀了她，绝不能让任何人怀疑她的死跟我有一点关系。”

“我明白小侯爷的意思。”花四笑得像个弥勒佛，“办这一类的事，我们有经验。”

“还有。”狄青麟道，“我听说如玉有个老客人，是这里的捕头。”

“对。”花四爷的消息显然很灵通，“这个人姓杨，叫杨铮。”

“他是什么样的人？”

“倒是条硬汉，也不太好惹，在六扇门里很有点名气。”

“那么你就千万不要让杀了如玉的那个人落在他的手里。”

“这一点，小侯爷已经用不着担心了。”

“为什么？”

“杨铮自己也有麻烦了。”花四爷眯着眼笑道，“连他自己恐怕都自身难保。”

“他的麻烦不小？”

“很不小。”花四爷说，“就算不把命送掉，最少也得吃上个十年八年的官司。”

狄青麟笑了笑：“那就好极了。”

他没有再问杨铮惹上的是什么麻烦，他一向不喜欢多管别人的事。

花四爷自己却透露出一点：“这件事说起来也算很巧，我们本来并不知道小侯爷要对付杨铮和如玉。”他说，“可是我们早就有计划对付他了。”

狄青麟微笑。

现在他已明白，杨铮的麻烦是在“青龙会”的精密计划下制造出来的。

无论谁惹上这种麻烦，要想脱身都很不容易。

狄青麟站起来，替花四爷也倒了杯酒，轻描淡写地问：“那天晚上我们在府上喝酒的时候，在席前赤着脚跳拓枝舞的那位姑娘是谁？”

花四爷笑得更愉快：“她叫小青，我已经把她带到这里来了。”他说，“我早就看出来小侯爷看上她了。”

狄青麟大笑：“花四爷，现在我才知道你为什么会发财，像你这种人不发财才是怪事。”

小青的腰在扭动时就像一条蛇。

小小的青蛇。

06

夜更深，更静。吕素文却忽然惊醒，从噩梦中惊醒。

她梦见狄青麟的嘴里忽然长出了两颗獠牙，咬住了思思的脖子，吸她的血。

她惊醒时杨铮还在沉睡。

她忽然发现杨铮全身上下都是滚烫的，流着的却是冷汗。

杨铮病了，而且病得很不轻。

素文又吃惊又难受，慢慢地从床上爬起来，想去找块面巾替杨铮擦汗。

屋子没有点灯，她本来什么都看不见，可是看见窗子开了。

淡淡的星光从窗外照进来，她忽然看见窗外站着一群人，有的人掌中有刀，有的人手里有箭。

刀已出鞘，箭已在弦。

第四章

鲜红的指甲

01

刀光在星光下闪动，利箭在弓弦上伸挺。

吕素文不知道发生了什么事，就因为她不知道，所以更害怕。

她想去叫醒杨铮，又不想去叫醒他。

——他为什么偏偏要在这时候生病？

窗外的人并没有冲进来，可是门外已经有人在敲门了。

吕素文又想去开门，又不敢去。

敲门的声音愈来愈响，杨铮终于被吵醒，先看见吕素文充满惊惶恐惧的脸，又看见窗外的刀光。

他也不知道发生了什么事，从床上一跃而起，忽然发现自己的腿有些软，衣服都是湿淋淋的，连一点力气都使不出。

只不过他还是去开了门。

门外站着两个人，一个人高大威猛，满脸大胡子，眉毛浓得就像是两把泼风刀，看起来天生就像是个有权力的人。

另外一个短小精悍，一双眼睛炯炯有光，看起来不但极有权，而且极精明。

杨铮认得这些人。

六扇门里的兄弟，怎么会不认得省府里的总捕头，以“精明老练，消息灵通”让黑道朋友人人都头痛的“鹰爪”赵正？

“赵头儿，”杨铮问他，“三更半夜来找我干什么？是不是又出了什么事？”

赵正还没有开口，那个浓眉虬髯的大汉已经先开口了。

“想不到你居然还没有跑。”他冷笑着道，“你真有胆子。”

“我为什么要跑？”

赵正忽然叹了口气，拍了拍杨铮的肩：“老弟，你的事发了。”他不停地摇头叹气，“我真想不到，你一向是条好汉子，这次怎么会做出这种事来？”

“我做了什么事？”

浓眉大汉又冷笑：“你还想装蒜？”

他挥了挥手，外面就有四个人抬了个白木银鞘子走了进来，正是杨铮刚从倪八手上夺回来的镖银，每个鞘子里都装着四十只五十两重的官宝。

杨铮还不懂这是怎么回事，浓眉大汉忽然又出手，拔出一柄金光闪闪的紫金刀，一刀砍下去，银鞘子立刻被劈开。

银鞘子里居然没有银元宝，只有些破铜烂铁和石头。

浓眉大汉厉声问杨铮：“你是在什么时候把银子掉包的？把银子藏到哪里去了？”

杨铮又惊又怒：“九百个银鞘都被掉了包？你以为是我动的手脚？”

赵正又叹了口气：“老弟，不是你是谁？”他说，“银子绝不会忽然变成废铁。”

他又说：“倪八当然也有嫌疑，可惜他已经被你杀了灭口，已经死无对证了。”

——杀人灭口，死无对证，这种话说得好凶狠。

“你带去办这件案子的人都是你的好兄弟，而且每人都有一份，当然不会承认的。”赵正说，“老郑和小虎子是你最信任的人，你叫他们把银子带走，因为你相信他们绝不会出卖你。”

赵正又说：“这两人一个有娇妻幼子，一个有老母在堂，就算想出卖你，他们也不敢。”

杨铮忽然镇静了下来，什么话都不说，先回头告诉吕素文：“你先回去，我再来找你。”

吕素文的全身上下都已变得冰冰冷冷，什么话也没有再说，垂着头走出去，走出门之后又忍不住回头看了杨铮一眼，眼色中充满惶恐和忧心。

她知道他一定不会做出这种事的，可是她也知道，这种事就算跳到黄河里也很难洗得清。

她在为他担心。只为他担心，丝毫不为自己。

因为她还不知道她的情况比他更危险，还不知道现在已经有个人在等着要取她的命。

一个把杀人当作砍瓜切菜般的狠人。

02

秃子一向狠，又凶又冷又狠。

他是花四的属下，现在已经得到花四爷的命令——在日出前去杀怡红院的如玉。杀了之后立刻远走高飞，五年里都不许在附近露面。

花四爷除了给他这个命令之外，还给了他一万两银票，已经足够他过五年舒服日子。

在他说来，这是件小事。

他向花四爷保证："明天天亮的时候，那个婊子一定会躺在棺材里。"

03

杨铮的心在刺痛。

他明白吕素文对他的忧切关心，也舍不得让她走，但是她非走不可。

因为他已经发现这件事绝不是容易解决的。

——如果你能知道一只老虎掉进猎人的陷阱时是什么感觉，你才能了解他此刻的感觉。

他问那个浓眉虬髯的大汉："阁下是不是'中原'的总镖头宝马金刀王振飞？"

"是。"

"阁下是不是认定了这件案子是我做的？"

"是。"

杨铮沉默了很久，转过脸去问赵正："连你也不相信我？"

赵正又在叹息。

"一百八十万两银子不是个小数目，干我们这一行的人，就算干一千年也赚不来的，财帛动人心，这一点我很清楚。"他说，"我知道你一向是个出手很大方的人，也知道刚才那位姑娘是个价钱很贵的红姑娘。"

杨铮在听他说话，听到这里，忽然冲过去，挥拳猛击他的嘴。

赵正往后跳，王振飞挥刀，门外又有人扑进来，一片混乱中，忽然听见一个人用一种极有威严的声音大声说："你们全都给我住手！"

一个白皙清秀三十多岁的蓝衫人大步走进来，用一双炯炯有神的眸子瞪住他们："谁也不许轻举妄动。"

没有人再动。

因为这个人就是这地方的父母官，进士出身的"老虎榜"知县，被老百姓称为"熊青天"的七品正堂熊晓庭。

他是能吏，也是廉吏，他连夜赶到这里来，因为他对他手下这个年轻人有份很特别的感情，那已经不仅是长官对下属的感情。

"我相信杨铮绝不会做这种事。"熊晓庭说，"如果赵班头怕对上面无法交代，本县可以用这七品前程来保他。"

赵正立刻躬身打千："熊大人言重了。"

他是府里派来的人，但是他对这位清廉正直强硬的七品知县，还不敢有丝毫无礼。

"只不过这件案子还是要着落在杨铮身上。"熊大人转向杨铮，"我给你十天期限，你若还不能破案，就连我也无法替你开脱了。"

十天，只有十天。

没有人证，没有线索，没有一点头绪，怎么能在十天之内破得了这件案子？

天还没有亮，杨铮一个人躺在床上，只觉得四肢发软，嘴唇干裂，头脑混混沌沌，就像是被人塞了七八十斤垃圾进去。

他恨自己，为什么要在这时候生病。

他绝不能让自己这么样倒在床上，他一定要挣扎着爬起来。

但是他滚烫的身子忽然又变为冰冷，冷得发抖，抖个不停。

晕眩迷乱中，他好像看见莲姑走进了他的屋子，替他盖被，替他擦脸，拿着他的脸盆替他去井里打水，好像去了很久没有回来。

04

他仿佛还听见了一声惨呼，那仿佛是莲姑的声音。

此后，他就没有再看见过她。

天亮了。

秃子虽然一夜没有睡，却还是精神抖擞，因为这个世界上已经少了一个人，他身上却多了一万两银子。

行装已备好，健马已上鞍，从此远走高飞，多么逍遥自在。

他想不到花四爷居然会来，带着个小书童一起来的，胖胖的脸上一团和气，只问他："你是不是要走了？"

"是。"秃子笑道，"四爷交给我办的只不过是小事一件，简直比吃白菜还容易。"

"现在如玉已经躺在棺材里？"

"她不在棺材里。"秃子说，"她在井里。"

"哦？"

"前天晚上她就不在怡红院了，幸好我还是找到了她。"秃子很得意，"前天晚上送她出去的车夫是个酒鬼，我只请他喝了几两酒，他就把她去的那个地方告诉了我，我当然不会找不到的。"

花四爷微笑："你倒真有点本事。"

秃子更得意。

"我赶去的时候，她正好从屋子里出来，到井边去打水，三更半夜谁都难免会失足掉下井的，所以我一伸手，事情就办成了，简直不费吹灰之力。”

“你办得很好。”花四爷说，“可惜还是有一点不太好。”

“哪一点？”

“你杀错了人！”花四爷说，“昨天晚上如玉已经回到怡红院，还陪我喝了两杯酒。”

秃子怔住了。

花四爷又笑了笑：“偶然杀错一两个人其实也没什么太大关系。”

秃子也笑了。

“当然没关系，今天我再去，这次保证绝不会再杀错。”

“那么我就放心了。”花四爷带着微笑，吩咐他那个最多只有十五六岁的小书童，“小叶子，你再替我送一千两银子给这位大哥。”

小叶子长得眉清目秀，一脸讨人喜欢的样子，尤其是拿出银票来送人的时候，更让人没法子不喜欢。

秃子的眼睛也像花四爷一样眯了起来：“这位小哥长得真好……”

他没有说完这句话，因为他只看见了小叶子拿银票的一只手。

小叶子另外还有一只手，手里有一把刀。

虽然是很短的一把刀，但是如果刺入一个人的要害，还是一样可以致命。

小叶子轻轻松松地就把这柄短刀的刀锋送进秃子的腰眼里去。

完全送了进去，连一分都不剩。

像秃子这种人的死，才是真正不会有人关心的。

因为他杀人。

杀人的人，就难免会死在别人的刀下。

——虽然有时是孩子手里的短刀，有时是仇人手里的凶刀，但是在最合理的情况下，通常还是刽子手掌中的钢刀。

05

莲姑死了，死在井里。

谁也想不到她是被人误杀而死的。

她没有仇人，更不会被人仇杀，连她的父母都认为她是自己心里想不开而跳井的。

于老先生夫妻当然不会把这种话在杨铮的面前说出来。

杨铮已经病了，已经有了麻烦，老夫妻两个人都不愿再伤他的心。

他们甚至还请了位老郎中来替杨铮开了一帖药，可是等到他们把药煎好送去时，杨铮已经不见了，只留下两锭银子和一张字条。

“银子是留给莲姑办后事的，聊表我一点心意，这两天我恐怕要出远门，但是一定很快就会回来，请你们放心。”

手里拿着银子和纸条，眼睛看着窗外萧索冷清的小院，一棵衰老的白杨树已经开始枯萎，一条老黄狗蜷伏在墙角。

老夫妻两个人慢慢地走出去，在树下两个石凳上面对面地坐下，看着一朵朵杨花飘落。

他们没有流泪。

他们已经无泪可流了。

06

天已经亮了很久，张老头还赖在床上不肯起来。

他知道早就应该起来准备卤菜和面条了，否则今天恐怕就没法子做生意。

他为什么一定要起来做生意呢？每一天的日子都过得如此漫长艰苦，而生命又偏偏如此短促，他为什么不能多睡一会儿？

他还是起来了，因为他忽然想到那些每天都要到这里吃面的穷朋友。

这里不但便宜，而且还可以赊账，如果这里没东西吃，他们很可能就要挨饿。

——一个人活着并不是只为了自己，这世界上有很多人都是为了别人而活着的，如果你已经担起了一副担子，就不要随便放下去。

张老头心里叹着气，刚卸下店门的门板，就看见杨铮冲了进来，一双炯炯有光的眼睛已变得散漫无神，而且充满了红丝，脸色也变得很可怕。

“你病了。”张老头失声说，“你为什么不躺在家里多休息休息？”

“我不能休息。”杨铮说，“因为有些事非要我去做不可。”

张老头当然能明白他的意思，叹息着道：“对！有些人天生就是不能停下来的。”

杨铮自己去拿了六个大碗摆在桌上。

“你把每个碗都替我倒满烧酒，最烈的那种烧刀子。”他说，“我一定要喝点酒才有力气。”

张老头吃惊地看着他："你病得这么厉害还要喝酒？你是不是想死？"

杨铮苦笑："你放心，我死不了的，因为现在我还不能死。"

张老头又不禁叹息："对，你不能死，我也不能死，就算我们自己想死都不行。"

六大碗火辣辣的烧刀子，杨铮一口气喝下去，身子立刻火辣辣地烧了起来。

外面的风很大，他迎着风冲去，扯开了衣襟，大步而行，汗珠子雨点般下来，冷风吹在他流着汗的胸膛上，他完全不在乎。

城里已经开始热闹起来，有很多人跟他打招呼，他也挺着胸对他们点头微笑。

他先到县衙里去跟熊大人磕了三个头。

"现在我就要出门去办事了，十天之内我一定会回来，就算我死了，也会求人把我的尸首抬回来的。"他说，"只求大人不要为难那些替我作保的兄弟。"

年轻的县太爷没有回答，却转过头去，因为他不愿让他的属下看见他已有满眶热泪将要夺目而出，过了很久他才淡淡地说："你走吧！"

出了衙门，杨铮就把他母亲留给他以后娶媳妇做聘礼用的一对珠环和一根金钗，送到鸿发当铺去当了十五两五钱银子。

这还是他母亲陪嫁带到杨家的，他本来就算饿死也不会动用，可是现在他已经把他多年薪俸的节余都留给莲姑了。

他用一两银子买了两大坛酒和一大方猪肉，叫人送到牢房去，送给他那些因为这件事而被收押的兄弟，又把另外十四两分成两包，叫人去送给老郑的妻儿和小虎子的寡母。

他不忍去见她们，也不敢去，他生怕他们见面时会彼此抱头痛哭。

然后他就用最后的五钱银子去买了四十个硬面饼和一些咸菜肉干，用青布包好扎在背后，剩下的还够他喝两斤最便宜的烧酒。

他本来不想再喝的，可是他忽然看见赵正和王振飞就站在对面的“悦宾”客栈门口，正在跟一个白衣如雪的贵公子寒暄招呼。

客栈外停着一辆极有气派的马车，这位贵公子好像已经准备要上车走了。

他对赵正和王振飞也很客气，可是一张苍白而高贵的脸上，已经露出了不耐烦的情绪，显然并没有把这两个人当作朋友。

杨铮忽然把本来不想喝的两斤酒要来，一口气喝了下去。

狄青麟的确已经很不耐烦，只想这两个人赶快把话说完赶快走。

但是刚被王振飞介绍给狄小侯认得的赵正，还在不断地向他道仰慕之忱，还一定要留他吃顿饭。

就在这时候，对街忽然有个衣衫不整满身酒气的年轻人冲过来问他：“你是不是狄青麟？”

他还没有开口，赵正已经在大声叱责：“杨铮，你怎么敢对狄小侯爷如此无礼？”

杨铮笑了笑：“我对谁都是这样子的，你要我怎么样对他？跪下来舐他的脚？”

赵正气得脸色都变了，但是想到自己的职位，还不便发作。

王振飞却没有这些顾忌，冷笑道：“杨头儿，以你的身份，恐怕还不配跟小侯爷说话，你就请快点滚吧！”

“我不会滚。”

“不会滚也要你滚，我教你。”

杨铮又笑了，忽然一巴掌往王振飞脸上打了过去。

王振飞冷笑，随便用一个“小擒拿手”就扣住了杨铮的腕子。

像这样一个小小的捕快，他闭着眼也能对付的，他正想给这个无礼的小子一点教训，想不到就在这时候，杨铮的左拳已经痛击在他的胃上。

这一拳打得真不轻。

王振飞痛得几乎要弯下腰去呕吐，幸好他几十年的功力不是白练，宝马金刀的声名得来也并非偶然，他居然挺住了。

杨铮也想趁这个机会挣脱了他的手，却没有挣脱，王振飞手上的力道实在不弱。

“你知不知道世上只有两种人是打不得的，一种是功夫比你强的人，另一种就是我这样的人。”他说，“殴打官差，是要吃官司的。”

王振飞怒喝：“凭你还不配带我去吃官司。”

他的力气已恢复，“七十二路小擒拿手”每一招拿的都是对方关节要害。

杨铮虽然知道，却不在乎。

他还可以拼命。

狄青麟一直用一种冷冷淡淡的态度在看着他们，忽然微笑道：“我也不会滚，滚起来一定很有意思，王总镖头，你还是教教我吧。”

王振飞的脸色又变了，吃惊地看着狄青麟：“小侯爷，你难道忘了我是你的朋友？”

狄青麟又淡淡地笑了笑。

“你不是我的朋友。”他的声音很平和，“你们两位都不是。”

他忽然伸出手去拉杨铮的手：“你有什么事找我？我们到车上去

说。”

杨铮的腕门本来已经被王振飞以极厉害的擒拿法锁住，可是狄青麟一出手，好像并没有什么动作，王振飞就不由自主松开来踉跄后退三步。

他又惊又恐又怕又有点莫名其妙，直等到车马远去，才忍不住问赵正：“他怎么可以这样子对我？”

“他当然可以，不管他怎么样对你都可以，他也可以这样子对我。”赵正冷冷地说，“因为他不但武功比我们高得多，而且是世袭的一等侯。”

“难道我们就没法子对付他？”

“当然有。”

“什么法子？”

“去咬他一口。”

07

车马前行，舒服而平稳。

狄青麟用一种很温和的眼光看着杨铮。

“我听说过你，我知道你是条硬汉。”狄小侯说，“可是我从来也没有看过你那样的出手，你为了要打人，居然不惜先让对方把你的要害拿住。”

“你从来没见过那一招？”

“从来没有。”

“我也没见过。”杨铮说，“我也是第一次用那一招，因为那本来就是我临时想出来的，我练的就是这种功夫。”

狄小侯微笑："这样的功夫有时候也很有用的。"

杨铮忽然问他："你听谁说起过我？是不是思思？"

"是她。"

"她人呢？"

"走了。"狄青麟的声音里带着种无可奈何的惋惜，"一个女人如果要走，就好像天要下雨一样，谁也拦不住的。"

"你知不知道她是跟谁走的？"杨铮又问，"知不知道她到什么地方去了？"

狄青麟摇头："事先我一点都没有看出她会走，女人的心事，本来就是男人无法捉摸的。"他淡淡地笑了笑，"就正如男人的心事女人也无法捉摸一样。"

杨铮沉默了很久，忽然说："我也要走了，再见。"

他真的说走就走，说完这句话就打开车门跳了出去。

车马依旧保持着正常的速度向前奔驰。狄青麟静静地坐在车厢里，本来很少有表情的脸上，现在却有了种很奇怪的表情。

就在这时候，车厢下忽然有个人游鱼般滑出，滑入了车窗，穿一身灰布衣褂，拿一根青竹明杖，赫然竟是"瞽目神剑"应无物。

他忽然闯入了狄小侯的车厢，狄青麟却连一点惊讶的样子都没有，好像早就知道他会来的，只问了句："蓝大先生是不是已经死在你的剑下？"

"没有。"应无物说，"我和他根本没有交手。"

"为什么？"

"就因为刚才的那个人。"

"杨铮？"狄青麟皱眉，"你要杀人时，一个小小的捕头能拦得住你？"

“这次你看错人了。”应无物道，“杨铮绝不是你想象中那么简单的人。”

“哦？”

“他出手的招式虽然不成章法，却有一身很好的内功底子，绝不是没有来历的人。”应无物冷笑，“我跟他交过手，他瞒不过我。”

他又说：“蓝一尘要收他为弟子，他居然一口拒绝了。你想不想得出他为什么要拒绝？”

狄青麟沉默了很久才回答：“是不是因为他本门的武功并不比蓝大先生的剑法差？”

“是的。”

“他为什么从来不用他的本门武功？”

“因为他不愿让人看出他的身世来历。”

“你想他有什么来历？”

应无物沉默了很久才说：“我第一眼看见他，就觉得他很像一个人。”

一个瞎子怎么能“看见”？就算他的心中有眼，也看不见人的。

这是件怪事，狄青麟却一点都不觉得奇怪，只问应无物。

“他像谁？”

“像杨恨，性格容貌神气都像极了。”

“杨恨？”狄青麟立刻问，“是不是昔年横行无忌、杀人如草的大盗杨恨？”

“是的。”

狄青麟的瞳孔忽然收缩。

“难道你认为他可能是杨恨的后人？”

“很可能。”

应无物的白眼一翻，眼白翻起，忽然露出双虽然比常人小一点，却精光四射的眸子。

他没有瞎。

“瞽目神剑”应无物居然不是瞎子。

这是他最大的秘密，他骗过了天下人，可是他没有骗过狄青麟。

他为什么要让狄青麟知道这秘密？

难道他和狄青麟之间有一种不为人所知的特别关系？

一个浪迹天涯的剑客，和一位门第高贵的小侯爷，会有什么关系呢？

狄青麟的手已握紧，就好像已经握住了他那柄能杀人于瞬息的薄刀。

应无物盯着他，盯着他看了很久，才一个字一个字地问：“那个叫思思的女人是不是已经死了？是不是你杀了她？”

狄青麟拒绝回答。

应无物叹了口气，眼白一翻，一双精光四射的眸子忽又消匿，又变成个瞎子。

“如果你杀了那个女人，最好连杨铮也一起杀了。”应无物说，“只要他还活着，就绝不会放过你，迟早总会查出你的秘密。”

他冷冷地接着说：“这种事你是绝不能倚靠别人替你做的。”

狄青麟又沉默了很久，忽然大声吩咐他新雇的车夫：“我们回家去。”

车夫是新雇的。

因为原来的那个车夫，在思思失踪之后，忽然因为酒醉淹死在大明湖。

08

吕素文的心很乱。

一个三十岁的寂寞女人，黄昏时心总是会莫名其妙地忽然乱起来。

就在她心最乱的时候，杨铮忽然来了，第一句话就说："我给你看一样东西，你看不看得出它本来是属于谁的？"

杨铮伸出紧紧握住的手，他手里握住的是一截断落了的指甲。

鲜红的指甲。

第五章

九百石大米

01

指甲是用一种精炼过的凤仙花汁染红的，颜色特别鲜艳。

可是看到这片指甲时，吕素文的脸就变得像是张完全没有一点颜色的白纸。

她从杨铮手里抢过这片指甲，在刚刚燃起的油灯下看了很久。

她的手忽然颤抖起来，全身都在颤抖，忽然转过身来问杨铮："你在哪里找到的？"

"在狄青麟的车上。"杨铮说，"在他车厢坐椅的垫子夹缝里。"

他还没有说完这句话，吕素文的眼泪已如雨点般落下。

"思思已经死了。"她流泪说，"我早就知道她一定已经死在狄青麟手里。"

"你怎么能确定？"

"这是思思的指甲，她用来染指甲的凤仙花汁还是我送给她的，我认得出。"吕素文说，"思思对她的指甲一向保养得很好，如果没有出事，怎么会断落在狄青麟的车上？"

杨铮的脸色也一样苍白。

“一个像狄小侯这么有身份的人，为什么要谋杀一个像思思这样可怜的女人？”他问自己，“是不是因为他有什么不可告人的秘密被思思发现了？以他的身份会做出什么不可告人的事？”

他又叹了口气：“就算他真的杀了思思，我们也无可奈何。”

吕素文几乎已泣不成声，却还是要问：“为什么？”

“因为我们完全没有证据。”

“你一定要替我把证据找出来。”吕素文握紧杨铮的手，“我求你一定要替我去做这件事。”

她的手冰冷，杨铮的手也同样冰冷。

“我本来已经在怀疑。”杨铮说，“可是现在我已经完全明白了。”

“你怀疑什么？明白了什么了？”

“莲姑昨天晚上淹死在井里，她是个善良的女孩子，没有人会去谋杀她，连她的父母都认为她是投井自尽的，可是我却在怀疑。”杨铮说，“因为那时候她一心只想照顾我，绝不会在我病得那么重的时候去跳井。”

他又补充：“那时候我的神志虽然很不清楚，却还是听到了她那一声惨呼。”

一个自己要死的人，绝不会发出那种充满恐惧和绝望的呼声。

“你认为她是被别人害死的？”吕素文问杨铮。

“是的。”

“什么人会去杀一个像她那么善良的女孩子？”

“一个本来要杀你的人。”杨铮的声音充满愤怒仇恨，“他知道你到我那里去了，他看见莲姑从我屋里出来，他把莲姑当作了你。”

“他为什么要杀我？”

“因为你已经在怀疑狄青麟。”杨铮说，“你绝不能再留在这里，因为狄青麟一定不会让你活着的，一次杀不成，一定还有第二次。”

他凝视着吕素文：“所以你一定要跟我走，放下这里所有的一切跟我走，我绝不会让任何人伤害你。”

他的目光是那么诚恳，他的情感是那么真挚。

吕素文擦干眼泪，下定决心：“好，我跟你走，不管你要带我到哪里去，我都跟你走。”

杨铮的心碎了。

一种深入骨髓的感情，也和痛苦一样会让人心碎的。

忽然间，他们发现彼此已经拥抱在一起。

这是他们第一次这么亲密。

——一种外来的压力，往往会把一对本来虽然相爱却又无法相爱的人之间的“隔”压断，使得他们的情感更深。

在这一瞬间，他们几乎已忘记了所有的一切，一切烦恼痛苦忧伤和仇恨。

可是他们忘不了。

因为就在这时候，外面已经有人在敲门。

一个最多只有十二三岁，长得非常讨人喜欢的小男孩站在门外，用一种非常有礼貌的态度问刚刚开了门的吕素文。

“我是来找一位如玉姑娘的。”

“我就是如玉。”素文说，“你找我有什么事？”

如果不是在这种情况下，她说不定会笑出来的，来找她的男人虽然有各式各样不同的类型，甚至有七八十岁的老学究，却从来没有这么小的孩子。

因为她做梦也想不到这个孩子要的并不是她的人，而是她的命。

“我叫小叶子。”小男孩笑嘻嘻地说，“别人都说如玉姑娘又聪明又漂亮，果然没有骗我。”

他说出他的名字，因为他的手里已经有刀，一柄杀人从未失手过的刀。

可是这一次他失手了。

他的手刚刚刺出，忽然听见一声怒吼，一个人冲出来，挥拳猛击他的喉结。

——一个十二三岁的小孩子，怎么会有喉结？

小叶子当然想不到一个妓女的屋子里会有一个出手这么快又这么重的男人冲出来。

但是他并没有慌，也没有乱。

他是来杀人的，无论在任何情况下，无论有什么变化，他都要达成使命。

他受过的训练使他绝不会忘记这一点。

他的身子旋风般一转，已避过了杨铮的铁拳，反手再刺吕素文的后颈。

这一刀他没有失手。

刀光一闪，刀锋已刺进一个人的肉里，肩下的肉。

不是如玉的肩，是杨铮的。

杨铮忽然冲过来，以肩头迎上刀锋，把肌肉绷紧。

刀锋突然陷入铁一般的肌肉里，小叶子又惊又喜，也不知自己是否得手，因为他从未遇到过这样的情况。

就在这一刹那间，杨铮的铁掌已横切在他的喉结上。

他的双睛陡然凸起，吃惊地看着杨铮。

他的人已泥一般瘫软下去。

杨铮拔下肩头的短刀，撕下条布带，用力扎在伤口上，先止住了血，伸手去拉吕素文："我们快走。"

吕素文却甩开他的手，板着脸说："你自己一个人走吧！"

杨铮怔了怔，忍不住问："为什么？"

"不管怎么样，他还是个孩子，你怎么忍心对他下毒手？"吕素文冷冷地说，"我怎么能跟你这种心狠手辣的人一起生活？"

杨铮知道她的脾气，如果她已认定一件事，不管你用什么话来解释都没有用的。

他只有用事实来证明。

他忽然一把扯下小叶子的裤腰："你看他是不是孩子？"

吕素文吃惊地看着这个"孩子"，无论谁都看得出他已经不再是孩子了。

他的确已完全成熟。

"你怎么知道他已经不是孩子？"

"他已经有了喉结，他的刀用得太纯熟。"杨铮说，"我早就知道江湖中有他这样的人，而且还不止一个。"

"他是什么样的人？"

"他们都是被人用药物控制了生长发育的侏儒，从小被训练成杀人的凶手。"杨铮说，"他们每天都要服食以珍珠粉为主要材料的养颜药，所以他们的脸永远不会苍老，看起来永远像是个孩子。"

他又补充："这种药物的价格极昂贵，所以他们杀人的代价也极高，除了狄青麟那样的豪门巨富外，能用得起他们的人并不多。"

吕素文的手脚冰冷。

她不能不相信杨铮的话，有些被人栽作盆景的树木，也是永远长不高大的。

但是人毕竟和树木不同。

“是谁这么残忍？”吕素文问，“竟忍心用这种手段去对付一群孩子？”

“就是我曾经跟你说起过的‘青龙会’。”杨铮说，“他们都是属于‘青龙会’的，通常都伪装成‘青龙会’中一些主脑人物的贴身书童。”

他忽然又笑了笑，抚着肩上的伤口说：“幸好这些人因为从小就受药物控制，所以体能有限，否则我怎么敢挨他这一刀？”

吕素文轻轻叹了口气：“有时候我真想不通，你怎么会知道这么多事的。江湖中那些诡秘勾当，好像没有一件能瞒得过你。”

杨铮脸上忽然露出种既尊敬又悲伤的表情，过了很久才说：“这些事都是一个人教给我的。”

“是谁教给你的？”

杨铮不再回答，解下背后的包袱，拿了块肉脯和硬面饼给她，自己却躺在地上，仰视着满天繁星痴痴地出了神。

——他是不是在想那个人？

这时候夜已渐深，他们从怡红院后面的小巷里绕出了城，到了一个有泉水的山坡下。

杨铮的酒力退了，奇怪的是病势仿佛也已减轻，只不过觉得非常疲倦。

吕素文含情脉脉地看着他，情不自禁伸出手，轻抚他瘦削的脸。

“你最好先睡一阵子，万一有什么事，我会叫醒你。”

杨铮点点头，眼睛已合起，好像根本没有听见山坡上的脚步声。

02

脚步声比狸猫还轻，慢慢地走过柔软的草地，两对馋狼般的利眼，一直在盯着杨铮的手。

来的是两个人。

杨铮没有睡着，他的心在跳，跳得很快。

这两个人的脚步声太轻，身手一定不弱，杨铮却已精疲力竭。

他只希望这两个人认为他已睡着，趁机来偷袭他，他才有机会偷袭他们。

想不到他们居然很远很远就停下来，而且大声说："杨头儿，夜深露重，睡在这里会着凉的，我们特地来送你到一个好地方去，你请起来吧。"

这两个人居然好像自恃身份，不肯做暗算别人的事。

杨铮的心沉了下去。

这种人才真正可怕，如果不是一等一的高手，绝不会这么做的。

他们无疑已经有把握取杨铮的性命，根本用不着暗算偷袭。

山脚旁的柳树下站着两个人，手里拿着两件寒光闪闪的奇形兵刃，等杨铮站了起来之后，他们才慢慢地走过来，脚步又轻又稳。

他们都非常沉得住气。

杨铮也只有尽力使自己镇静，挡在全身都已因恐惧而痉挛的吕素文面前，大声问："你们是什么人？"

"既然你想知道，我们就告诉你。"

他们一点都不怕杨铮知道他们的秘密，因为死人是不会泄露任何秘密的。

他们用一种很奇怪的声音说出了八个字，声音里充满了骄傲和自信，好像只要一说出这八个字，无论谁都会怕得要命。

“天青如水。”

“飞龙在天。”

一听见这八个字，杨铮的脸色果然变了。

“青龙会？你们是青龙会的人？”杨铮问，“青龙会为什么要找上我？”

“因为我们喜欢你。”

一个人阴恻恻地笑道：“所以要把你送到一个永远不会着凉生病的地方，而且还要你的情人永远陪着你。”

杨铮双拳握紧，心中绞痛。

他还有命可拼，还可以拼命，可是吕素文呢？

山脚旁那株柳树梢头忽然传下来一阵笑声，一个人说：“那地方他不想去，还是你们两位自己去吧！”

两个人立刻散开，霍然转身，动作轻灵矫健，反应也极灵敏。

他们仿佛看见有个人轻飘飘地站在柳树梢头，却没有看清楚。

因为就在这一瞬间，已有一道闪电般耀眼的蓝色剑光亮起，闪电般凌空下击。

剑光盘旋一舞，忽然又山岳般定下，两个来杀人的人已倒在他们自己的血泊里。

杨铮又惊又喜，失声道：“是你。”

一个头戴斗笠的蓝衫人，斜倚在树下看着他，温和的笑眼中已全无杀气。

“青龙会怎么找上你的？”蓝大先生只问杨铮，“你什么地方得罪了他们？”

“我没有得罪过他们。”

“那就不对了。”蓝一尘说，“青龙会虽然时常杀人，可是从来不无故杀人，如果你没有得罪他们，他们绝不会动你。”

蓝大先生沉吟：“除非他们有什么秘密被你知道了。”

杨铮的瞳孔忽然收缩，好像忽然想起了什么事，一件他暂时还不想说出来的事。

蓝大先生叹了口气：“我看你还是跟我走吧，现在青龙会既然已经找上了你，天下恐怕也只有我一个人能救你的命了。”

“多谢。”

“多谢是什么意思？”蓝大先生又问，“是肯，还是不肯？”

“我只想走我自己的路。”杨铮说，“就算是条死路，我也要去走走看。”

蓝大先生盯着他，摇头苦笑。

“像你这种人，我实在应该让你去死的，可是以后我说不定还会救你。”他说，“因为你实在像极了一个人。”

“什么人？”

“一个我以前认得的朋友。”蓝大先生仿佛有很多感慨，“他虽然不能算好人，却是我的朋友，他这一生中也许只有我这一个朋友！”

“我不是你的朋友，也不配做你的朋友。”杨铮说，“你救了我的命，我也不会有机会报答，所以你以后也不必再救我。”

说完了这句话，他就拉起吕素文的手，头也不回地走了。

走出了很远之后，吕素文才忍不住说：“我知道你绝不是不知好歹的人，为什么要这样子对他？”她问杨铮，“是不是因为你知道青龙会的势力太大，不愿意连累别人？”

杨铮不开口。

吕素文握紧他的手："不管怎么样，我已经跟定了你，就算你走的真是条死路，我也跟你走。"

杨铮仰面向天，看着天上闪烁的星光，长长吐出口气。

"那么我们就先回家去。"

"回家？"吕素文道，"我们哪里有家？"

"现在虽然没有，可是以后一定会有的。"

吕素文笑了，笑容中充满柔情蜜意："我们以前也有过家的，你一个家，我一个家，可是以后我们两个人就只能有一个家了。"

是的，以后他们两个人只能有一个家了——如果他们不死，一定会有一个家的。

一个小而温暖的家。

03

狄青麟的家却不是这样子的。

也许他根本没有家，他有的只不过是一座巨宅而已，并不是家。

他的宅第雄伟开阔宏大，却总是让人觉得有种说不出的冷清阴森之意，一到了晚上，就连福总管都不太敢一个人走在园子里。

福总管不姓福，姓狄。

狄福已经在侯府待了几十年了，从小厮熬到总管并不容易。

他知道小侯爷是跟"应先生"一起回来的，现在他虽然没有看见应先生，却绝不会问，也不敢问。因为他看得出小侯爷和应先生之间一定有种很特别的关系。

他绝不想知道他们之间究竟是什么关系。

就算他知道也要装作不知道，而且一定要想法子赶快忘记。

狄青麟每次回来都要先到他亡母生前的佛堂里去静思半日。在这段时候，无论任何人都不能去打扰他，没有任何人例外。

狄太夫人未入侯门前是江湖中有名的美女，也是江湖中有名的侠女，一手仙女剑法据说已尽得峨眉派掌门梅师太的真传。

她嫁给老侯爷之后，还时常轻骑简从，仗剑去走江湖，重温昔日的旧梦。

可是等到生下了小侯爷后，她就专心事佛，有时经年都不肯走出佛堂一步。

老侯爷去世不久，太夫人也去了，他们享尽人间荣华富贵，死时又完全没有痛苦。

但是他们活着的时候好像也并不十分快乐。

小侯爷回来之后的第二天晚上，才召见福总管，询问一些他不能不问的事，其实并没有什么事值得问的。

这次他出门之后，侯府里却出了件怪事。

“前些日子忽然有人送了九百石大米来，我本来不敢收，可是送米来的人却说，这是小侯爷一位至交好友‘龙大爷’特地送来给小侯爷添福添寿的。”福总管说，“所以我也不敢不收。”

——九百石大米究竟有多少米？能够喂饱多少人？

这问题恐怕很少有人回答得出。

这个世界上大多数人恐怕一辈子都没有看过这么多大米，能把九百石米一下送给别人的，恐怕也屈指可数了。

狄小侯却不动声色，只淡淡地问：“米呢？”

“都已搬到老侯爷准备出征时屯粮养兵的那间大库房去了。”福总管说，“小侯爷没有回来，谁也没有去动过。”

狄青麟点点头，表示很满意。

福总管又说：“今天早上有两位客人来找小侯爷，也说是小侯爷的好朋友，而且就是送米的那位龙大爷派来的，所以我也不敢不留下他们。”

狄青麟也不觉得意外，只问他：“人呢？”

“人都在听月小筑。”

月无声，月怎么能听？

就因月无声，所以也能听，听的就是那无声的月，听的就是那月的无声。

——有时候无声岂非更胜于有声？

04

没有月，却有星，星光静静地洒在窗纸上。

月无声，星也无语。

听月小筑的雅室里静静地坐着两个人，静静地坐在那里喝酒，喝的是“女儿红”。花四爷喝得不多，另外一个人喝得却不少，好像很少有机会能喝到这种江南美酒。

狄青麟进门时，两个人都站起相迎，花四爷第一句话就问：“龙爷送来的那九百石米，小侯爷收到了没有？”

以花四做人的圆滑有礼，本来至少应该先客套寒暄几句的，可是他一见面就问这九百石米。这本来是别人送给狄青麟的，跟他全无关系，但他却好像看得比狄青麟还重。

“前两天我就收到了。”狄小侯说，“可是到现在还没有人去动过。”

“那就好极了。”花四爷松了口气，展颜而笑，“小侯爷想必已猜出这些米是怎么来的？”

狄青麟淡淡地笑了笑：“如果是米，当然是从田里种出来的；如果米袋里边藏着些银鞘子，那就难说得很了！”

花四爷大笑：“小侯爷果然是人中之杰，我早就知道什么事都瞒不过小侯爷的。”

他压低声音，又说：“青龙会的开销浩大，有时候我们也不能不做些没本钱的生意，只不过一定要做得天衣无缝，而且不能留下后患。”

狄青麟微笑：“这次你们就做得很不错。”

花四爷替狄小侯倒了杯酒。

“可是这次我们不能不来麻烦小侯爷，因为这批货太扎眼，暂时还不便运回去，只有先寄放在小侯爷的府上，才万无一失。”

“我明白。”狄青麟淡淡地说，“你们要拿回去时，我保证连一两都不会少。”

“当然不会少。”花四爷赔笑，“主办这件事的‘四月堂’堂主，对小侯爷也一向仰慕得很，一定会赶来当面向小侯爷道谢。”

——青龙会的三百六十五个分舵，分属于十二堂。

狄小侯先不问这位堂主是谁，却去问另外那个酒已喝得不少的人。

“你这次入关，也是为了这件事？”

“是的。”这个人也赔笑说，“这次计划就像是条链子，每一环都扣得很紧，我只不过是其中的一环而已，其实并没有做什么事。”

他的身材高大，相貌威武，正是落日马场的二总管裘行健。

花四爷又笑了笑：“最妙的是，我们这次计划，无意中碰巧也替小侯爷做了一点事。”

“哦？”

“现在我们已经把黑锅让杨铮背上了，官府已经限期十天拿人追赃。”花四爷笑得非常愉快，“不要说一个十天，一百个十天他也追不回去的。”

“为什么？”

“因为现在杨铮这个人恐怕早已不见了。”花四爷说，“官府当然会以为他拐款潜逃，跟我们已经完全没有关系。”

“他怎么会忽然不见？”

“因为我已经请总舵派出两位高手。”花四爷笑得更愉快，“以他们两位手脚之利落，经验之丰富，要杀个把人是绝不会留下一点痕迹来的。”

“你认为他们已足够对付杨铮？”

“绰绰有余。”

狄青麟浅浅地啜了一口酒，淡淡地说：“那么你最好还是赶快准备去替他们两位收尸吧！”

“为什么？”

“因为你们都低估了杨铮。”狄青麟说，“无论谁低估了自己的对手，都是个致命的错误，这种错谁都犯不得的。”

他忽然转过头面对窗户：“四月堂的王堂主，你的意思如何？”

窗外果然有人叹了口气：“我的意思也跟小侯爷一样。”这个人说，“因为我已经替他们收过尸了。”

风吹窗户，一个魁伟高大的人轻巧地从窗外飘然而入，果然是青龙会四月堂堂主，果然姓王。

主持这次劫镖计划的人，赫然竟是护镖的“中原镖局”镖头王振飞。

狄青麟并不意外，花四爷却很惊讶："小侯爷怎么会想到四月堂的堂主就是他？"

"因为只有王总镖头才有机会把镖银从容掉包。"狄青麟说，"但是劫镖时他绝不能在场，所以裘总管才特地从关外赶来卖马，宝马金刀爱马成癖，这种盛会当然不会错过。"

他笑了笑："就正如万君武也绝不会错过的。"

——所以这次春郊试马，不但使王振飞有了不在劫镖现场的理由，也让狄青麟有了刺杀万君武的机会。

狄青麟举杯敬裘行健："所以裘总管这一环实在是非常重要的，裘总管也不必妄自菲薄。"

"小侯爷，你真行。"裘行健一饮而尽，"我佩服你。"

"但是这趟镖也不能就这样劫走，当然一定要找回来，而且绝不能由王总镖头自己去找回来。"狄青麟说，"这趟镖本来就是官银，由官府自己找回去当然再好也没有，等到官府发现镖银被掉包，那已经是他们自己的事了，已经有人替他们背黑锅。"

狄小侯又啜了口酒："这计划的确妙极，唯一的遗憾是，替他们背黑锅的杨铮还活着。"

王振飞把花四爷的酒杯拿过去，连饮三杯。

"他能活到现在，实在是件很遗憾的事。"王振飞说，"幸好他活不长的。"

"为什么？"

"因为现在已经有人去杀他了。"

"这次你们又派出了什么样的高手？"狄青麟冷冷地问。

"这次不是我们派出去的，我们也派不出那样的高手。"

"哦？"

"他要杀杨铮，只因为他认出了杨铮是他一个大仇人的后代。"

王振飞说，“而且是他主动来找我打听杨铮的行踪。”

“他为什么会找到你？”

“我也不知道他怎么会找到我，大概是因为他知道我的镖银被掉了包，嫌疑最大的就是杨铮。”王振飞说，“他本来就是个神通广大的人，知道的事本来就比别人多。”

狄青麟的眼睛里忽然发出了光，盯着王振飞问：“这个人是谁？”

“就是名震天下的‘神眼神剑’蓝一尘，蓝大先生。”

“哦！”花四爷的眼睛睁得比平常大了一倍。

狄青麟叹了口气：“如果是他，那么杨铮这次真是死定了。”

05

这时候杨铮还没有死。

他正在用力敲一家人的门，敲得很急，就好像知道后面已有人追来，只要一追到，就随时可以将他刺杀于剑下。

第六章

黯然销魂处

01

“快刀”方成早已醒了。杨铮一开始敲他的门，他就醒了。

但是他没有去应门。

刀就在他的枕下，他轻轻按动刀鞘吞口上的机簧，慢慢地拔出刀，赤着足跳下床，从后窗掠出，翻过后院的墙，绕到前门。

一个他从未见过的人，正在用力敲他的门，十几尺外的一棵大树后，还躲着一个人。

他不知道这两个人是来干什么的，如果要对他不利，就不该这么样用力敲门。

这一点他能想得通，可是他不愿冒险。

他决定先给这个人一刀，就算砍错了，至少总比被别人错砍了的好。

——这就是江湖人的想法，因为他们也要生存。

——一个江湖人要生存下去并不容易。

杨铮还在敲门，他相信屋里的人绝不会睡得这么死。他也知道“快刀”方成是万大侠最得意的弟子。所以方成这一刀砍空了。

刀光一闪起，杨铮已翻身退了出去。

刀快，杨铮的反应更快，而且用最快最直接的方法证明了自己的身份。

他拿出了一张照会各县方便行事的海捕公文。

方成很惊讶。

“想不到你真是个捕头。”他说，“想不到六扇门里的鹰爪孙也有你这样的身手。”

杨铮苦笑：“如果刚才你一刀砍掉了我的脑袋怎么办？”

方成的回答很干脆：“那么我就挖个坑把你埋了，把躲在那边树后的那个朋友也一起埋了，谁叫你半夜三更来敲我大门的。”

他是个直爽的人，所以杨铮也很直爽地告诉他：“我来找你，只因为我想来问你，万大侠究竟是怎么死的？”

“大概是因为酒喝得太多。”方成黯然叹息，“他老人家年纪愈大，愈要逞强，连喝酒都不肯服输。”

“听说他死的时候正在方便？”杨铮问，“你们为什么没有跟去照顾？”

“因为他老人家一喝多就要吐，吐的时候绝不让别人看见。”

“他一直都是这样子的？”

“几十年来都是这样子的。”方成又叹息，“如果我们劝他少喝点，他就要骂人。”

“知道他有这种习惯的人多不多？”

“大概不少。”

“那次花爷请的客人多不多？”

“客人虽然不少，能被花四爷请到后面去的人却没有几个。”

“有哪几个？”

“除了我们之外，好像只有‘中原’的王振飞总镖头和狄小侯。”方成说，“别的人我都记不太清楚了。”

“万大侠去方便的时候，王总镖头和狄小侯在什么地方？”

“王老总还在，狄小侯却早就带着个大美人回房去了。”

杨铮早就发觉自己的心又开始跳得很快，一直握紧双拳控制着自己，沉住气问：“万大侠和狄小侯之间有没有什么过节？”

“没有。”方成毫不考虑就回答，“非但没有过节，而且还很有好感，狄小侯还送了我师傅一匹价值万金的宝马。”

“万大侠去世后，狄小侯是不是就带着他那位美人走了？”

“第二天就走了。”

“在花四爷的牡丹山庄里，有没有人打过那位美人的主意？”

“狄小侯的女人谁敢动？”方成说得很坦白，“就算有人想动也动不了的。”

杨铮本来已经觉得没有什么问题可以问了，可是方成忽然又说：“如果你怀疑我师傅是死在别人手里的，你就错了。”方成说得很肯定，“他老人家一生胸襟开阔，待人以诚，除了和青龙会有一点小小的过节外，绝没有任何仇家。”

杨铮的瞳孔立刻收缩，双拳握得更紧。

“一点小小的过节？是什么过节？”

“其实也不能算什么大不了的过节。”方成说，“我也只不过听他老人家偶然说起，青龙会一直想要他老人家加入，他老人家一直不肯。”

方成又补充：“可是青龙会一直都没有正面和他老人家起过冲突。”

杨铮站在那里发了半天呆，忽然抱了抱拳：“谢谢你，对不起，再见。”

方成却拦住了他：“你这是什么意思？”

杨铮的回答很绝："谢谢你是因为你告诉我这么多事，对不起是因为我吵醒了你，再见的意思就是说我要走了。"

"你不能走！"方成板着脸说，"绝对不能走。"

"为什么？"

"因为你吵醒了我，我已经睡不着了。"方成说，"不管怎么样，你都要陪我喝两杯才能走。"

杨铮叹了口气。

"这两天我天天吃咸菜硬饼，吃得嘴里已经快淡出个鸟来了，我实在想吃你一顿。"他叹着气说，"只可惜有个人绝不肯答应的。"

"谁不肯答应？"

"就是躲在大树后面的那个人。"

"你怕他？"

"有一点。"杨铮说，"也许还不止一点。"

"你为什么要怕他？"方成不服气，"他是你的什么人？"

"她也不是我的什么人。"杨铮说，"只不过是我的内人而已。"

他还特别解释："内人的意思就是老婆。"

方成站在那里盯着他看了半天，忽然也抱了抱拳，说："谢谢你，对不起，再见。"

"你这是什么意思？"杨铮也忍不住问。

"谢谢你是因为你肯把这种丢人的事告诉我，对不起是因为我宁可睡不着也不要一个怕老婆的人陪我喝酒。"方成忍住笑，故意板着脸说，"再见的意思就是你请走吧！"

杨铮大笑。

这么多天来，只有这一次他是真心笑出来的！

02

夜深，听月小筑的人却未静，因为一坛女儿红已经差不多被他们喝了下去。

计划已完成，一百八十万两银子已经在侯府的库房里，杨铮也将死在蓝大先生的剑下。

大家都很愉快。

只有狄青麟例外，这个世界上好像已经没有什么能让他觉得愉快和刺激的事了。

在一坛酒还没有喝完之前，他又问王振飞："你相信蓝大先生一定能找到杨铮？"

"一定。"

"杨铮的行踪你怎么知道？"

"因为我已经到县衙里的签押房去看过他履历档案。"王振飞说，"是赵头儿带我去的。"

——赵正无疑也是这条链子其中的一环，所以他故意将倪八的行踪告诉杨铮，自己却迟迟不来，绝不想和杨铮争功。

"杨铮是大林村的人，从小就和他的寡母住在村后那片大树林外面，如玉也是那个村子里的人。"王振飞说，"这次他是请如玉一起走的，他要调查这件案子，总不能带着个姑娘在身边，一定会先把如玉送到一个安全的地方去。"

王振飞又道："他的兄弟都已经被关在牢里，他根本没有别的可靠朋友，根本没有地方可去，所以我算准他一定会先把如玉送回他的老家，他们走的也正是回大林村的那条路。"

他算得确实很准。

他能够坐上青龙会四月堂主的交椅，并非侥幸，要当“中原镖局”的总镖头，也不是件容易事。

“我敢保证，明天这个时候，杨铮一定会回到大林村，一定已经死在蓝山古剑下了。”

03

第二天的黄昏，杨铮果然带着如玉回到了他们的故乡。

青梅子、黄竹马，赤着脚在小溪里捉鱼虾，缩着脖子在雪地里堆雪人，手拉着手奔跑过遍地落叶的秋林。

多么愉快的童年！多少甜蜜的回忆！

就像是做梦一样，他们又手拉着手回到这里，故乡的人是否无恙？

他们并没有回到村里去，却绕过村庄，深入村后的密林。

春雨初歇，树林里阴暗而潮湿，白天看不见太阳，晚上也看不见星辰，就算是村里的人也不敢入林太深，因为只要一迷路就难走得出去。

杨铮不怕迷路。

他从小就喜欢在树林里乱跑，到了八九岁时，更是每天都要到这片树林里来逗留一两个时辰，有时连晚上都会偷偷地溜去。

谁也不知道他在树林里干什么，他也从来不让任何人跟他在一起，就连吕素文都不例外。

这是他第一次带她来。

他带着她在密林里左拐右拐，走了半个多时辰，走到一条隐藏在密林最深处的泉水旁，就看到了一栋破旧而简陋的小木屋。

吕素文虽然也是在村子里生长的，却从来没有到这地方来过。

木屋的小门上一把生了锈的大锁，木屋里只有一床一桌一椅，一个粗碗，一盏瓦灯和一个红泥的火炉，每样东西都积满了灰尘，屋角蛛网密结，门前青苔厚绿，显然已经有很久没人来过。

以前有人住在这里时，他的生活也一定过得十分简朴、寂寞、艰苦。

吕素文终于忍不住问杨铮："这里是什么地方？你怎么会找到这里来的？"

"因为我以前天天都到这里来。"杨铮说，"有时候甚至一天来两次。"

"来干什么？"

"来看一个人！"

"什么人？"

杨铮沉默了很久，脸上又露出那种又尊敬又痛苦的表情，又过了很久才一个字一个字地说："我是来看我父亲的。"杨铮轻抚着窗前的苔痕，"他老人家临终前的那一年，每天都会站在这个窗口，等我来看他。"

吕素文吃了一惊。

杨铮还在襁褓中就迁入大林村，他的母亲一直孀居守寡，替人洗衣服做针线来养她的儿子。

吕素文从来不知道杨铮也有父亲。她想问杨铮，他的父亲为什么要一个人独居在这密林里不见外人。

但是她没有问。

经过多年风尘岁月，她已经学会为别人着想，替别人保守秘密，绝不去刺探别人的隐私，绝不问别人不愿回答的问题。

杨铮自己却说了出来。

“我的父亲脾气偏激，仇家遍布天下，所以我出生之后，他老人家就要我母亲带我躲到大林村。”杨铮凄然道，“我八岁的时候，他老人家自己又受了很重的内伤，也避到这里来疗伤，直到那时候，我才看见他。”

“他老人家的伤有没有治好？”

杨铮黯然摇头：“可是他避到这里来之后，他的仇人们找遍天下也没有找到他，所以我带你到这里来，因为我走了以后，也绝对没有人能找得到你。”

吕素文的嘴唇忽然变得冰冷而颤抖，但还是勉强压制着自己。

她是个非常懂事的女人，她知道杨铮这么说一定有理由的，否则他怎么会说他要走?

他本来宁死也不愿离开她的。

天暗了，灯里的油已燃尽，吕素文在黑暗中默默地擦拭屋里的积尘。

杨铮却翻开地上的一块木板，从木板下的地洞里提出个生了锈的铁箱子。

铁箱里居然有个火折子。

他打亮了火折，吕素文就看见了一件她从未看见过的武器。

04

一间极宽阔的屋子，四壁雪白无尘，用瓷砖铺成的地面，明洁如镜。

屋子里什么都没有，只有两个蒲团。

应无物盘膝坐在一个蒲团上，膝头横摆着那根内藏蛇剑的青竹杖，仿佛已老僧入定，物我两忘。

狄青麟也盘膝坐在另一个蒲团上，两人对面相坐，也不知道已经坐了多久。

窗外天色渐暗，狄青麟忽然问应无物："你是不是见到过杨恨？"

"十八年前见过一次。"应无物说，"那一次我亲眼见到他在一招间就把武当七子中的明非子的头颅钩下，只不过他以为我看不见而已，否则恐怕我也活不到现在了。"

"他的武功真的那么可怕？"

"他的武功就像他的人一样，偏激狠辣，专走极端。"应无物说，"他的武器也是种专走偏锋的兵刃，和江湖中各门各派的路数都不一样，江湖中也从未有人用过那种武器。"

"他用的是什么兵刃？"

"是一柄钩，却又不是钩。"应无物道，"因为那本来应该是一柄剑，而且应该是属于蓝一尘的剑。"

"为什么？"

"蓝一尘平生最爱的就是剑，那时候他还没有得到现在这柄蓝山古剑，却在无意中得到一块号称'东方金铁之英'的铁胎。"

那时江湖中能将这块铁胎剖开，取铁炼钢淬剑的人并不多。

蓝一尘找了多年，才找到一位早已退隐多年的剑师，一眼就看出了这块铁胎的不凡，而且自称绝对有把握将它淬炼成一柄吹毛断发的利器。

他并没有吹嘘，七天之内他就取出了铁胎中的黑铁精英。

炼剑却最少要三个月。

蓝一尘不能等，他已约好巴山剑客论剑于滇南苍山之巅。

这时候他已经对这位剑师绝对信任，所以留下那块精铁去赴约了。那时他还不知道这位剑师之所以要退隐，只因为他有癫痫病，时常都会发作，尤其在紧张时更容易发作。

炼剑时炉火纯青，宝剑已将成形的那一瞬间，正是最重要最紧张的一刻，一柄剑的成败利钝，就决定在那一瞬间。

应无物说到这里，狄青麟已经知道那位剑师这次可把剑炼坏了。

“这次他竟将那块精铁炼成了一把形式怪异的四不像。”应无物道，“既不像刀，也不像剑，前锋虽然弯曲如钩，却又不是钩。”

“后来呢？”

“蓝一尘大怒之下，就逼着那位剑师用他自己炼成的这样怪东西自尽了！”应无物说，“蓝一尘又愤怒又痛心，也含恨而去，这柄怪钩就落在附近一个常来为剑师烹茶煮酒的贫苦少年手里，谁也想不到他竟用这柄怪钩练成了一种空前未有的怪异武功，而且用它杀了几十位名满天下的剑客。”

“这个贫苦少年就是杨恨？”

“是的！”应无物淡淡地说，“如果蓝一尘早知道有这种事，恐怕早已把他和那位剑师一起投入炼剑的洪炉里去了。”

夜色已临，三十六个白衣童子，手里捧着七十二架点着蜡烛的青铜烛台，静悄悄地走进来，将烛台分别摆在四壁，又垂手退了出去。

狄青麟忽然站起来，恭恭敬敬地向应无物伏身一拜，恭恭敬敬地说："弟子狄青麟第十一次试剑，求师傅赐招。"

05

火折一打着，铁箱里就有件形状怪异的兵刃，闪起了一道寒光，直逼吕素文的眉睫。

她不禁激灵灵打了个寒噤，忍不住问："这是什么？"

"这是种武器，是我父亲生前用的武器。"杨铮神情黯然，"这也是我父亲唯一留下来给我的遗物，可是他老人家又再三告诫我，不到生死关头，非但绝不能动用它，而且连说都不能说出来。"

"我也见到过不少江湖人，各式各样的兵刃武器我都见过，"吕素文说，"可是我从来也没有看见像这样子的。"

"你当然没有见到过。"杨铮说，"这本来就是件空前未有、独一无二的武器。"

"这是剑，还是钩？"

"本来应该是剑的，可是我父亲却替它取了个特别的名字，叫作离别钩。"

"既然是钩，就应该钩住才对，"吕素文问，"为什么要叫作离别？"

"因为这柄钩无论钩住什么，都会造成离别，"杨铮说，"如果它钩住你的手，你的手就要和腕离别，如果它钩住你的脚，你的脚就要和腿离别。"

"如果它钩住我的咽喉，我就要和这个世界离别了？"

"是的。"

“你为什么要用这么残忍的武器？”

“因为我不愿离别，”杨铮凝视着吕素文，“不愿跟你离别。”

他的声音里充满了一种几乎已接近痛苦的柔情：“我要用这柄离别钩，只不过为了要跟你相聚，生生世世都永远相聚在一起，永远不再离别。”

吕素文明白他的意思，也明白他对她的感情，而且非常明白。

可是她的眼泪还是忍不住流了下来。

幸好这时候火折子已经灭了，杨铮已经看不见她的脸，也看不清她的泪。

那柄寒光闪闪的离别钩，仿佛也已消失在黑夜里。

——如果它真的消失了多好。

吕素文真的希望它已经消失了，永远消失了，永远不再有离别钩，永远不再离别。

永远没有杀戮和仇恨，两个人永远这么样平和安静地在一起，就算是在黑暗里，也是甜蜜的。

也不知道过了多久，杨铮才轻轻地问她：“你为什么不说话？”

“你要我说什么？”

“你已经知道我要走了，已经知道我要带着这柄离别钩和你别离，我这么做虽然是为了要跟你永远相聚，可是这一别也可能永无相聚之日，”杨铮说，“因为你也知道我的对手都是非常可怕的人。”他的声音仿佛非常遥远，非常非常遥远，“所以你可以说你不愿一个人留在这里，可以要我也留下来，既然没有别人能找到这里来，我们为什么不能永远留在这里相聚在一起？”

密林里一片沉寂，连风吹木叶的声音都没有，连风都吹不到这里。

木屋里也一片沉寂，不知道过了多久，吕素文才轻轻叹了口气。

“如果我比现在年轻十岁，我一定会这样说的，一定会想尽千方百计留下你，要你抛下一切，跟我在这种鬼地方过一辈子。”

如果她真的这样做了，杨铮心里也许反而会觉得好受些。

但是她的冷静，这种令人心碎的冷静，甚至会逼得自己发疯。

一个人要付出多痛苦的代价才能保持这种冷静？

杨铮的心在绞痛！

她宁可一个人孤孤单单地留在这个鬼地方，绝望地等待着他回来，也不愿勉强留下他。

因为她知道他要去做的事是他非做不可的，如果她一定不愿他去做，一定会使他痛苦悔恨终生。

她宁可自己忍受这种痛苦，也不愿阻止她的男人去做他认为应该做的事。

——一个女人要有多大的勇气才能做到这一点？

夜凉如水。杨铮忽然觉得有一个光滑柔软温暖的身子慢慢地靠近他，将他紧紧拥抱。

他们什么话都没有再说。

他们已互相沉浸在对方的欢愉和满足中，这是他们第一次这么亲密，很可能也是最后一次了。

冷风吹入窗户，窗外有了微光。

吕素文一个人静静地躺在床上，身体里仍可感觉到昨夜激情后的甜蜜，心里却充满酸楚和绝望。

杨铮已经悄悄地走了。

她知道他走，可是她假装睡得很沉，他也没有惊动她。

因为他们都已不能再忍受道别时的痛苦。

桌上有个蓝布包袱，他把剩下的粮食都留下给她，已经足够让她维持到他回来接她的时候。

期限已经只剩下七天，七天内他一定要回来。

如果七天后他还没有回来呢？

她连想都不敢去想，她一定要努力集中思想，不断地告诉自己："既然我们已经享受过相聚的欢愉，为什么不能忍受别离的痛苦，未曾经历过别离的痛苦，又怎么会知道相聚的欢愉？"

第二部

钩

钩是种武器，杀人的武器，以杀止杀。

第一章

黎明前后

01

黎明。

树林里充满了清冷而潮湿的木叶芬芳，泥土里还留着去年残秋时的落叶。

可是现在新叶已经又生出了。古老的树木又一次得到新的生命。

如果没有枯叶，又怎么会有新叶再生?

杨铮用一块破布卷住了离别钩，用力握在手里，挺起胸膛大步前行。

——他一定要回来，七天之内他无论如何都要回来。

如果他不能回来了呢?

这问题他也连想都不敢想，也没法子去想了，因为他已经感觉到一种逼人的杀气。

然后他看见了蓝大先生。

不知道是在什么时候，蓝一尘忽然间就已经出现在他的眼前，静静地站在那里看着他，用一种非常奇怪的眼色看着他。

杨铮当然会觉得有一点意外，他问蓝一尘：“你怎么会来的？”

“我是一路跟着你来的。”蓝一尘说，“想不到你真是杨恨的儿子。”

他的声音里也带着很奇怪的感情，也不知是讥诮，是痛惜，还是安慰。

“我跟你来，本来还想再见他一面。”蓝一尘叹息，“想不到他竟已先我而去。”

杨铮保持着沉默。

在这种情况下，他实在不知道该说什么。

蓝大先生目光已移向他的手，盯着他手里用破布卷住的武器。

“这是不是他留给你的离别钩？”

“是的。”杨铮不能不承认，而且不愿否认，因为他一直以此为荣。不管江湖中人怎么说，都没有改变他对他父亲的看法。

他相信他的父亲绝不是卑鄙的小人。

“我知道他一定会将这柄钩留给你。”蓝一尘说，“你为什么一直不用它？是不是因为你不愿让别人知道你是杨恨的儿子？”

“你错了。”

“哦？”

“我一直没有用过它，只因为我一直不愿使人别离。”

“现在你为什么又要用了？”

杨铮拒绝回答。

这是他自己的事，他不必告诉任何人。

蓝一尘忽然笑了笑：“不管怎么样，现在你既然已经准备用它，就不妨先用来对付我。”

杨铮臂上的肌肉骤然抽紧。

“对付你？”他问蓝一尘，“我为什么要用它来对付你？”

蓝一尘冷冷地说：“现在我已经不妨告诉你，如果不是因为我，杨恨就不会受伤，也不会躲到这里来，含恨而死。”

杨铮额角手背上都已有青筋凸起。

只听“呛啷”一声龙吟，蓝山古剑已出鞘，森森的剑气立刻弥漫了丛林。

“我还有句话要告诉你，你最好永远牢记在心。”蓝一尘的声音正如他的剑锋般冰冷无情，“就算你不愿让人别离，也一样有人会要你别离，你的人在江湖，根本就没有让你选择的余地。”

02

曙色已临，七十二根白烛早已熄灭。

自从昨夜夜深，狄青麟拔出了那柄暗藏在腰带里的灵龙软剑后，白烛就开始一根根熄灭，被排旋激荡的剑气摧灭。

他们竟已激战了一夜。

高手相争，往往在一招间就可以解决，生死胜负往往就决定在一瞬间。

可是他们争的并不是胜负，更没有以生死相拼。

他们是在试剑，试狄青麟的剑。

所以狄青麟攻的也不是应无物，而是这七十二根白烛。

他要将白烛削断，要将每一根白烛都削断。

可是他的剑锋一到白烛前，就被应无物的剑光所阻。

烛光全被熄灭后，屋里一片黑暗。

他们并没有停下来，就算偶尔停下，片刻后剑风又起。

现在曙色已从屋顶上的天窗照下来，狄青麟剑光盘旋一舞，忽然住手。

应无物后退几步，慢慢地坐到蒲团上，看来仿佛已经很疲倦。

狄青麟的神色却一点都没有变，雪白的衣裳仍然一尘不染，脸上也没有一滴汗。

这个人的精力就好像永远都用不完的。

应无物的眼仿佛又盲了，仿佛在看着他，又仿佛没有看他。过了很久才问："这次你是不是成功了？"

"是的。"狄青麟的脸上虽然没有得意的表情，眼睛却亮得发光。

——他怎么能说他已成功？

——他攻的是白烛，可是七十二根白烛还是好好的，连一根都没有断。

应无物忽然叹了口气。

"这是你第十一次试剑，想不到你就已经成功了。"他也不知是在欢喜，还是在感叹，"你让我看看。"

"是。"

说出了这一个字，狄青麟就走到最近的一个烛台前，用两根手指轻轻拈起一根白烛。

他只拈起了一半。

半根白烛被他拈起在手指上，另外半根还是好好地插在烛台上。

这根白烛早就断了，看起来虽然没有断，其实早已断了。断在被剑气摧灭的烛蕊下三寸间，断处平整光滑如削。

这根白烛本来就是被削断的，被狄青麟的剑锋削断的。

白烛虽断却不倒，因为他的剑锋太快。

每一根白烛都没有倒，可是每一根都断了，都断在烛蕊下三寸间，断处都平整光滑如削，都是被他剑锋削断，就好像他是用尺量着去削的。

那时候屋子里已完全没有光，就算用尺量，也量得没有这么准。

应无物的脸色忽然也变得和他的眼角同样灰暗。

狄青麟是他的弟子，是他一手训练出来的，现在狄青麟的剑法已成，他本来应该高兴才对。

但是他心里却偏偏又有种说不出的空虚惆怅，就好像一个不愿承认自己年华已去的女人，忽然发现自己的女儿已经做了别人的新娘一样。

过了很久很久，应无物才慢慢地说："现在你已经用不着再怕杨铮了。就算他真是杨恨之子，就算杨恨复生，你也可将他斩于剑下。"

"可惜杨铮用不着我出手就已死定了。"狄青麟道，"现在他恐怕已经死在蓝大先生手里。"

应无物脸上忽然露出种无法形容的表情，盲眼中忽然又射出了光，忽然问狄青麟："你知不知道上次我为什么不杀杨铮？"

"因为你根本用不着自己出手。"狄青麟说，"你知道蓝一尘一定不会放过他。"

"你错了。"

应无物说："我不杀他，只因为我知道蓝一尘绝不会让我动他的。"

狄青麟的瞳孔又骤然收缩。

"为什么？"

"因为蓝一尘是杨恨唯一的一个朋友。"应无物道，"杨恨平生杀人无算，仇家遍布天下，就只有蓝一尘这一个朋友。"

狄青麟什么话都没有再说，忽然大步走了出去，走过应无物身旁时，忽然反手一剑，由应无物的后背刺入了他的心脏。

03

密林中虽然看不见太阳，树梢间还是有阳光照射而下。

杨铮慢慢地将包扎在离别钩外的破布一条条解开，解得非常慢，非常小心，就好像一个温柔多情的新郎在解他害羞的新娘嫁衣一样。

因为他要利用这段时间使自己的心情平静。

他看见过蓝大先生的出手，那一剑确实已无愧于“神剑”二字。

他从来也没有想到过自己能击败这柄神剑，可是现在他一定要胜。

因为他不能死，绝不能死。

最后一条破布被解开时，杨铮已出手，用一种非常怪异的手法，从一个让人料想不到的地方反钩出去，忽然间又改变了一个完全不同的方向。

江湖中很少有人看见过这种手法，看见过这种手法的人大多数都已和人间离别了。

蓝大先生的古剑却定如蓝山。

他好像早已知道杨铮这种手法的变化，也知道这种变化之诡异复杂绝不是任何人能想象得到的，也绝非任何人所能招架抵挡。

所以他以静制动，以定制变，以不变应万变。

但是他忘记了一点。

杨恨纵横江湖，目空天下，从未想到要用自己的命去拼别人的命。

他根本没有必要去拼命。

杨铮却不同。

杨铮会拼命，随时都准备拼命。

他已经发现自己随便怎么“变”都无法胜过蓝大先生的“不变”。

——有时“不变”就是“变”，比“变”更变得玄妙。

杨铮忽然也不变了。

他的钩忽然用一种丝毫不怪异的手法，从一个任何人都能想得到的部分刺了出去。

他的钩刺出去时，他的人也扑了过去。

他在拼命。

就算他的钩一击不中，可是他还有一条命，还可以拼一拼。

他不想死。

可是到了不拼命也一样要死的时候，他也只有去拼了。

这种手法绝不能算是什么高明的手法，在离别钩繁复奥妙奇诡的变化中，绝没有这种变化。

就因为没有这种变化，所以才让人想不到，尤其是蓝一尘更想不到。

他对离别钩的变化太熟悉了，对每一种变化他都太熟悉了。

在某种情况下，对某一件事太熟悉也许还不如完全不熟悉的好。

——对人也是一样，所以出卖你的往往是你最熟悉的朋友，因为你想不到他会出卖你，想不到他会忽然有那种变化。

现在正是这种情况。

杨铮这一招虽勇猛，其中却有破绽，蓝一尘如果即时出手，他的剑无疑比杨铮快得多，很可能先一步就将杨铮刺杀。

但是身经百战的蓝大先生这一次却好像有点乱了，竟没有出手反击，却以“旱地拔葱”的身法，硬生生将自己的身子凌空拔起。

这是轻功中最难练的一种身法，这种身法全凭一口气。

他本来完全没有跃起的准备，所以这一口气提上来时就难免慢了一点，虽然相差最多也只不过在一刹那间，这一刹那却已是致命的一刹那。

他可以感觉到冰冷的钩锋已钩住了他的腿。

他知道他的腿已将与他的身子离别了，永远离别。

鲜血飞溅，血光封住了杨铮的眼。

等他再睁开眼时，蓝一尘已倒在树下，惨白的脸上已全无血色，一条腿已齐膝而断。

纵横江湖的一代剑客，竟落得如此下场。

杨铮心里忽然觉得有种说不出的怜悯，但是他也没有忘记他父亲临死前的悲愤与悒郁。

他冲过去问蓝一尘：“我父亲跟你有什么仇恨？你为什么要将他伤得那么重？”

蓝一尘看着他，神眼已无神，惨白的脸上却露出一抹凄凉的笑意。

“那已经是十年前的事了。”他的声音低而虚弱，“那一年的九九重阳，我被武当七子中还没有死的五个人一路追杀，逃到终南绝顶忘忧崖。”

危岸千丈，下临深渊，已经是绝路，蓝一尘本来已必死无疑。

“想不到你父亲居然赶来了，和我并肩作战，伤了对方四人，最后却还是中了无根子一招内家金丝绵掌。”蓝一尘黯然道，“如果不是为了救我，他是绝不会受伤的。其实他并不欠我什么，我将那柄钩送给他时，只不过因为我觉得那已是废物，想不到你父亲竟将它练成一种天下无双的利器。”

杨铮脸色惨变，冷汗已湿透衣裳。

“他受伤，只因为他要救你？”

“是的。”蓝一尘说，“他的师傅是位剑师，虽然因为炼坏我一块神铁而含羞自尽，却不是被我逼死的。自从我埋葬了他的师傅，将那柄残钩送给他之后，他就一直觉得欠我一份情，他知道武当七子与我有宿怨，就先杀了七子中的明是和明非。”

蓝一尘长叹：“他虽然脾气不好，却是条恩怨分明的好汉。”

杨铮的心仿佛已被撕裂。

他的父亲是条恩怨分明的好汉，他却将他父亲唯一的恩人和朋友重伤成残废。

他怎么能去见他的亡父于地下？

蓝大先生对他却没有一点怨恨之意，反而很温和地告诉他：“我知道你心里在怎么想，可是你也不必因为伤了我而难受，我这条命本来就是你救回来的，”他说，“那一次如果没有你，我已死在应无物剑下。”

他苦笑道：“因为我的眼力早已不行了，我处处炫耀我的神眼，为的就是要掩饰这一点，那天晚上无星无月，我根本已看不见应无物出手，他一拔剑，我就知道自己必死无疑。就好像十年前我被武当七子追到忘忧崖时一样。”

他的声音更虚弱，挣扎着拿出个乌木药瓶，将瓶中药全都嚼碎，一半敷在断膝上用衣襟扎好，一半吞了下去，然后才说：“所以现在我已欠你们父子两条命了。一条腿又算什么？”蓝大先生说，“何况你断了我这条腿，也算是帮了我一个忙。”

他居然还笑了笑：“自从那次忘忧崖一战之后，我就想退出江湖了，但是别人却不让我退，因为我是蓝一尘，是名满天下的神眼神剑。

每年都不知有多少人要杀我成名，逼我出手，应无物只不过是其中之一而已。”

人在江湖，尤其是像他这样的人，就好像是一匹永远被人用鞭子在鞭赶着的马，非但不能退，连停都不能停下来。

“但是现在我已经可以休息了。”蓝大先生微笑道，“一个只有一条腿的剑客，别人已经不会看在眼里了，就算战胜了我，也没有什么光彩，所以我也许还可以因此多活几年，过几年太平日子。”

他说的是实话。

但是杨铮并没有因为听到这些话而觉得心里比较舒服些。

“我会还你一条腿。”杨铮忽然说，“等我的事办完，一定会还给你。”

“你要去做什么事？”蓝一尘问他，“是不是要去找狄青麟和王振飞？”

“你怎么知道？”

“你的事我都很清楚。”蓝大先生说，“我也知道王振飞是青龙会的人，因为我亲眼看见他去替那两个青龙会属下的刺客收尸，我故意去找他探听你的消息，他果然很想借我的刀杀了你。”

他又微笑：“因为江湖中人都以为那位剑师是被我逼死的，除了应无物之外，从来没有人知道我和杨恨的交情。”

杨铮沉默。

蓝大先生又说：“我还知道你曾经去找过‘快刀’方成。从他告诉你的那些事上去想，你一定会想到万君武是死在狄青麟手里的，只因为他始终不肯加入青龙会，‘顺我者生，逆我者死’，青龙会要杀万君武，只有让狄青麟去动手才不会留下后患。由此可见，狄青麟和青龙会也有关系。”

他的想法和判断确实和杨铮完全一样，只不过其中还有个关键他不知道。

杨铮本来一直都找不出狄青麟为什么要杀思思的理由。

现在他才想通了。

那时思思无疑是狄青麟身边最亲近的人，狄青麟的事只有她知道得最多。

万君武死的时候，狄青麟一定不在她身边。

她是个极聪明的女人，不难想到万君武的死和狄青麟必定有关系。

她一直想缠住狄青麟，很可能会用这件事去要挟他。为了要抓住一个男人，有些女人是什么事都做得出的。

可惜她看错狄青麟这个人了。

所以她就从此消失。

这些都只不过是杨铮的猜测而已，他既没有亲眼看见，也没有证据。

但是除此之外，他实在想不出狄青麟有什么理由要杀思思。

如果他只不过不想被她缠住，那么他最少有一百种法子可以抛开她，又何必要她的命？

蓝大先生只知道杨铮要寻回被掉包的镖银，并不知道他还要查出思思的死因。

所以他只不过替杨铮查出了一点有关王振飞和青龙会的秘密。

他自己也想不到他查出的这一点不但是个非常重要的关键，而且是一条线。

——万君武的死，思思的死，莲姑的死，如玉的危境，要杀她的小叶子，镖银的失劫，银鞘的掉包，青龙会的刺客，为刺客收尸的人，被掉包后镖银的下落。这些事本来好像完全没有一点关系，现在却都被一条线串联起来了。

乌木瓶里的药力已发作。

一个经常出生入死的江湖人，身边通常都会带着一些救伤的灵药，有些是重价购来，有些是好友所赠，有些是自己精心配制，不管是用什么方法得来的，都一定非常有效。

蓝大先生的脸色已经好得多了。

“刚才我故意激怒你，逼你出手，就因为要试试你已经得到你父亲多少真传。”他说，“离别钩的威力，一定要在悲愤填膺时使出来才有效。”

他的腿虽然也因此而离别，但是他并不后悔。

能在一招间刺断蓝大先生一条腿的人，普天之下也没有几个。

“以你现在的情况，王振飞已不足惧。”蓝一尘说，“真正可怕的是应无物和狄青麟。”

“应无物和狄青麟之间也有关系？”

“非但有关系，而且关系极密切。”蓝一尘道，“江湖中甚至有很多人在谣传，都说应无物是狄青麟母亲未嫁时的密友。”

“谣传不可信。”杨铮道，“我就不信。”

蓝大先生眼中露出赞赏之色，他已经发现他的亡友之子也是条男子汉，不探人隐私，不揭人之短，也不轻信人言。

“可是不管怎么样，狄青麟都一定已经得到应无物剑法的真传。”蓝一尘道，“现在说不定连应无物都不是他的对手。”

“我会小心他的。”

蓝大先生沉思着，眼睛里忽然发出了光。沉声道：“如果狄青麟的剑法真的已胜过应无物，你就有机会了！”

“为什么？”

“因为在一个世袭一等侯的一生中，绝不能容许任何一个人在他身上留下一点污点。”

蓝大先生道：“如果应无物已经不是他的对手，对他还有什么用？”

杨铮的双拳握紧：“狄青麟真的会做这种事？”

“他会的。”蓝一尘道，“你的身世性格都和他完全不同，所以你永远不能了解他的想法和做法。”他忽然叹了口气，“要做狄青麟那样的人也很不容易，他也有他的痛苦。”

——谁没有痛苦？

——只要是人，就有痛苦，只看你有没有勇气去克服它而已，如果你有这种勇气，它就会变成一种巨大的力量，否则你只有终生被它践踏奴役。

蓝大先生慢慢地移动了一下身子，使自己坐得更舒服些。

“现在你已经可以走了，让我好好地休息。”他闭上了眼睛，“不管你还有什么话要说，等你活着回来再说也不迟。”

“你能活着等我回来？”

蓝大先生笑了笑：“直到现在为止，我能活下去的机会还是比你大得多。”

杨铮深深地吸了口气，转过身，大步走出了这个阴暗的树林。

树林外，阳光正普照着大地。

阳光如此灿烂辉煌，生命如此多彩多姿，他相信蓝大先生一定能照顾自己，一定能活下去的。

但是他对他自己的生死却完全没有把握。

第二章

天意如刀

01

阳光升起，照射着密林外那条崎岖不平的小路，也同样照射着侯府中那条宽阔华丽的长廊。

只有阳光是最公平的，不管你这个人是不是快死了，都同样会照在你身上，让你觉得光明温暖。

杨铮走在阳光下的时候，狄青麟也同样走在阳光下。

虽然他已经过一夜激战，却还是觉得精神抖擞，容光焕发，还可以去做很多事。

他的精力仿佛永远都用不完的，尤其是在他自己对自己觉得很满意的时候。

他对他刚才反手刺出的那一剑就觉得非常满意。

那一剑无论速度、力量、部位、时机，都把握得恰到好处，甚至可以说已经到达剑术的巅峰。

能做到这一点绝非侥幸，他也曾付出过相当巨大的代价。

现在他决定要去好好地享受享受，这是他应得的。

因为他又胜了。

胜利仿佛永远都属于他。

小青也已属于他。

花四爷来的时候，又把她带来了，现在一定正满怀渴望在等着他。

一想起这个女人水蛇般扭动的腰肢和脸上那种永远都带着饥渴的表情，狄青麟就会觉得有一股热意自小腹间升起。

这才是真正的享受。

对狄青麟来说，除了生与死之外，世上没有任何事比这种享受更真实。

杀人非但没有使他虚弱疲倦，反而使他更振奋充实，每次杀人后他都是这样子的。

——女人为什么总是好像和死亡连在一起?

他一直觉得女人和死亡之间，总是好像有某种奇异而神秘的关系。

长廊走尽，他推开一扇门走进去，小青就赤裸着投入他怀里。

数度激情过后，她已完全软瘫。她能征服男人，也许就是每次她都能让她的男人觉得她已完全被征服。

可是等到狄青麟沐浴出来后，她立刻又恢复了娇艳，而且已经替他倒了杯酒，跪在他面前，用双手捧到他的唇边。

没有人要她这么做，这是她自己心甘情愿的，她喜欢服侍男人，喜欢被男人轻贱折磨。

这样的女人并不多。这样的女人才真正能使男人快乐。

狄青麟心里在叹息，接过她的酒杯，一口喝了下去，正想再次拥抱她。

这次小青却蛇一般地从他怀里滑走了，站得远远的，用一种奇异的表情看着他。

狄青麟苍白的脸忽然扭曲，满头冷汗雨点般滚落下来。

“酒里有毒！”他的声音也已嘶哑，“你是不是在酒里下了毒？”

小青脸上惊惧的表情立刻消失，又露出了让人心跳的媚笑。

“你是个很不错的男人，我本来舍不得要你死的，可惜你知道的事太多了。”小青媚笑着道，“你活着，对我们已经只有坏处没有好处。”

“你们？”狄青麟问，“你也是青龙会的人？”

小青笑得更甜：“我怎么会不是？”

狄青麟勉强支持着。

“你们的银子还在我的库房里，我死了，你们怎么拿得走？”

“银子本来就在你这里，因为你本来就是这件劫案的主谋，我为了要查出你的秘密，不惜失身于你，才把这件案子侦破。为了自卫，所以才杀了你。”小青说，“王子犯法，与庶民同罪，你虽然是位小侯爷，也没有用的。”

“可是银子你们还是要交回官府，你们自己还是拿不到。”

“我们本来就不想要这一百八十万两银子，因为它太烫手了。”小青说，“我们只要能拿到三成，就已经心满意足。”

“三成？”

“你难道不知道官府已经出了悬赏，无论谁能找回这批镖银，都可以分到三成花红。”

小青说：“三成就是五十四万两，已经不算少了，他们给得心甘情愿，我们拿得心安理得，大家都没有一点麻烦，岂非皆大欢喜，就算其中还有点让人怀疑的地方，也没有人再去追究了。”

“杨铮呢？”

“那个混小子只不过是被我们用来做幌子的，我们一定要你认为我们是想用他来背黑锅，你才会中我们的计。”

狄青麟好像还想说什么，却已连一个字都说不出，他的咽喉仿佛已被一双无形的大手无声无息地紧紧扼住。

小青看着他，好像也有点同情的样子。

“其实你也不能怪我们要这样对你。”她说，“你不但知道得太多了，而且你是位小侯爷，一位世袭一等侯的家里多少总有点传家之宝，也许还不止一百八十万两，你死了，也许就是我们的了。”

她吃吃地笑着道：“你凭良心说，我们这件事做得漂亮不漂亮？”

狄青麟看着她，苍白高傲的脸上忽然又变得全无表情，嘴角却露出了一丝残酷的笑意。

“还有件事你应该问我的。”他说。

“什么事？”

“你应该问我，喝下了你那杯特地为我精心调配的穿肠封喉的毒酒后，本来应该早就死了，为什么直到现在没有死？”

小青脸上的肌肉突然僵硬，娇媚甜美的笑容突然变成无数条可怕的皱纹。

就在这一瞬间，这个年轻美貌的女人好像已忽然老了几十岁，好像已经老得随时都可以去死了。

“难道你早已知道？”她问狄青麟。

“大概比你想象中早一点。”

“你为什么不杀了我？”

“因为你还有用。”狄青麟的声音平静而冷酷，“因为那时候我还可以用你。”

小青娇嫩美丽的脸上忽然有一根根青筋凸起，一个仙子般可爱的女人忽然变得恶魔般可怕，忽然从发髻里拔出根七寸长的尖针，向狄青麟的心脏刺过去。

“你不是人，根本就不是人。”她嘶声呼喊，“你根本就是个畜生。”

狄青麟冷冷地看着她扑过来，连动都没有动，只不过冷冷地告诉她：“一个女人如果连畜生和人都分不清楚，这个女人恐怕就没有什么用了。”

02

赵正住在省府衙门后的一个小四合院里，是他升任了总捕之后官家替他盖的，这个官职虽不高却很有权力的差使，他已干了十几年，这栋房子也被他从新的住成旧的，庭前的木柱也已快被白蚁蛀空。

但他却好像还是住得很安逸。

因为现在他已经快到退休的年纪了，退休之后就再也用不着住这种破屋。

他已经用好几个不同的化名在别的地方买了好几栋很有气派的庄院宅第，附近的田地房产也都是他的，已经够他躺着吃半辈子。

赵正年轻的时候也曾娶过妻子，可是不到半年，就因为偷了他三两银子去买胭脂花粉而被他休了，回娘家不久，就在梁上结了条绳子上了吊。

从此之后，他就没有再娶过亲，也没有什么人敢把女儿嫁给他。

可是他一点都不在乎。

他身旁总有两三个长得眉清目秀的小伙子在伺候他，替他端茶倒水铺床叠被捶腿洗脚。

这一天的天气不错，他特地从门口叫了个推着车子磨刀铲剪的跛子老头进来，他自己用的一把朴刀、一把折铁刀和厨房里的三把菜刀都需要磨一磨了。

这个跛老头姓凌，终日推着辆破车在附近几个乡镇替人磨刀，磨得特别仔细，一把生了锈的钝刀，经过他的手一磨之后，马上就变了样子。

赵正叫人端了把藤椅，沏了壶浓茶，坐在院子里的花棚下看他磨刀。

院子里既然有人，所以大门就没有关，所以杨铮用不着敲门就直接走了进来。

赵正显然觉得很意外，却还是勉强站了起来，半笑不笑地问杨铮："你倒是位稀客，今天大驾光临，是不是有什么好消息要告诉我？"

"没有，连一点好消息都没有。"杨铮说，"我只不过想来找你聊聊。"

赵正连半分笑意都没有了，沉着脸说："老弟，你难道忘了你的限期已经只剩下四五天了，还有心情到这里来聊天？"

杨铮居然没理他，直接走入了庭前的客厅。

赵正盯着他的背影和他手里一个用破布扎成的长包袱看了半天，也跟着他走进去，态度却忽然改变了，脸上又有了笑容。

"你既然来了，就留在这里吃顿饭再走吧，我叫人去替你打酒。"

"不必。"杨铮看着墙上一幅字画，"你听过我说的话之后，大概也不会请我喝酒了。"

赵正皱了眉："你到底要说什么？"

杨铮霍然转身，盯着他说："我忽然有了种很奇怪的想法，忽然发现你真是位很了不起的人。"

"哦？"

"倪八劫了镖银后，行踪一直很秘密，可是你居然能知道。"杨铮说，"能抓到倪八这种要犯，是件大功，这种功劳你平时绝不会让给别人的，可是这一次你居然把消息给了我，居然没有来分我的功。"

他冷冷地说："你好像早就知道镖银已经被掉了包一样，真是了不起。"

赵正的脸色变了："你这是什么意思？"

杨铮冷笑："我的意思你应该比谁都明白。"他说，"那么大的一趟镖，王振飞居然没有亲自押送，可是镖银一找回来，当天晚上他就来了。抓这种要犯的时候你居然不到，可是王振飞一到，你也到了，而且一下子就查出了镖银已经被掉包。"

杨铮又道："要把那么多银鞘子全都掉包并不是件容易事，要花很多工夫的，我想来想去，也只想出了一个人有工夫做这种事。"

赵正铁青着脸，却故意轻描淡写地问："你说的是不是倪八？"

"如果是倪八掉的包，他就不会为那些假银鞘拼命了，也就不会把命送掉。"杨铮说，"如果是押镖的那些镖师，他们也不会因此而死。"

他忽然叹了口气："赵头儿，你已经有房子有地，为什么还要跟青龙会勾结，做出这种事？你难道以为我还不知道王振飞是青龙会的人？"

赵正居然不再否认，居然问杨铮："你要我怎么做？"

"我要你说出王振飞的下落。"杨铮道，"还要你自己去投案自首。"

“好，我可以这么做。”赵正居然一口答应，“只可惜我就算把王振飞的下落告诉了你，恐怕你还是对他无可奈何。”

“为什么？”

赵正又故意叹了口气：“侯门深如海，你能进去抓人？”

狄小侯、狄青麟，所有的事本来都好像跟他全无关系，因为他永远是高高在上的，江湖人搅起的污泥混水，怎么会溅到他那一身一尘不染的白衣上？

可是现在所有的关键竟好像全都已集中于他一身。

杨铮忽然想到他父亲生前对他说的一句话。

——有些人就像是蜘蛛一样，终日不停地在结网，等着别人来投入他的网，可是第一个被这面网困住的就是他自己。

——有些人认为蜘蛛愚昧，蜘蛛自己很可能也知道，可是他不能不这么样做，因为这面网不但是他粮食的来源，也是他唯一的乐趣，不结网他就无法生存。

“我会去投案自首的。”赵正又说，“我跟他们那些人不一样，我吃的是官粮，干的是官差，官家的法例，已经在我心里生了根，有些事我已经做不出来。”

他勉强笑了笑：“何况我虽然和他们有点勾结，其实并没有做出什么太可怕的事，如果我自己去投案，罪名绝不会太大，可是你呢？你是不是真的要到侯府去抓人？”

杨铮的回答很干脆，也很冷静。

“是的。”他说，“现在我就要去。”

“那么我先送你走。”赵正说，“可是你到了那里，一定要特别小心。”

杨铮什么话都没有再说，话已经说到这里，无论再说什么都是多余的。

他走了出去，赵正也跟着他走了出去。

他们默默地走过厅外的小院，磨刀的老人仍在低着头磨刀，好像什么都没有看见，什么都没有听见，因为他已将他的全部精神都集中在他正在磨的这柄并不算很名贵的折铁刀上。

另外一把六扇门里的人最常用的朴刀已经磨好了，刀锋在晴朗的日色下闪闪发光。

杨铮先走过他身旁，赵正也走过去，忽然翻身抄起了这把朴刀，一刀砍在杨铮后颈上。

至少他自己以为这一刀已经砍在杨铮后颈上，因为他自信这一刀绝不会失手。

可惜他还是失手了。

杨铮好像早已料算他有这一招，忽然弯腰，反手一击，用破布裹着的离别钩已经打在他右胸第四根和第七条肋骨间。

肋骨碎裂，朴刀落下。

赵正的脸骤然因痛苦惊吓而扭曲，扭曲后就立刻痉挛僵硬，永生都无法恢复了。

所以他以后在牢狱中的难友们就替他起了个外号，大家都叫他“怪脸”。

杨铮看着他叹息：“我实在希望你能照你答应我的话去做，可惜我也知道你绝不会那么做的，你已经陷得太深了。”

一直在低头磨刀的老人忽然也叹了口气，说出句任何人都想不到他会说的话。

他忽然叹息着道：“杨恨的儿子果然不愧是杨恨的儿子。”

杨铮转身，吃惊地看着这个佝偻衰老瘦弱的跛脚磨刀老人。

“你怎么知道我是他的儿子？”

“因为你现在的样子就和我见到他时完全一模一样。”老人说，“连脾气都一样。”

“你几时见过他？”

“那已经是很久很久以前的事了。”磨刀的老人说，“那时候他的年纪比你现在还小，还在学剑，学用剑，也学炼剑，他的师傅邵空子剑术虽不佳，炼剑的功夫却可称天下第一。”

老人叹了口气：“只可惜你父亲志不在炼剑，所以邵大师的炼剑之术也就从此绝传了。”

杨铮拜倒：“家父也已去世很久，生前也常以此为憾。常常对我说，他学的如果不是搏击之术而是炼剑之法，这一生活得必定愉快得多。”

老人也不禁黯然。

“岁月匆匆，物移人故，人各有命，谁也勉强不得。”他说，“就好像剑一样。”

杨铮不懂，老人解释：“剑也有剑的命运，而且也和人一样，有吉有凶。”老人说，“那次我去访邵大师，为的就是要去替他相一相他那柄新炼成的利剑灵空。”

“灵空？”杨铮说，“我怎么从来没有听人说起过？”

“因为那是柄凶剑，剑身上的光纹乱如蚕丝，剑尖上的光纹四射如火，是柄大凶之剑，佩带者必定招致不祥，甚至会有家破人亡的杀身之祸。”老人说，“所以邵大师立刻就将那柄剑毁了，再用残剑的余铁炼成一柄其薄如纸的薄刀。”

“那柄刀呢？”

“听说是被应无物用一本残缺的古人剑谱换去了。”

杨铮的脸色忽然变了，仿佛忽然想起了一件又神秘又奇妙又可怕的事。

“据说那本剑谱左面一半已被焚毁，所以剑谱的每一个招式都只剩下半招，根本无法练成剑术。”老人说，“可惜我未见过，也不知道它的下落。”

杨铮忽然说：“我知道。”

磨刀的老人显得很惊讶，立刻问杨铮：“你怎么会知道的？”

“因为那本剑谱就在家父手里，家父的武功就是以它练成的。”

“我知道后来杨恨以一柄奇钩纵横天下。”老人更惊讶，“用一本残缺不全的剑谱，怎么能练成那种天下无敌的武功？”

“就因为那本剑谱的招式已残缺，用剑虽然练不成，用一柄残缺而变形的剑去练，却正好可以练成一种空前未有的招式，每一招都完全脱离常轨，每一招都不是任何人所能预料得到的。”杨铮说，“所以它一招发出，也很少有人能抵挡。”

“残缺而变形的剑？”老人问，“难道就是蓝大先生以一方神铁精英托他去炼却没有炼成的那一柄？他也因此而以身相殉。”

“是的。”

老人长长叹息：“以残补残，以缺补缺，有了那本残缺不全的剑谱，才会有这柄残缺不全的剑，难道这也是天意？”

杨铮无法回答，这本来就是个谁都无法回答的问题。

老人眼中忽然露出种非常奇怪的表情，就好像忽然看透了一件别人看不见的事：“也许这并不是天意。”他说，“也许这就是邵大师自己的意思。”

“怎么会是他自己的意思？”

“因为他已经有了那本残缺不全的剑谱，所以才故意炼成那一柄残缺不全的剑，留给他唯一的弟子。”老人长叹，“他自己的剑术不成，能够让他的弟子成为纵横天下的名侠，他也算求仁得仁，死而无憾了。所以他才不惜以身相殉。”

杨铮悚然，连骨髓里都仿佛透出了一股寒意，过了很久才说：“那柄薄刀的下落我也知道。”

“刀在哪里？”

“一定在应无物唯一的弟子手里。”

“他的弟子是谁？”

“世袭一等侯狄青麟。”

“你怎么知道？”

“因为我知道他用这把刀杀过一个人。”杨铮说，“用这种刀杀人，如果动作够快，外面就看不出伤口，血也流不出来，可是被刺杀的人却一定会因为内部大量出血而立刻毙命。必死无救。”

“你知道他杀的是谁？”

“他杀的是万君武。”杨铮说，“就因为谁也看不到他刺杀万君武那一刀的伤口，所以谁也不知道万君武的死因。”

杨铮接着说：“但是我知道，因为家父曾经告诉过我，世上的确有这种其薄如纸的薄刀。”

磨刀老人的脸色忽然也变得像杨铮刚才一样，忽然问杨铮：“你知道是谁托邵大师炼那柄‘灵空’的？”

“是谁？”

“就是万君武。”老人说，“那时他还在壮年，他的刀法已练成，还想学剑，他知道那柄剑被邵大师毁了之后并没有说什么，因为他也相信那是柄凶剑，而且那时候他已经有了一把鱼鳞紫金刀。”

“但是他却不知道邵大师又用那柄剑的残铁炼成了一柄薄刀。”

“他当然更想不到自己后来竟会死在那一柄薄刀下。”老人又问杨铮，“这是不是天意？”

“我不知道。”杨铮说，“我只知道现在我要做的事也是应无物绝对想不到的。”

“你要去做什么事？”

“我要去杀狄青麟。”杨铮说，“用应无物向邵大师换那柄薄刀的剑谱招式，去杀死他唯一的弟子。”

他也问老人：“这是巧合，还是天意？”

老人仰面向天，天空澄蓝。

他憔悴衰老疲倦的脸上忽然又露出种又虔诚又迷惘又恐惧的神色。

“这是巧合，也是天意，巧合往往就是天意。”老人说，“是天意借人手做出来的。”

——天意无常，天意难测，天意也难信，可是又有谁能完全不信？

03

屋子里还是一片雪白，没有污垢，没有血腥，甚至连一点灰尘都没有。

一身白衣如雪的狄青麟盘膝端坐在一个蒲团上，对面也有一个蒲团，上面必定还留着应无物的气息，可是应无物这个人却已永远消失。

他的尸体并没有离开过这间屋子，但是现在却已永远消失。

如果狄青麟要消灭一个人，就一定能找出一种最简单最直接最有效的法子。

门外的长廊上已经有脚步声传来，是三个人的脚步声。

脚步声很轻，却很不稳定，可以想象他们的心情也很不稳定。

狄青麟嘴角又露出一丝残酷的笑意，外面的三个人如果能看见他这种表情，绝不敢踏入这个屋子的门。

可惜他们看不见。

第三章

侯门深似海

01

门是虚掩着的，三个人都走了进来。

王振飞的脸色显得有点苍白，裘行健的眼睛却有点发红，也不知是因为睡眠不足，还是因为酒喝得比平常多了一点。

只有花四爷还没有变，不管在什么地方出现，不管要去做什么事，他看来总是笑嘻嘻的，一团和气，就算他要去勾引别人的妻子，抢夺别人的钱财，而且还要把那个人的咽喉割断时，他看起来都是这样子的。

他们一直没有走，因为他们一直都在等消息。等小青的消息。

他们已经等得很着急，却还是在等，因为他们相信小青是绝不会失手的。

现在他们才知道自己错了。

门外阳光灿烂，这个空阔干净洁白如雪的屋子里，却仿佛充满了一种说不出的阴森肃杀之意。

花四爷是最后一个进来的。

他一走进来，就转过身，轻轻地关上了门，因为他不愿让狄青麟看见他脸上的表情。

无论谁忽然看见一个自己本来认为已经死定了的人时，脸色都难免会变的。

幸好狄青麟连看都没有看他们一眼，更没有注意到他们的脸色，只淡淡地说了句："请坐。"

来的有三个人，屋子里唯一可以让人坐下来的地方就是那个蒲团。

以他们的身份，坐在地上总有点不像样的。

王振飞看看另外两个人，正想占据这个唯一的座位，狄青麟却说："花四爷，你坐。"

花四爷看看王振飞，王振飞掉过脸去看白墙，花四爷慢慢地坐下。

"你们是不是觉得很奇怪？"狄青麟说，"我明明已经应该死了，为什么还活着？"

他说话就像他杀人一样，直接而有效。

裘行健的脸绷紧："你在说什么？我根本就不懂。"

"很好。"

"不懂为什么很好？"

"懂也很好，不懂也很好。"狄青麟说，"懂不懂反正都一样。"

他看着裘行健，平平淡淡地问："你喜欢怎么样死？"

裘行健脸上绷紧的肌肉已经像绷紧的琴弦被拨动后一样弹跳起来。

"我为什么要死？"

"因为我要你死。"狄青麟的回答永远都一样简单直接干脆。

"天青如水，飞龙在天。"裘行健厉声道，"你难道忘了我是什么人？”

“我没有忘。”

狄青麟的声音还是很平和：“我要你死，你就要死，不管你是什么人都一样。”

江湖中有很多人都说过这一类的话，可是从他嘴里平平淡淡地说出来，就好像一个掌有生杀大权的法曹在宣判一个人的死刑。

裘行健怒目瞪着狄青麟，竟没有勇气扑过去拼一拼，他全身的肌肉虽然都已绷紧，内心却似已完全软弱虚脱。

狄青麟的冷静就好像一条吸血的毒蛇，已经把他身子里的血肉和勇气都吸干了。

王振飞忽然冷笑：“死就是死，你既然一定要他死，随便怎么死都是一样的，你又何必再问？”

“不错，死就是死，绝没有任何事可以代替。”狄青麟苍白高贵的脸上忽然露出种又虚幻又严肃的表情，悠悠地说，“天上地下，再也没有任何事能比死更真实。”

他叹了口气：“你说得对，我的确不应该再问他的。”

他在叹息声中慢慢地站起来，走到裘行健面前，用一种比刚才更平和的声音说：“你不能算是一条硬汉，你的内心远比外表软弱。”狄青麟道，“我本来一直都很喜欢你。”

他忽然伸出双臂像拥抱情人一样将裘行健轻轻拥抱了一下。

裘行健竟没推拒，因为他竟好像根本就不想推拒。

狄青麟的拥抱不但温柔而且充满了感情，他的声音也一样。

“你好好地走吧。”他说，“我不再送你。”

说完了这句话他就放开了手，他放开手时裘行健还在看着他，用一种又空虚又迷惘又欢愉又痛苦的眼神痴痴地看着他。

他能感觉到他拥抱时的温柔，但是同时他也感觉到一阵刺痛。

一阵深入骨髓血脉心脏的刺痛。

直到他倒下去时，他还不知道就在他被拥抱时已经有一柄刀从他的背后刺入了他的心脏。

一柄薄刀，其薄如纸。

花四爷那种独有的笑容居然还保留在他那张圆圆的脸上，只不过轻轻地叹了口气。

“我佩服你。”他说，“小侯爷，现在我才真的佩服你了。”

“哦？”

“我看过别人杀人，我自己也杀过人。”花四爷说，“可是一个人居然能用这么温柔这么多情的方法杀人，我非但没有看见过，连想都想不到。”

王振飞的额角手背脖子上都已有青筋凸起：“他能用这种法子杀人，只因为他根本就不是人。”

狄青麟又坐了下去，坐在蒲团上。

“你错了。”他说，“我用这种法子杀他，只不过因为我喜欢他。”

他的声音还是很平和：“对你就不同了，我绝不会用这种法子杀你。”

王振飞后退三步厉声道：“你竟敢动我？你不知道我的身份？你不怕青龙老大把你斩成肉末！”

狄青麟忽然笑了，笑容也很温和。

“你是什么身份？你只不过是条自作聪明的猪。”

一个人能用这么温和文雅的声音骂人，也是件让人很难想象的事。

“其实我本来不必杀你的，我应该把你留给杨铮。”狄青麟说，

“你也不必替我担心，在你们的龙头眼里，你最多也只不过是条猪而已，他绝不会因为我杀死他一头猪而生气的。”

王振飞居然也笑了，笑声居然真的像是一头猪在饥饿激动时叫出来的声音，甚至有点像是猪被宰时的声音。

唯一不同的是，猪没有刀，他有。

他拔出了他一直暗藏在长衫下的刀，并不是他平时为了表现自己的气派而用的那柄金背大砍刀，而是一柄雁翎刀。

这才是他真正要杀人时用的利器。

“花四，你还坐在那里干什么？”王振飞大吼，“难道你真的要坐在那里等死？”

花四爷没有出声，也没有动，因为他早已经发现在狄青麟面前是绝不能动的。

他当然有他的理由。

他有名声，有权势，还有一笔别人很难想象到的庞大财富。

像他这样的人，下定决心去做一件事的时候，当然都有很好的理由。

——在他看到万君武的尸体时，他已经发现狄青麟是个非常可怕的人。远比十个裘行健和十个王振飞加起来更可怕。

——在他看到狄青麟并没有被小青害死的时候，他更证实了这一点。

最重要的一点是，他相信狄青麟绝不会动他。

因为狄青麟对他的态度和对别人是完全不同的。否则刚才为什么会特别指名请他坐下？

花四爷想得很多，而且想得很愉快。在这种情况下，他为什么要动？

王振飞却已经动了。

他知道狄青麟是个很难对付的人，可是他也不是容易对付的。

他的刀轻，轻而快。

江湖中有很多人都认为，如果他用的不是金刀而是这柄雁翎刀，那么他一刀出手时，绝对要比万君武门下的高足“快刀”方成还快得多。

金刀是给别人看的。这把刀却看不得。

他一刀出手，等你看见他的刀时，很可能已经死在刀下。

现在他的刀已出手，狄青麟已经看见他的刀，刀光轻轻一闪，已经到了狄青麟的咽喉。

他还是盘膝端坐在蒲团上，王振飞并没有给他还手的机会。

——真正要杀人的时候，就绝不能给对方一点机会。

王振飞明白这道理，而且做得很彻底。

这一刀很可能是他平生最快的一刀，因为他已经发出了他所有的潜力。

一个人只有在生死关头才会发出所有的潜力。

现在他已经到了生死关头。如果狄青麟不死，死的就是他。

王振飞没有死，狄青麟也没有死。

刀光一闪，一刀劈出，王振飞忽然觉得好像有一根针刺入他身上某一个地方。

一个很特别的地方，连他自己都不知道究竟是在哪里。

他忽然觉得全身都酸了，又酸又痛，酸得连眼泪都好像要流下来。

等到这一阵酸痛过去，他还是好好地站在原来的地方，好像什么事都没有发生过，和刚才他站在这里的时候完全没有什么不同。

唯一不同的是，他的手里已经没有刀。

他的刀已经在狄青麟手里。

狄青麟用两根手指捏住刀尖，将刀的柄送过去给他，平平淡淡地说："这一刀还不够快，你还可以更快一点。"他说，"你不妨再试一次。"

狄青麟为什么不杀他？为什么还要再给他一次机会？

王振飞不信，因为他从来没有给过别人这种机会，连一次都没有给过。

可是他不能不信，因为他的刀已经在他手里。

他当然要再试一次。

刚才那一次失手，也许只不过因为他太紧张，紧张得抽了筋。

这一次他当然要特别小心，用的当然是和上一次完全不同的手法。

他的身子忽然开始游走，游鱼般围着狄青麟转动不停，让狄青麟根本没法子看出这一刀会从什么部位劈下去。

这是他从"八卦游身掌"中化出的刀法，这一刀他本来好像要从坎门砍出，可是忽然又变了方位，由离门砍了出去。

这一刀不但出手快，而且变得快，可惜效果还是和上次完全一样。连一点效果都没有。

他的刀忽然间又到了狄青麟手里，狄青麟居然又将刀送回给他："你还可以再试一次。"

王振飞的手又伸了出去，又握住了他的刀，用力握紧。

这一次他绝不能再失手。

虽然他知道这一次机会还不是最后一次，以后狄青麟还是会不断地再将机会给他的。

可是他已不愿接受。

因为他已经明白，这种机会根本不是机会，而是侮辱。

他忽然觉得自己好像已经变得像是一只猫爪下的老鼠。

可是这一次他绝不会再失手了。他向自己保证，绝对不会再失手。

这一刀就是他最后的一刀。这一刀砍下去，刀锋一定要被鲜血染红。

他受到的羞辱，只有血才能洗清。

这一次他果然没有失手，这一刀出手，刀锋果然立刻就被鲜血染红。

不是狄青麟的血，是他自己的血。

他的血也和狄青麟的血一样红。

02

杨铮将包扎在离别钩外面的破布一条条解开，用双手将他的钩送到磨刀的老人面前。

他要请老人相一相他这柄钩。

阳光艳丽，老人也双手握钩，以钩尖向天，将钩锋迎展于阳光下。

钩不动。老人也不动。

除了他的眼睛外，他这个人仿佛已经在这一瞬间化成了一座石像。

他的精、他的神、他的气、他的力、他的灵、他的魂，仿佛都已在这一瞬间完全投入他握住的这柄钩里。

他的眼睛却亮得像是天际的星光。

他凝视着这柄钩，过了很久才开口，说的却是一件和这柄钩完全无关的事。

“你一定很久很久没有好好地吃过一顿饭了。因为你脸上有饥色。”

杨铮不懂他为什么会突然说起这一点。

“名家铸造的利器也和人一样，不但有相，而且有色。久久不饮人血，就会有饥色。”老人终于将话锋转入正题，“这柄钩最近必定已饱饮人血，而且一定是位非常人的血。”

“为什么一定是非常人的血？”

“那是一定可以看出来的。”老人说，“一个人在用过精馔美食后和只吃了些杂粮粗面后的神情气色，是不是也会有些不同？”

这个比喻不能算很好，但是杨铮却已经完全了解它的意思。

他不能不承认这个奇特的老人确实有种能够洞悉一切的眼力。

老人闭上眼睛，又问杨铮：“你伤的人是谁？”

“是蓝一尘。”杨铮道，“蓝大先生。”

老人悚然动容：“这是天意，一定是天意。”

他张开眼睛，仰面向天，目光中充满了敬畏之色：“邵大师无心中铸造了这柄钩，却因此而死，这与蓝一尘有关，现在蓝一尘却又被这钩所伤，这不是天意是什么？”

杨铮也不禁悚然，老人又说：“这柄钩本来也是不祥之物，就像是个天生畸形的人，生来就带有戾气，所以它一出炉，铸造它的人就因此而死。”他说，“你的父亲虽然以它纵横天下，但是一生中也充满悲痛不幸。”

杨铮黯然，老人的眼睛里却露出了兴奋的光。

“可是现在它的戾气已经被化解了，被蓝一尘的血化解了。”他说，“因为蓝一尘本来应该是它的主人，却抛弃了它，他虽然没有杀邵大师，邵大师却也算因他而死的，他已经在这柄钩的精髓里种下了充满怨毒和仇恨的暴戾不祥之气，只有用他自己的血才能化解得了。”

这种说法实在很玄，可是其中仿佛又确实有一种玄虚奥妙之极的道理存在，令人不能不信。

老人又闭上眼睛长长叹息：“这都是天意，天意既然要成全你，你已经可以安心了。”他将钩交还给杨铮，“你去吧，无论你要去做什么，无论你要去对付什么人，都绝对不会失败的。”

他的声音中仿佛也带着种神秘的魔力，他对杨铮的祝福，就是对杨铮仇敌的诅咒。

远在百里外的狄青麟，在这一瞬间，仿佛也觉得有种不祥的感应。

03

狄青麟从来不相信这些玄虚的事，他这一生之中唯一相信的就是他自己。

在他的剑锋刺入应无物血肉中时，他就已认为这个世界上绝对没有任何人能击败他。

所以他很快就恢复了冷静和镇定，他看着花四的时候，就好像一位无所不能的神祇，在看着一个卑贱凡俗无知的小人。

花四爷已经被他这种态度吓倒了，虽然还坐在那里，却似已屈服在他的脚下。

狄青麟忽然问："你知不知道我为什么不杀你？"

"因为我对小侯爷还有用。"花四勉强装出笑脸，"我还可以替小侯爷做很多事。"

"你错了。"

狄青麟冷冷地说："我不杀你，只因为你还不配让我出手，你一直都让我觉得恶心。"

他的手垂下，在他坐着的这个蒲团边缘上轻轻扳动了一个暗钮。

花四坐下的蒲团忽然旋转移动，连带着蒲团下的地板一起移开。

地面上就忽然露出了一个黝黑的洞穴。

花四立刻落了下去，发出一声凄厉恐惧之极的惨呼，远比对死亡本身更恐惧。

因为他在身子落下的那一瞬间，已经看到了地穴中的情况。

他所看到的远比死更可怕。

侯府的后花园中百花盛开，春光如锦。

狄青麟悠然走上一个小亭，回头吩咐跟随在他身后的奴仆。

"今天我只见一个人，除了他之外别人一律挡驾。"小侯爷说，"这个人姓杨，叫杨铮。"

04

侯府朱门外的石阶长而宽阔，平亮如镜。杨铮甚至能在上面照见自己的脸。

他的脸色很不好看。

虽然他从邻近的县城衙门里领到了一点路费，却少得可怜，这几天在路上他一直都没吃饱过。

他已经坐在石阶上等了大半个时辰，才忍不住从旁边的门走进去，问刚才替他开门的那个傲慢自大、眼睛长在头顶上的门房：“刚才你说小侯爷就在后面的花园里？”

“嗯。”

“你说你已经派人去通报了？”杨铮忍住气问，“为什么直到现在还没有消息？”

门房里的大爷斜眼看着他，皮笑肉不笑地哼了一声，冷冷地问：“你知不知道从这里到后花园来回一趟要走多久？”

杨铮摇头。

他本来可以一拳打烂这位大爷的鼻子，但是他忍住了。

“你不知道，我告诉你，从这里走到后花园，就要走半个时辰。”门房大爷冷笑，“这里是世袭一等侯府，跟你们那种小小的衙门是不太一样的。”

杨铮只有再继续等下去。

从这里根本看不到侯府的情况，一面用彩瓷砌成九条麒麟的高墙，完全挡住了他的视线，墙后人声寂寂，连一点声音都听不见。

他又等了很久，里面才有个锦衣童子走出来，对他勾了勾手指。

“小侯爷已经答应见你了，你跟我来吧！”

高墙后是个很大很大的院子，没有栽花种树，也没有养金鱼。

院子里只摆着一个巨大古老的铁鼎，却更衬出了这个院子的庄严和辽阔。

前面大厅的门是关着的，也看不到里面的情况，只能看见廊前那一根根两个人都合抱不住的雕花庭柱和高耸在白云下的滴水飞檐。

到了这种地方，一个人才能真正了解富贵和权势的力量，心里就会不由自主升起一种敬畏之意。

可是杨铮却好像什么都没有看见，什么感觉都没有。

因为他心里只有一个人，一件事。

——吕素文还在那寂寞悲惨的小木屋里等着他，他一定要活着回去。

05

雪白的屋子还是那么洁净静寂，就好像从未被一点血腥沾染过。

狄青麟还是盘膝坐在那个蒲团上，指着对面的那个蒲团对杨铮说："请坐。"

杨铮就坐了下去。

他当然想不到坐在这个蒲团上就好像坐在一个上古洪荒恶兽的嘴里，他的血肉皮骨随时都会被它吞噬下去，连一点渣子都不会剩下来。

狄青麟用一种很奇特的眼色看着他，仿佛对这个人很感兴趣。

"这里本来是我练剑的地方，很少有客人来，所以我也没有什么可以款待你。"狄小侯淡淡地说，"我想你大概也不会接受我的款待。"

"不错。"杨铮的声音也同样冷淡，"我本来就不是你的客人。"

他直视着狄青麟，连眼睛都没有眨一眨："我只想问你，思思是不是已经死了？是不是被你杀死的？镖银是不是被王振飞所盗换？他是不是到这里来了？"

狄青麟微笑，微笑着叹了口气。

"你知不知道我是什么人，知不知道这是什么地方？你怎么敢在我面前说这种话？”

“就因为我很明白你是个什么样的人，所以我才敢这么说。”

“哦？”

“你是个很了不起的人，大家都觉得你很了不起，你自己一定也这么想，你这一生中，永远都是高高在上的。”杨铮说，“就因为你是这种人，所以我才敢这么样问你。”

“为什么？”

“因为我知道你绝不会在我面前推诿狡赖说谎。”杨铮道，“因为你根本就没把我看在眼里。”

——说谎的目的，如果不是为了要讨好对方，就是为了要保护自己。

——如果你根本看不起一个人，就没有对他说谎的理由了，又何必再说谎?

狄青麟居然还是神色不变，却反问杨铮：“如果我什么话都不说呢？”

杨铮沉思，过了很久才回答：“如果你不说，我只有走。”

“为什么要走？”

“因为我没有证据，既无人证，也没有物证。”杨铮道，“我根本没法子能证明你做过这些事，也没有人会因为我说的话而判你的罪。”

“所以你对我根本就无可奈何。”

“是的。”

“那么你又何必来？”

“我本来以为我可以找出证据，最少也可以找出方法来对付你。”杨铮说，“可是我到这里来了之后，我就知道我错了。”

“错在哪里？”

“错在我虽然没有看轻过你，却还是低估了你。”杨铮说，“你实在太‘大’了，已经大得可以把所有的证据都湮没，已经大得可以把所有对你不利的事都吃下去。”

他的神色惨淡：“现在我已经发觉，像你这么样一个人，确实不是我能对付的，这个世界上确实有些任何人都无能为力，也无可奈何的事。”

狄青麟听着他说完这些话，脸上还是全无表情，连一点反应都没有。

杨铮也像木头人一样坐在那里，坐了半天，忽然站起来大步走了出去。

狄青麟看着他走出去，走到门口，忽然叫住了他：“等一等。”

杨铮的脚步慢了下来，又慢慢地往前走了几步才站住，慢慢地转过身来面对狄青麟。

狄青麟看着他，嘴角忽然又露出那种残酷的笑意，声音却还是那么平淡：“我可以让你走，让别人去对付你，拿你当盗贼一样对付你，追问那些遭劫的镖银。”狄小侯道，“无论你怎么样辩白，也没有人会相信你一个字，你还是只有死路一条。”

“是的。”杨铮说，“事情就是这样子的，有很多事都是这样子的。”

“如果我不想让你走，那么现在这个世界上已经没有你这个人了。”狄小侯说。

他立刻就证明了他说的话并不是恫吓。因为他的手一垂下，对面的蒲团就移开了，地面上立刻又现出了那个黝黑的洞穴。

杨铮当然忍不住要去看，只看了一眼，就弯下腰，几乎忍不住要呕吐。

——他看见了什么？

他看见的事虽然永远都忘不了，可是他永远都不会说出来的。

蒲团又移回原地，一切又恢复原状，狄青麟才问杨铮："你知不知道我为什么没有这样对你？"

杨铮摇头，勉强忍耐着，不让自己呕吐出来。

"因为你是个聪明人，虽然比我想象中更聪明，却没有聪明得太过分。"狄青麟道，"你说的每句话都很有理，做的事也很公平，所以我一定也要用同样公平的方法对你。"

他嘴角的笑意更冷酷："思思确实是死在我手里的，遭劫的镖银也在我这里。只要你能用你手里的武器将我击败，镖银就是你的，我这条命也是你的，你都可以带走。"

杨铮看着他，静静地盯着他看了很久，才用一种和他同样平淡冷酷的声音说："我就知道你一定会这么样做的。"杨铮说，"因为你太骄傲，太没有把别人看在眼里。"

06

狄青麟确实是个非常骄傲的人，可是他确实有他值得骄傲的理由。

他的武功确实不是杨铮所能对抗的。

他没有用他的剑来对付杨铮，他用的是那柄短短的薄刀。

和杨铮的离别钩一样，是从同一个人的手里铸造出来的，而且同样是因为一柄剑铸造的错误才会有这柄钩和这把刀。

可是狄青麟使用这把刀的技巧，却已经臻入化境。进入了随心所欲的刀法巅峰。

他操纵这把刀就好像别人操纵自己的思想一样，要它到哪里去，它就到哪里去，要它刺入一个人的心脏，它也绝不会有半分偏差。

刀光一闪，刀锋刺入了杨铮肘上的“曲池”穴，因为狄青麟本来就是要它刺在这个地方的。

他不想要杨铮死得太快。

杨铮是个有趣的人，狄青麟并不是时常都能享受到这种残酷的乐趣的。

他也知道一个人的“曲池”穴被刺时，半边身子就会立刻麻木，就完全没有抵抗或还击的能力了。

他的思想绝对正确，可惜他没有想到杨铮居然会将自己的离别钩用来对付自己。

离别钩的寒光忽然到了杨铮自己的臂上，被刀锋刺入曲池的那条臂上。

这条臂立刻和他的身子离别了。

——离别是为了相聚，只要能相聚，无论多痛苦的离别都可以忍受。

在一阵深入骨髓的痛苦中，使杨铮的臂离别了身体的离别钩已经斜斜飞起，飞上了永远高高在上的狄青麟的咽喉里。

于是狄青麟就离别了这个世界。

骄者必败。

这句话无论任何人都应该永远记在心里。

霸王枪

第一章

落日照大旗

01

黄昏，未到黄昏。

落日正照在这面大旗上。

旗杆是黑色的，旗面也是黑色的，旗上却绣着五条白犬，一朵红花。

这就是近来在江湖中声名最响的开花五犬旗。

五犬旗是镖旗。

辽东的“长青镖局”，已和中原的三大镖局合并，组织成一个空前未有的联合镖局。

五犬旗就是他们的标志。

五条白犬，象征着五个人——

长青镖局的主人，“辽东大侠”百里长青。

镇远镖局的主人，“神拳小诸葛”邓定侯。

振威镖局的主人，“福星高照”归东景。

威群镖局的主人，“玉豹”姜新。

还有一位就是中原镖局中第一高手，“振武”的总镖头，“乾坤笔”西门胜。

自从这联营镖局的组织成立后，黑道上的朋友，日子就一天比一天难过了。

02

有风。

镖旗飞扬。

黑色的大旗正在落日下发着光，旗上的五条白犬也在落日下发着光。

丁喜就坐在落日下，远远地看着这面大旗，他的脸上也在发光。

他是个很随便的人，有好衣服穿，他就穿着，没有好衣服穿，他就穿破的；有好酒好菜，他就猛吃，没有得吃，就算饿三天三夜，他也不在乎。

就算饿了三天三夜后，他还是会笑，很少有人看见过他板着脸。

现在他就在笑。

他笑得很随便，有时候会皱起鼻子来笑，有时会眯起眼睛来笑，有时候甚至会像小女孩一样，噘起嘴来笑。

他的笑容中，绝对看不出有一点恶意，更没有那种尖刻的讥诮。

所以无论他怎么笑，样子绝不难看。

所以认得他的人，都会说丁喜这个人，实在很讨人喜欢，可是恨他的人一定也有不少——现在至少已有五个。

小马当然绝不是这五个人其中之一。

小马叫马真，此刻就站在丁喜身后，你只要看见丁喜，通常就可以看见小马站在后面。

因为他是丁喜的朋友，是丁喜的弟兄，有时甚至像是丁喜的儿子。

可是他不像丁喜那样随和，也没有丁喜能讨人喜欢。

他的眼睛总是瞪得大大的，脸上总是带着一万个不服气的表情，看着人的时候，好像总是想找人打架的样子，而且真的随时随刻都会打起来。

所以有很多人都叫他“愤怒的小马”。

现在他看起来很愤怒，一双大眼睛正瞪着远处那面飞扬的镖旗，一双拳头紧紧地握着，嘴里喃喃地骂道：“三羊开泰，五狗开花，真他妈的活见鬼，这些龟孙子为什么不叫五狗放屁？”

丁喜在微笑，在听着。

他早就听惯了，小马说的话里，若是没有“他妈的”三个字，才叫奇怪。

“但我还是弄不懂。”小马又骂了几句三字经，才接着道，“这些龟孙子为什么不喜欢做人，偏偏要把自己当作狗。”

丁喜微笑道：“因为狗一向是人类的朋友，会替人看门，替人带路。”

小马道：“黄狗、黑狗、花狗也是狗，他倒为什么一定要把自己比作白狗？”

丁喜道：“因为白的总是象征纯洁和高贵。”

小马重重地往地上吐了口口水，怪声道：“不管怎么样，狗是狗，狗仗人势，狗眼看人低，狗改不了吃屎，白狗黑狗都一样。”

看来他对这五个人不但讨厌，而且痛恨，简直恨得要命。

因为他是个强盗，强盗恨保镖的，当然是天经地义的事。

小马又道：“我虽然是个强盗，我做的事可没有一件是见不得人的，他妈的至少不会替那些贪官污吏、恶霸奸商做看门狗。”

丁喜道：“他们做的事，虽然未免太绝了，可是他们这五个人，却不能算太坏，尤其是‘镇远’的邓定侯。”

小马道：“这趟镖好像就是他押来的。”

丁喜道：“应该是他。”

小马道：“听说他押的镖从来没出过事。”

丁喜道：“神拳小诸葛并不是徒有虚名的人。”

小马冷笑，道：“不管他是小诸葛也好，是大诸葛也好，这次跟斗总是要栽定了。”

03

邓定侯骑的总是好马，就像他喝的总是好酒一样。

他的骑术也跟他的酒量同样好。

江湖中人都承认，他不但是中原四大镖局的主人中，最懂得享受的人，也是思想最开明，做事最有魄力的一个。

这次联营镖局的计划，就是他发起的，他的少林神拳已经到八九分火候。据说，邓定侯已不在少林本寺的四大长老之下。

联营镖局成立后，他的名声在江湖中更响。

他的妻子美丽而贤惠，他的儿子聪明而孝顺，他的朋友对他很不错。

今年才四十四岁，正是男人生命中精力最充沛、思考最成熟的时候。

像他这么样的一个人，还会有什么遗憾的事？

有！

有两件——

中原四大镖局中，历史最悠久的“大王镖局”居然不肯参加他们的联营计划——那王老头子实在是个老顽固。

“这个人简直就跟他用的那杆枪一样，又老又硬，分量却又偏偏很重。”

自从联营镖局成立之后，三个月内就开花结果，见了功效，开花五犬旗所经之处，黑道上的朋友们只有看着叹气。

可是近两个月来，他所保的镖，居然也失过两次风，不但伤了人，而且丢了镖。

伤的人都是他们旗下的高手，丢的镖都是价值巨万的红货。

红货的意思就是金珠细软、奇珍异宝，托他们去保这种货的人，通常都有点见不得人的事，所以才将钱财换成红货。

因为这种货不但携带方便，而且可以走暗镖。在表面上装几箱东西作幌子，将红货藏在暗处，这种法子，就叫作走暗镖。

邓定侯这次押的就是趟暗镖，摆在镖车上作幌子的，是三五十鞘银子，暗中藏着的珠宝，价值却至少在百万以上。

这实在不轻，邓定侯并不嫌太重。

他对自己一向很有信心，对这趟镖更有把握。

这次他所走镖的路线，藏镖的地方，都是绝对保密的。

他摆出来作幌子的货已经很像样，除了有限几个人外，别人根本想不到这趟暗镖中还藏着批红货，更不会想到这批红货藏在哪里。

邓定侯抬起头，看看斜插在第一辆镖车上的大旗，脸上不禁露出了得意的微笑。

黑缎的旗帜，旗杆是纯钢打成的，这批价值百万的红货，就藏在旗杆里。

除了他们五个人外，这秘密不会有第六个人知道。

车辚马嘶，风萧萧。

风从日落处吹过来，保定府的城郭已遥遥在望。

护旗的镖师老赵在心里叹了口气，只要一到了保定，这趟镖就可交了差。

想到保定府的烧刀子和大脚娘儿们，他心里就像是有好几百只蚂蚁在爬来爬去。

“就算明天一清早还得赶路回去，今天晚上我们总可以乐一乐。”

老赵回过头，朝他的老搭档小吴打了个眼色，两个人的眼睛都眯了起来。

就在这时，突听“轰”一声响，老赵只觉得眼前一黑，连人带马都跌入一个大洞里，他守护的第一辆镖车也跟着落下，轧在身上，车把子恰好轧在他两腿之间。

“这下子完了。”

老赵整个人都缩成一团，想吐还没有吐出来，就疼得晕了过去。

也就在这同一刹那间，道旁的树木忽然成排地倒下，有的倒在马背上，有的倒在人的身上。

行列整齐的队伍，忽然间就已变得鸡飞蛋打，人仰马翻。

邓定侯翻身勒缰，正想反马冲过去，护镖夺旗，树丛后已有三点寒星飞过来，打在马屁股上。

他胯下的白马虽然是久经训练的千里良驹，也吃疼不住，惊嘶一声，人立而起。

他想甩蹬下马，这匹马却已箭一般冲出去，越过倒下的树干，冲出了十余丈。

等他甩开银蹬翻身掠起时，树丛后又有一条长索飞出，套住了落马坑中镖车上的旗杆，只听“呼”的一声响——

黑色的大旗迎风招展，已随着长索飞回。

邓定侯的人虽掠起，一颗心却已沉了下去。

随行的镖师大声呼喝：“护着镖车，莫中了别人的调虎离山之计。”

老练的镖师倒都知道，镖旗丢了虽丢人，镖车被劫却更为严重，当然应该先护镖车，再夺镖旗。

邓定侯看着这些老练的镖师们，却连血都几乎吐了出来。

树丛后人影闪动，仿佛有人在笑。

邓定侯身形斜起，乳燕投林，两个起落间已扑过去。

少林门下的子弟虽不以轻功见长，他的轻功并不弱。

可是等他扑过去时，树丛后却已连人影都看不见了。

树干上用七管针钉着一条纸：“小诸葛今天居然变成了小猪哥，他妈的，真过瘾。”

黄昏，已是黄昏。

落日的余晖正照在北国初秋的原野上。

远处仿佛有人在纵声大笑，笑声传来处，仿佛有一面黑色的大旗迎风招展。

邓定侯双拳紧握，远远地听着，远远地看着，过了很久，才长长叹了一口气：“这是什么人？什么人有这样的本事？”

04

五犬开花，旗帜飞卷。

小马一只手举着大旗，用一只脚站在马背上，站得稳如泰山。

这匹马也是好马，向前飞奔时快如急箭。

小马仰面大声道：“小诸葛今天竟变成了小猪哥，他妈的，真真过瘾。”

他还没有笑完，马腹下忽然伸出一只手，抓住了他的脚一抖。

小马凌空翻了两个筋斗，一屁股跌在地上，手里的大旗也不见了。

大旗已到了丁喜手里，马已缓下，丁喜正襟坐在马背上，看着他嘻嘻地笑。

小马揉了揉鼻子，苦笑着道：“大哥，你这是干什么？”

丁喜微笑道：“这只不过是给你个教训，叫你莫得意忘形。”

小马站起来，垂着头，想生气可不敢生气，倒好像随时都要哭出来的样子，看来哪里像是“愤怒的小马”，简直就是个“可怜的小驴子”。

丁喜道：“你想哭？”

小马撇着嘴，不出声。

丁喜道：“爱哭的人没酒喝。”

小马用力咬着嘴唇，终于还是忍不住问道：“不哭的人呢？”

丁喜道：“不哭的人就跟我到保定府喝酒去。”

小马道：“可以喝多少？”

丁喜道：“今天破例，可以喝十斤。”

小马忽然“呼喝”一声，跳了起来，凌空翻身，丁喜的手已在等着他。

两个人立刻又在马背上嘻嘻哈哈，拉拉扯扯，笑成了一堆。

健马飞驰而去，笑声渐远，马上的大旗，犹自随风飞卷。

这时落日的最后一道光，也正照在这面大旗上，然后夜色就来了。

黑色的大旗，也就没入黑暗的夜色里。

第二章

拳头对拳头

01

夜。

灯已燃起。

屋子里充满了烤肉和烧刀子的香气。

屋梁很高，开花五犬旗高高地挂在屋梁上，随风展动。

既然是在屋子里，风是从哪里来的?

是从小马嘴里吹出来的。

他仰着脸，躺在椅子上，喝一口酒，吹一口气，旗子已不停地动了半个多时辰，酒已去掉了一坛。

丁喜在旁边看着，也看了半个多时辰，忍不住笑道："你的真气真足。"

他不但气足，而且气大，可是一到了丁喜面前，他就连一点脾气都没有了。

屋梁上挂着旗帜，没有旗杆。

旗杆在桌上。

丁喜轻扶着发亮的旗杆，忽然又问道："你知不知道这旗杆里藏着什么? "小马摇摇头。

丁喜道："你也不知道我为什么要你抢这面旗子？"小马又摇摇头。

他没空说话，他的嘴还在吹气。丁喜叹道："你能不能少用嘴吹气，多用脑袋想想。"

小马道："能。"

他立刻闭上嘴，坐得笔笔直直的，揉着鼻子道："可是大哥你究竟要我想什么呢？"

丁喜道："每件事你都可以想，想通了之后再去做。"

小马道："我用不着去想，反正大哥你要我去干什么，我就去干什么。"

丁喜看着他，忽然不笑了。

他真正被感动的时候，反而总是笑不出。

小马盯着桌上的旗杆，连眼睛都没有眨一眨，忽然道："我想不出。"

丁喜道："你想不出？"

小马道："这旗杆既不太粗，又不太长，我实在想不出里面能藏多少值钱的东西。"

丁喜终于又笑了笑，旋开旗杆顶端的钢球，只听"叮叮咚咚"的串响，如琴弦拨动，七十二颗比龙眼还大，光泽形状都几乎完全相同的明珠，一连串落了下来，落在桌上。

小马的眼睛已看得发直。

他绝不是那种见钱眼开的人，可是连他的眼睛都已看得发直。

因为他实在没有看见过，世上竟有如此辉煌、如此美丽的东西。

使他惊奇感动的，并不是明珠的价值，而是这种无可比拟、无法形容的辉煌与美丽。

丁喜拈起了一粒明珠，眼睛里也流露出感动之色，喃喃道："要找一颗这样的珍珠也许还不太难，可是七十二颗同样的……”

他叹了一口气，才接着道：“看来谭道这个人，虽然心狠手辣，倒还真有点本事。”

小马道：“谭道？是不是那个专会刮皮的狗官谭道？”

丁喜道：“嗯。”

小马道：“这些珠子是他的？”

丁喜道：“是他特别买来，送给他京城里的靠山作寿礼的。”

小马的眼睛立刻又瞪圆了，忽然跳起来，一拳打在桌子上，恨恨道：“这个老王八蛋，我早就想宰了他，亏他妈的邓定侯还自命英雄，居然肯替这种龟孙子做走狗。”

丁喜淡然说道：“保镖的眼睛里只有两种人，一种是顾客，一种是强盗，强盗永远该死，顾客永远是对的。”

小马怒道：“就算这顾客是乌龟王八，也都是对的？”

丁喜道：“不管这强盗是哪种强盗，在他们眼里都该死。”

他脸上虽然还带着笑，眼睛里也露出种说不出的悲哀和愤怒。

虽然没有人叫他“愤怒的小丁”，但他无疑也是个愤怒的年轻人，恨不得将这世上所有的不平事，都连根铲平。

——唉，年轻人，多么可爱的想法，多么可爱的生命。

这一颗颗明珠是不是也曾有过它们自己的梦想和生命？

丁喜又拈起颗珍珠，道：“依你看，这些珍珠可以值多少？”

小马道：“我看不出。”

他真是看不出。

有些人根本没有金钱和价值的观念，他就是这种人。

丁喜道：“一百万两。”

小马道：“一百万两银子？”

丁喜点点头，道：“只不过这是贼赃，我们若急着卖，最多只卖六成。”

小马道：“我们是不是急着要卖？”

丁喜道：“不但要急着卖，而且一定要现钱。”

小马道：“为什么？”

丁喜道：“乱石岗，沙家七兄弟都死在五犬旗下，留下了满门孤寡，还有青风山和西河十八寨的弟兄，就算他是罪有应得，他们的孤儿寡妇并没有罪，这些女人孩子都有权活下去，要活下去，就得有饭吃，要有饭吃，就得要银子。”

这道理小马明白。

像这样的孤儿寡妇，江湖中实在太多。

可是除了丁喜外，又有谁替他们想过？

小马眨着眼，道：“一百万两，六成，是不是六十万两？”

丁喜叹了口气，道：“这次你总算没有算错。”

小马道：“六十万两银子，要我一箱箱地搬，也得搬老半天，江湖中有谁能一下子就搬出这么多银子来，买这批烫手的货？”

丁喜没有回答，先喝了杯酒，又吃了块烤肉，才悠然道：“保定府是个大地方，振威的总局就在保定，城里城外，说不定到处都有他们的耳目。”

小马承认：“这地方他们的狗腿子实在不少。”

丁喜道：“那么你想，我为什么别的地方不去，偏偏要到保定来？”

小马道：“我想不出。”

丁喜道：“你真的想不出？”

小马揉了揉鼻子，赔笑道：“大哥既然已想出来了，为什么还要我想？”

丁喜道："因为我要先抽出你几条懒筋，再拔出你几根懒骨头，治好你的懒病。"

没有人能比他更了解小马。

他知道有很多事小马并不是真的想不出，只不过懒得去想而已。

丁喜道："你知不知道张金鼎这个人？"

这次小马总算没有摇头。

他来过保定。

到过保定的人，就绝不会不知道张金鼎。

张金鼎是保定的首富，也是保定的第一位大善人，用"富可敌国，乐善好施"这八个字来形容他，绝不会错。

丁喜道："你知不知道张金鼎是靠什么发财起家的？"

这次小马又在摇头了。

丁喜道："有种人虽然不自己动手去抢，却比强盗的心更黑，别人卖了命抢来的货，他三文不值二文地买下来，一转手至少就可以赚个对本对利。"

小马道："你说的是不是那些专收贼赃的？"

丁喜点点头，道："张金鼎本来就是这种人。"

小马怔住了。丁喜道："现在他还是这种人，只不过是现在他的胃口大了，小一点的买卖，他已看不上眼。"

小马道："咱们到保定府来，为的就是要找他？"

丁喜道："嗯。"

小马忽然又跳起来，大声道："这种人简直他妈的不是人，大哥居然是要来找他？"

丁喜没有开口，门外已有个人带着笑道："他来找的不是我，是我的银子。"

02

张金鼎的人就像是一只鼎，一只金鼎。

他头上戴的是金冠，腰上围着的是金带，身上穿着的是金花袍，手上戴着白玉镶金的扳指，最少戴了七八个。

金子用得最多的，当然是他的腰带。

他的腰带很长，因为他的肚子绝不比护国寺院子里摆的那只鼎小。

小马冲出去打开门的时候，他就已四平八稳地站在那里，也像是有三条腿一样。

他后面还跟着两个人，一身绣花紧身衣，歪戴着帽子，打扮就像是戏台上的三级保镖。

小马道："你就是那姓张的？"

张金鼎道："你就是那个愤怒的小马？"

看来小马在江湖中的名声已不小，居然连这种人都已经听过。

小马瞪着眼睛，从他的肚子看到他的脸，厉声道："我怎么知道你是不是真的张金鼎？"

张金鼎道："你应该看得出，除了我之外，谁有我这一身肉。"

小马冷笑道："你这一身肥肉是从哪里来的？"

张金鼎笑道："当然是从你们这些人身上来的。"

他笑的时候，皮笑肉不笑，这倒不是因为他脸上的肉太多，只不过因为他肉太厚，几乎连鼻子都被埋在里面看不见了。

小马真想一拳把他的鼻子打出来。

张金鼎道："莫忘记我是你大哥请来的客人，你若打了我，就等于打你大哥的脸。”

小马紧握的拳，这一拳没有打出去。

张金鼎长长吐出口气，微笑道：“现在我们是不是已经可以进来了？请吩咐。”

小马道：“要进来，也只准你一个人进来。”

张金鼎道：“你们有两个人，我当然也得带两个人进去，我做买卖，一向公平交易。”

小马道：“你自己呢？”

张金鼎道：“我这个人根本不能算是个人，这是你自己刚才说的。”

小马气得怔住了，丁喜却笑了。

他微笑着走过来，拉开了小马，淡淡地道：“既然张老板自己都不把自己当作人，你又何必生气？”

小马居然也笑了，道：“我只不过在奇怪，这世上为什么总会有些人不喜欢做人呢？”

张金鼎眯着眼笑道：“因为这年头只有做人难，无论做牛做猪做狗，都比做人容易。”

看见了桌上的明珠，张金鼎眯着的眼睛也瞪圆了，轻轻吐出口气，道：“这就是你要卖给我的货色？”

丁喜道：“若不是这样的货，我们岂敢劳张老板的大驾？”

张金鼎道：“你想卖多少？”

丁喜道：“一百万两。”

张金鼎道：“一百万两？”

小马跳了起来，一把揪住他衣襟，怒道：“你是在说话，还是在放屁？”

张金鼎居然还是笑眯眯的，道："我只不过是在做生意，漫天要价，落地还钱，做生意本来都是这样子的。"

小马道："我们可不是生意人。"

丁喜道："我是。"

小马怔住，手已松开。

丁喜微笑道："张老板若喜欢讨价还价，我可以奉陪。"

张金鼎道："我最多只能出两万。"

丁喜道："九十九万。"

张金鼎道："三万。"

丁喜道："九十八万。"

张金鼎道："四万。"

丁喜道："好，我卖了。"

小马又怔住，就连张金鼎自己都怔住，他做梦也想不到居然会有人拿金子当破铜烂铁，这简直像是天上忽然掉下个肉包子来。

丁喜微笑道："我是个很知足的人，知足常乐。"

珍珠是用筷子围住在桌上的。

他移动一根筷子，珍珠就从缺口中一颗颗滚出来，落下，落入那漆黑的旗杆里。

张金鼎看着他，忽然道："你知不知道我出的四万，是四万什么？"

丁喜道："难道不是四万两银子？"

张金鼎道："不是。"

丁喜道："是什么？"

张金鼎道："是四万个铜钱。"

丁喜道："四万个铜钱我也卖了。"

小马吃惊地看着他，就好像从来也没有见过他这个人。

丁喜却连看都不看他一眼，又道："莫说还有四万个铜钱，就算张老板一文不给，我也卖了。"

小马实在忍不住了，大声道："我大哥肯，我可不肯。"

丁喜道："你大哥肯，你也得肯。"

小马道："为什么？"

他一向听丁喜的话，丁喜要做的事，这是他第一次问"为什么"？

因为他实在觉得奇怪，奇怪得要命。

丁喜道："你一定要问为什么？"

小马道："嗯。"

丁喜叹了口气，道："因为我怕打架。"

小马眼睛又瞪圆了，用手指戳了戳张金鼎的肚子，道："你怕跟这个人打架？"

丁喜上上下下看了张金鼎两眼，道："像张老板这样的角色，就算来上七八百个，要打架我还是随时可以奉陪。"

小马道："那么你怕跟谁打架？"

丁喜道："你真的看不出？"

小马道："我看不出。"

一直垂着头站在张金鼎身后，打扮得像戏子一样的花衣镖客忽然笑了笑，道："我看得出。"

小马瞪眼道："你？你他妈的看出了什么？"

花衣镖客道："我至少已看出了一件事。"

小马道："你说。"

花衣镖客道："讨人喜欢的丁喜实在不愧是黑道上的第一号智多星，愤怒的小马却实在是他妈的个大草包。"

小马跳起来，道："你是什么东西？"

花衣镖客道："你还看不出？"

小马道："我只看出了你既不是东西，也不是人，最多只不过是他妈的一条白狗。"

花衣镖客大笑。

他大笑着脱下身上的绣花袍，摘下头上的歪戴帽，用脱下的花袍子擦了擦脸。

于是这个戏台上的三流小保镖，忽然变成了江湖中顶尖儿的一流大镖客。

严格说起来，江湖中够资格被称作一流大镖客的人，绝不会超过十个，"神拳小诸葛"邓定侯当然是其中之一。

这个人的面貌，目光炯炯，气势之从容，在王公巨卿中也很少看得见。

小马冷笑道："果然不错，果然是小猪哥。"

邓定侯微笑道："但我却看错了你，你倒不是大草包，最多只不过是条小笨驴子而已。"

小马的拳头又握紧。

可是他这只拳头却被丁喜拉住。

小马道："你真的怕打架？"

丁喜道："真的，只可惜这场架看来已非打不可。"

小马道："那你为什么要拉住我？"

丁喜道："因为现在还没有到开始打的时候。"

小马道："要等到什么时候？"

丁喜道："我们至少也得等西门大镖头先脱下戏服来再说。"

另一个花衣镖客冷冷道："想不到你居然也认出了我。"

丁喜看出他绣花袍里一条凸起的地方，微笑道："我倒没有认出你，只不过认出了你身上这对乾坤笔而已。"

乾坤笔是用百炼精钢打成的，此刻就斜插在西门胜绣花袍里，紧身衣的腰带上。

他的人也跟这对笔一样，瘦削、修长、锋利，已经过千锤百炼，炼成了精钢。

开花五犬旗下的五大镖局中，若论老谋深算，算无遗策，自然要推“辽东大侠”百里长青。

邓定侯思路开明，魄力之大当称第一；归东景大智若愚，总是福星高照，是中原武林中的第一位福将；“玉豹”姜新剽悍勇猛，锐不可当。

但若论起武功，中原镖局的第一高手，还得算是“乾坤笔”西门胜。

他的点穴、打穴、暗器和内家绵拳的功夫，在中原已不作第二人想。

近年来江湖中的确已少有人想跟他打架。

小马却很想。

只要他想打架，对方的武功是强是弱，他根本完全不在乎。

“你就是西门胜？”

西门胜点点头。

小马道：“现在是不是已到了开始打架的时候？”

西门胜冷笑。

小马拍了拍手，道：“你说怎么打？”

西门胜道：“打架只有一种打法。”

小马道：“哪种？”

西门胜冷笑道：“打到对方躺下去，再也爬不起来时为止。”

小马大笑，道：“好，这种打法正对了我的口味。”

丁喜忽然笑了笑，道：“这种打法却不对你大哥的口味。”

西门胜道：“我找的不是你。”

丁喜道：“据我所知，打架的法子有两种，一种是文打，一种是武打。”

西门胜道：“你想文打？”

丁喜微笑道：“像西门大镖头这种身份的人，总不能像两条狗一样咬来咬去吧。”

西门胜道：“文打怎么打？”

丁喜道：“我说出来，你肯答应？”

西门胜冷笑道：“对付阁下这样的人，无论怎么打都是一样。”

他当然很有把握。

近十年来，乾坤笔身经大小数百战，从来也没有败过。

丁喜笑了，道：“好，既然如此，我们就这么样打。”

“打”字刚出口，他已一拳打在张金鼎的大肚子上。

张金鼎的肚子可没有铁鼎那么硬，一拳就被打得弯下腰去，满嘴都是苦水，眼泪、鼻涕甚至连小便都几乎被打了出来。

西门胜怒道：“你怎么能打他？”

丁喜笑道：“这就是我的打法，我们谁先把这位张老板打得躺下去，再也爬不起来，谁就胜了，但只准用拳头打。”

这个“打”字出口，他的拳头已落在张金鼎腰眼上。

西门胜道：“哪有这种打法？”

丁喜道：“你说过，无论我要怎么打，你都答应。你若不想败，马上跟我一样打。”

这个“打”字出口，张金鼎肋骨上又挨了一拳。

丁喜的拳头实在不轻，他的肋骨却居然没有被打断。

无论谁想隔着一尺多厚的肥肉，打断一个人的肋骨，都绝不是一件易事。

只不过肋骨虽然没有断，裤管却已湿了，就算张金鼎真的是只铁鼎，也经不起这种打法。

西门胜是败不得的。

他脸上毫无表情，拳头已无影无踪地伸出来，击中了张金鼎的腰。

张金鼎立刻倒了下去，倒得真快。

这个人看来虽然比牛还蠢，其实却比狐狸还精十倍。

西门胜看着他，道："你还爬不爬得起来？"

张金鼎立刻摇头。

西门胜抬起头，向丁喜冷笑，道："他已爬不起来，你就输了。"

这简直就像是两个人在唱双簧一样，一吹一唱，一搭一档。

像丁喜这样聪明的人，怎么会上了这种当！

小马的脸已因愤怒而涨红，谁知丁喜却反而大笑了起来。

西门胜道："你还不认输？"

丁喜道："我认输，我本来就准备认输的。"

西门胜道："输了为什么还要笑？"

丁喜笑道："因为我白打了这乌龟三拳，气已出了一半。"

他明明本来已准备认输的，还是白打了张金鼎三拳。

原来上当的不是他，是张金鼎。

这次张老板总算做了次亏本生意。

邓定侯在旁边看着，嘴角已不禁露出了微笑。

小马却跳起来，道："你真的本来就准备认输？"

丁喜道："嗯。"

小马道："为什么？"

丁喜笑了笑，道："西门胜战无不胜，邓定侯神拳无敌，就凭我们兄弟，能击败人家的机会实在不多。”

小马道：“只要有一分机会，我们也得——”

丁喜打断了他的话，道：“何况，就算我们能击败他们，我们自己也并没有什么好处，就算还没有被打得头破血流，也一定已精疲力竭，哪里还能对付外面的那些人？”

他又笑了笑，接着道：“所以到头来我们还是非输不可，既然非输不可，为什么不输得漂亮些？”

小马咬了咬牙，道：“你认输，我可不认输。”

一句话还没有说完，他的拳头已闪电般向西门胜打了过去。

他打的是西门胜的脸。

他讨厌西门胜那张冷冰冰的脸。

可是他一拳刚击出，西门胜面前就忽然多了一个人。

这个人的脸白白净净，斯斯文文，看起来一点也不讨厌。

一拳击出，要收回来并不容易。

小马居然将一拳收住，大喝道：“闪开，我找的不是你。”

邓定侯道：“现在已轮到我，你不找我也不行。”

他一拳击出去，道：“我用的也是拳头，我们正好拳头对拳头。”

第三章

饿虎岗

01

小马虽然是丁喜的好兄弟、好朋友，脾气却不像丁喜。

他一向不肯多动脑筋去想，多用眼睛去看，多用耳朵去听。

他一向只喜欢动拳头，更喜欢跟别人拳头对拳头，硬碰硬。

拳头比他硬的人并不多，只可惜他今天遇着的人是邓定侯。

邓定侯虽然被人称为神拳小诸葛，“神拳”两个字既然还在小诸葛之上，可见他拳头上的功夫一定很不错。

事实上，他本来就是少林俗家子弟中武功拳法最好的一个。

少林神拳本就以威猛雄浑见长，若讲究招式的变化，反而落了下乘。

所以他只要一拳击出，通常都是实招，花拳绣腿的招式，少林子弟从来也不肯用出来的。

小马也正好一样。

他的拳快而猛，只求能打着人家，打到人家后，自己会怎样，他根本连想也不去想。

两个人一交上手，满屋的桌子椅子，满桌的大碗小碗，就全都遭了殃，只听“喀喀、哗啦、叮咚”之声不绝于耳，椅子脚、桌子腿，破碟碎碗，在半空中飞来飞去，飞得一屋子都是。

比桌子椅子更遭殃的，还是张金鼎。

别人都可以躲，他却已被打得连动都动不了，只剩下喘气的份儿。

别人在打架，他挨着的比打架的人还多，椅子脚、桌子腿，破碗碎碟，没头没脑地朝他打了下来，连气都已喘不过来。

丁喜笑了，西门胜正皱眉。

以邓定侯的身份与武功，本不该跟别人这么样打的，西门胜也从来没有看见他这样打过。

这实在已不像是武林高手相争，简直像是两个小流氓在黑巷子里为了争一个老婊子拼命。

突听“砰”的一响，一声大喝，两条人影倏合又分，一个人撞在墙上，一个人凌空翻身，再轻飘飘地落下来。

撞在墙上的居然是邓定侯。

从墙上滑下来，他就靠着墙，站在那里，不停地喘息。

小马却站得很稳，正瞪大了眼睛，瞪着他。

这愤怒的年轻人，难道真击败了成名多年的神拳小诸葛？

邓定侯喘着气，忽然在笑，道：“好，好痛快，三十年来，我都没有这么样痛痛快快地打过架了，今天才算打了个痛快。”

小马又瞪了他半天，才一字字道：“好，老小子，算你有种。”

邓定侯道：“你服了？”

小马咬着牙，想说话，刚张开口，一口鲜血就喷了出来。

但他却还是稳稳地站着，眼睛还是睁得大大的，绝不肯倒下。

邓定侯叹了口气，道：“这小子挨了我两拳，肋骨已断了三根，居然还能站着，我倒也服了他。”

小马咬紧了牙，深深吸口气，道：“你用不着服我，我打不过你。”

邓定侯道：“好，打不过别人虽然并不是什么丢脸的事，能承认却不容易。”

小马道：“可是我总有一天要把你打得躺下爬不起来。”

邓定侯道：“我等着。”

小马道：“现在你想怎么样？”

邓定侯道：“我要你跟我走。”

小马道：“走就走。”

要走就走。

要砍脑袋也绝不皱一皱眉头，何况走？

丁喜拍了拍小马的肩，微笑道：“好兄弟，我们一起跟他走。”

邓定侯道：“你也不问我要带你们到哪里去？”

丁喜笑了笑，道：“我们既然已答应跟你走，汤里火里一样跟你去，问个什么？”

02

这地方是家客栈，这家客栈果然已被五犬旗下的镖客们包下。

一辆黑漆大车停在大门外，赶车的一直在那里扬鞭待命。

他们早就算准丁喜和小马这次是跑不了的。

丁喜和小马也一点都没有要跑的意思，大摇大摆地坐上了车，就像是邓定侯特地来请去赴宴的客人。

西门胜一直沉着脸，邓定侯却一直盯着丁喜，直等到大家都坐下来，车已前行，才轻轻叹了口气，道：“好，有种。”

丁喜道："你是在说我？"

邓定侯点点头，道："我本来实在没有想到，你居然有这样的种。"

丁喜笑了笑，道："其实我也许并不如你想象中那么有种。"

邓定侯道："至少你勇于认输。"

丁喜道："我认输，只因为我已发现自己犯了个该死的错误。"

邓定侯道："哦！"

丁喜道："我本该想到你一定会找到张金鼎这条线。"

邓定侯道："为什么？"

丁喜道："因为你知道我一定急着要将这批货脱手，能吃下这批货的人，只有张金鼎。"

小马冷笑道："那姓张的王八蛋又是个为了五两银子就肯出卖自己亲娘的杂种。"

邓定侯居然同意："他的确是个杂种。"

小马瞪着他："你呢？"

邓定侯微笑道："至少我还敢跟你用拳头拼拳头。"

小马也只有同意："这一点你的确比别的杂种强得多。"

邓定侯道："在你眼睛里，保镖的人只怕没有一个不是杂种。"

小马道："尤其是你们五个。"

邓定侯道："那么你很快就要见到另一个了。"

小马道："谁？"

邓定侯道："福星高照归东景。"

03

归东景的年纪不像别人想象中那样老，最多不过三十五六。

第一眼看过去，你一定会先看见他的嘴。

他的嘴长得并不特别，可是表情却很多，有时歪着，有时努着，有时抿着，有时还会做出很多让你想不到的样子。

那些样子虽然并不十分可爱，也不讨厌，我可以保证，你绝未见过任何男人的嘴，会有他那么多表情。

这是他第一点奇怪之处。

他的脸看来几乎是方的，胡子又粗又密，却总是刮得很干净。

江湖中留胡子的人远比刮胡子的多几百倍，所以这也可以算是他第二点奇怪之处。

他这人看来也是方的，方方扁扁的身子，方方扁扁的手脚，全身上下除了肚脐之外，很可能没有一个地方是圆的。

这是他第三点奇怪之处。

他不但是中原镖局的大豪，也是两河织布业的巨子，家财万贯，可算是他们这些兄弟中的第一豪富，但是他看来却一点也不像，反而像是从来不用大脑的小工。

其实他的脑筋动得绝不比任何人慢，能够让别人去做的事，他绝不肯自己去做，能够答应别人的事，他绝不会拒绝。

若遇见不能答应的事，他说“不行”这两个字，说得比谁都快。

他说得比谁都坚决，绝不给别人一点转圜的余地，就算来求他的人是他兄弟，也绝没有例外。

虽然他有这么奇怪的地方，可是无论谁看见他，都会认为他是个诚恳的人，而且很够义气。

这种人岂非正是一个成功者的典型。

所以他也像其他那些成功者一样，也有他的弱点——

女人。

这里没有女人。

振威镖局里里外外，绝没有一个女人。

这一点是归东景一向坚持的。

女人是他的弱点，是他的嗜好，是他的娱乐，绝不是他的事业。

男人做事时，绝不能牵涉到女人——这就是他一向坚守的原则。

丁喜第一眼看到他，就知道这个人远比任何人想象中都难对付。

也许归东景对这年轻人的看法也一样，所以他一直在盯着丁喜。

丁喜笑了笑，道："你好。"

归东景也笑了笑，道："你就是那讨人喜欢的丁喜，对吗？"

丁喜道："我就是。"

归东景道："看来你果然很讨人喜欢。"

小马忽然道："你就是老归？"

归东景道："我姓归。"

小马道："你明明是个老乌龟，为什么偏偏要把自己当作狗？"

归东景没有生气，反而笑了，大笑道："说得好，有赏。"

邓定侯微笑道："你准备赏他什么？"

归东景道："酒。"

是好酒，也是烈酒。

好酒岂非通常都是烈酒？

归东景是好酒量，西门胜的酒量也不差，邓定侯当然更强。

三个人居然都陪着丁喜和小马喝酒，居然真的像是特地请他们来赴宴的。

喝完了第六杯，丁喜忽然放下了杯子，道：“你们当然知道两次劫镖都是我。”

邓定侯微微笑道：“我们都知道讨人喜欢的丁喜，又叫作聪明的丁喜。”

丁喜道：“你们当然也知道我专门要对付开花五犬旗。”

邓定侯道：“嗯。”

丁喜看了看他们三个人，道：“你们有毛病没有？”

邓定侯道：“没有。”

丁喜道：“有没有疯？”

邓定侯道：“也没有。”

丁喜道：“你们既没有毛病，又没有疯，我劫了你们两次镖，你们为什么反而请我饮酒？”

归东景还在盯着他，忽然道：“你有没有上过别人的当？”

丁喜道：“无论谁都难免要上别人当的，我也是人。”

归东景道：“你是在什么时候上的当？”

丁喜道：“在我十二岁的时候。”

归东景道：“你今年贵庚？”

丁喜道：“二十二。”

归东景道：“这十年来你都没有上过别人的当？”

丁喜道：“没有。”

归东景盯着他，不说话了。

丁喜笑道：“我上了别人一次当，已经觉得足够。”

归东景又盯着他看了半天，忽又大笑，道：“既然如此，我们最好也不必想要你上当了。”

丁喜道："最好不必。"

归东景道："所以我们最好还是说老实话。"

丁喜道："不错。"

归东景道："那么我告诉你，我们请你喝酒，只因为我们想灌醉你。"

丁喜道："为什么？"

归东景道："因为我们想要你说出一件事。"

丁喜道："什么事？"

归东景道："这次我们走镖的日程路线，藏镖的地方都是秘密，甚至连我们保的这趟镖，也是件秘密。"

丁喜道："我明白的。"

归东景道："这秘密你本来绝不该知道的，但你却知道了。"

丁喜微笑。

归东景道："是谁把这秘密告诉你的？"

丁喜道："你们要我说出的，就是这件事？"

归东景道："也只有这件事。"

丁喜道："你们以为我被灌醉了之后，就会说出来？"

归东景道："酒后吐真言，喝醉了的人，总比较难守秘密。"

丁喜道："可是这次你们错了。"

归东景道："哦？"

丁喜道："我喝醉了之后，只会做一件事。"

归东景道："什么事？"

丁喜道："睡觉。"

归东景又笑了，道："这毛病倒跟我差不多。"

丁喜道："只有一点不同。"

归东景道："哪一点？"

丁喜道："你要找女人睡觉，我却是一个人睡，而且一睡就像死猪，敲锣打鼓都吵不醒。"

归东景道："所以你一醉之后，非但不会说真话，连假话都不会说了。"

丁喜道："一点也不错。"

归东景道："我们有没有法子要你说真话？"

丁喜道："有。"

归东景道："什么法子？"

丁喜道："这法子已经用出来了。"

归东景道："哦？"

丁喜道："别人跟我说实话，我一定也会对他说实话。"

他微微笑着，拍了拍归东景的肩，道："你刚才已经跟我说了老实话，你一定早就明白，要人对你诚实，只有先以诚待人。我以前一直想不通，你的运气为什么总是那么好，总是福星高照，现在我才知道，你的运气是怎么来的。"

运气当然绝不是从天上掉下来的。

归东景大笑，道："我是个粗人，我不懂你这些道理，可是我总算懂了一件事。"

丁喜道："你知道我已准备说实话。"

归东景点点头，道："所以我已在准备听。"

丁喜道："将秘密泄露给我的，是个死人。"

归东景道："死人？"

振威镖局的大厅里，忽然变得没有声音了，归东景、邓定侯、西门胜，三个人全都板着脸。

他们瞪着眼，盯着丁喜。

只有丁喜一个人还在笑，笑得还是那么讨人喜欢。

他忽然发现归东景不笑的时候，样子变得很可怕，很难看，就像忽然变了一个人。

丁喜道："我说的是老实话。"

归东景冷笑。

丁喜道："那个人本来当然没有死，现在却的的确确已是个死人。"

邓定侯抢着问道："是谁杀了他？"

丁喜道："我。"

邓定侯道："他把我们的秘密泄露给你，你反而杀了他？"

丁喜道："我非杀了他不可。"

邓定侯道："为什么？"

丁喜道："因为这也是我们以前谈好的条件之一。"

邓定侯道："什么条件？"

丁喜道："三个月前，有人送了封信来，说他可以将你们的秘密泄露给我，条件是我劫镖之后，要分给他三成。我若肯接受他的条件，就得先将送信来的这个人杀了灭口。"

邓定侯道："你接受了他的条件？"

丁喜点点头，道："所以过了不久，就又有人送了第二封信来。"

邓定侯道："信上是不是告诉你，我们从开封运到京城那趟镖的秘密？"

丁喜道："不错。"

邓定侯道："所以你就设计去劫下了那趟镖？"

丁喜道："我当然还得先把送信来的那个人杀了灭口。"

邓定侯道："你劫下的那批货，是不是分了三成给那个写信来的人？"

丁喜道："我虽然有点不甘愿，可是为了第二次生意，只好照办。"

邓定侯道："你是怎么送给他的？"

丁喜道："我劫下了那趟镖之后，他又叫人送了封信来，要将他应得的那一份，送到他指定的地方去，送走之后，立刻就得走。假如我敢在那里窥伺跟踪，就没有第二次生意了。"

邓定侯道："所以你不得不听他的话。"

丁喜道："嗯。"

邓定侯道："所以你直到现在为止，没有见过他的真面目？"

丁喜道："我甚至连他是男是女，是老是少都不知道。"

归东景道："到现在为止，他是不是已送了六封信给你？"

丁喜笑道："你果然会算账。"

归东景道："六个送信给你的人，全部已被你杀了灭口？"

丁喜道："我虽然没有自己杀他们，但他们却是因我而死。"

归东景看了小马，小马冷笑道："你用不着看我，那些人还不值得我出手。"

邓定侯目光闪动，道："看来写信给你们的那个人，非但对我们的行动了如指掌，对我们的行踪，也知道得很清楚。"

丁喜问道："我们一向东游西荡，居无定处，可是无论我们走到哪里，他的信都从来也没有送错过地方。"

邓定侯皱起了眉，他实在猜不出这个神秘的人物是谁。

归东景和西门胜当然也猜不出。

丁喜笑道："我们知道的，就只有这么多了，所以你们请我喝这么多的酒，实在是浪费……"

邓定侯忽然打断了他的话，道："你至少还知道一件我们不知道的事。"

丁喜道："哦？"

邓定侯道："你当然一定知道，那六个死人现在在哪里？"

丁喜承认。

邓定侯道："还有那六封信。"

丁喜道："信也就与死人在一起。"

邓定侯道："在哪里？"

丁喜道："难道你还是想去看看他们？"

邓定侯笑了笑，道："老江湖都知道，死人有时也会泄露出一些活人不知道的秘密。"

丁喜道："你想要我带你去？"

邓定侯目光炯炯，迫视着他，道："难道你不肯？"

丁喜笑了，道："谁说我不肯，只不过……"

邓定侯道："不过怎样？"

丁喜微笑道："我只怕我纵然肯带你们到那里去，你们也未必有胆子去。"

邓定侯也在微笑，道："那地方，难道是龙潭虎穴不成？"

丁喜淡淡笑道："虽不是龙潭却是虎穴。"

邓定侯微笑道："那里真的有虎？"

丁喜笑道："不但有虎，而且是饿虎。"

邓定侯失声笑道："饿虎岗？"

丁喜大笑道："不错，就是饿虎岗。"

屋子里忽然又静了下来，因为每个人都知道，那饿虎岗是多么危险、多么可怕的地方。

据说大江以北，黄河两岸，黑道上所有可怕的人物，几乎已全部聚集在饿虎岗。

因为他们也正在计划组织一个联盟，以对付开花五犬旗。

开花五犬旗下的人，若是到了那里，岂非正像是肥猪拱门，飞蛾扑火。

西门胜的脸上虽然还是全无表情，但瞳孔已在收缩。

归东景已站起来，背负着双手，不断地绕着桌子走来走去。

邓定侯拿起杯酒，准备干杯，才发现杯子是空的。

丁喜看着他们，悠然道："只要三位真的敢去，我随时可以带路。"

归东景忽然笑了笑，道："我们并不是不敢去，只是不必去。"

丁喜道："不必去？"

归东景道："对死人我一向没有这么大的兴趣，无论是男死人、女死人都是一样。"

西门胜道："我——"

归东景走过去拍了拍他的肩，道："你非但不必去，也不能去。"

西门胜道："为什么？"

归东景道："因为我们这里刚接下一批重镖，明天就得启程。"

他紧拍着西门胜的肩，笑道："我这镖局全靠你，你走了，我怎么办？"

邓定侯霍然飞身而起，道："我可以走，我去。"

江湖豪杰们押解犯人时，从来不会用脚镣和手铐。

因为他们有种更好的工具——

点穴。

点穴的手法有轻重，部位有轻重，重的可以置人于死地，轻的也可以叫人失去行动自由。

无论是轻是重，一个人若是被人点中了穴道，那滋味总是很不好受的。

小马现在的滋味就很不好受。

他想骂人，却张不了口，他想挥掌，却动不了手，他整个人都像是被一条看不见的绳子绑得紧紧的，连血脉都被绑住。

他整个人都已将爆炸。

邓定侯看着他，微笑道："这是不是你第一次被人点住穴道？"

小马咬着牙，只恨不得咬他一口。

——这乌龟明明知道我说不出话，问个什么鸟？

邓定侯又笑道："我看你一定是的，因为你现在看起来很难受，而且很生气，等你以后习惯了，就会觉得舒服多了。"

小马简直恨不得一口把他的鼻子咬下来。

无论什么事都不妨养成习惯，但是这种事一次就已嫌太多了。

邓定侯道："点住你们穴道的人是西门胜，你们也总该知道，他的点穴和打穴手法，可算是中原第一，别人根本解不开。"

他忽然又笑了笑，道："幸好我不是别人，恰巧是少林门下。"

佛门子弟本应以慈悲为怀，讲究普度众生，救苦救难。

所以少林门下点穴的手法虽不高明，可是对各门各派的解穴手法却都很熟悉。

少林本就是天下武术之宗。

邓定侯又笑道："你们一定不相信我会替你们解开穴道，因为我实在不是你们两个人的对手，你们的手脚一松，很可能我就要遭殃了。"

小马的确不信，一千一万个不信。

可是就在他又想咬这乌龟一口时，邓定侯居然真的把他们穴道解开了。

丁喜还是没有动，只是静静地看着他。

小马也没有动，别人刚为他解开穴道，他当然总不能立刻就动拳头。

但他却忍不住问道："你这是干什么？"

邓定侯淡淡道："我也没干什么，只不过一个人闲着无聊，想找你们聊聊而已。"

小马瞪着眼道："你不是想我们把你的骨头拍散？"

邓定侯笑道："你们是这种人？"

小马说不出话了。

他们的确不是这种人。

邓定侯道："你们是强盗，也许会杀人，也许会抢劫，但我知道你们一定不会做这种食言违信、忘恩负义的事。"

他微笑着，看着丁喜，道："我也知道，你既然答应过我，要带我去找那六个死人和六封信，你就一定会带我找到。"

小马瞪着他，忽然叹了口气，喃喃道："看来这老小子对人的确有两套。"

丁喜微笑道："看来好像还不止两套。"

邓定侯大笑。

现在他们是在归东景自备的马车上。

归东景吃得不讲究，穿得不讲究，除了女人外，最讲究的就是马车。

他用的马车，永远是最舒服、最豪华、设备最齐全的。

邓定侯大笑着，打开了车座下的暗门，拿出了一坛酒。

这坛酒当然是好酒。

邓定侯拍开了封泥，就有一股强烈的酒香扑鼻而来。小马立刻道："这是泸州的大曲。"

他虽然不喜欢用眼睛看，用耳朵听，鼻子却很灵，尤其是对于酒。

邓定侯道：“旅程寂寞，酒可忘忧，我们饮两杯如何？”

小马道：“好。”

丁喜道：“不好。”

邓定侯道：“为什么？”

丁喜道：“我喝酒不但人要对，酒对，还得要地方对。”

邓定侯道：“附近有什么地方对你的口味？”

丁喜道：“杏花村。”

04

清明时节雨纷纷，
路上行人欲断魂。
借问酒家何处有？
牧童遥指杏花村。

这首家传户诵的诗，几乎每个地方都有人在曼声低吟。

所以每个地方也几乎都有杏花村。

这地方的杏花村是在远山前的近山脚下，是在还未被秋色染红的枫林内，是在左近全无人家的小桥流水边。

没有杏花，甚至连一朵花都看不见。

可是这酒家的确就叫作杏花村。

杏花村是个小小的酒家，外面有小小的栏杆，小小的庭院，里面是小小的门户，小小的厅堂。当垆卖酒的，是个眼睛小小，鼻子小小，嘴巴小小的女人。

只可惜这女人年纪并不小，无论谁都看得出，她最少已有六十岁。

六十岁的女人你到处都可以看得见。

可是六十岁的女人身上还穿着红花裙，脸上还抹着红胭脂，指甲上还涂着红红的凤仙花汁，你就很少有机会能看得见了。

丁喜刚穿过庭院，她就从里面奔出来，像一只依人“老”小鸟一样，投入了丁喜的怀抱。

邓定侯看得呆住了，直到丁喜替他介绍：“这就是这里的老板娘红杏花。”

邓定侯才勉强笑了笑，打了个招呼。

他忽然发现这“聪明的丁喜”在选择女人这方面，实在一点也不聪明。

丁喜道：“你听说过红杏花这名字没有？”

邓定侯道：“没有。”

他不是不会说谎，也不是不会在女人面前说谎，他不肯说谎，只不过因为这女人实在太老。

丁喜笑道：“你没有听说过这名字，也许只有两个原因。”

邓定侯道：“哦？”

丁喜道：“若不是因为你太老实，就是因为你太年轻。”

邓定侯道：“我……我并不太老实。”

他又说了实话。

因为在这女人面前，他忽然觉得自己实在还很年轻。

近二十年来，这还是他第一次有这种感觉。

丁喜道：“你若早生几年，你就会知道保定城附近八百里之内风头最健的女人是谁了。”

邓定侯只有苦笑。

他实在不敢相信面前这老太婆，以前也曾经是个颠倒众生的名女人。

这位“名女人”居然还在朝他抛媚眼，居然还像个小姑娘般咯咯地笑。

邓定侯忍不住问道：“这位红杏花姑娘，是你的老朋友？”

丁喜道：“不能算老朋友。”

邓定侯道：“是你的老相好？”

丁喜道：“更不能算是老相好。”

邓定侯道：“那么她究竟是你什么人？”

丁喜道：“她是我的祖母。”

邓定侯怔住。

他若骑在马上，一定会一个跟斗从马上栽下去；他若正在喝酒，这口酒一定立刻呛进他的喉咙里。

现在他虽然并没有喝酒，也不是骑在马上，可是他脸上的表情，却好像已跌了七八十个跟斗，喉咙里还呛进了七八十斤酒。

“红杏花”用一双手捧着肚子，已笑得直不起腰。

她咯咯地笑着，指着邓定侯，道：“这个人是什么人？”

丁喜道：“他叫作神拳小诸葛。”

红杏花道：“就是五犬开花里面的一个？”

丁喜道：“嗯。”

红杏花忽然不笑了，反手一个耳光掴在丁喜脸上，掴得真重。

丁喜却还在笑。

红杏花又是一个耳光掴了过去，大声道：“你几时肯认这种人做朋友的？”

丁喜道：“我从来也没有。”

红杏花道：“他不是你的朋友？”

丁喜道：“我也不是他的朋友。”

红杏花道：“你是他的什么人？”

丁喜道：“犯人。”

红杏花上上下下看了他几眼，道：“你也有被人抓住的时候？”

丁喜叹了口气，苦笑道：“人有失手，马有失蹄。”

红杏花“哼”了一声，忽然一拳打在他肚子上，怒骂道：“你这小王八蛋真没出息。”

丁喜只有笑。

红杏花道：“你既然已做了他的犯人，还到这里来干什么？”

丁喜道：“来喝酒。”

红杏花道：“滚！”

丁喜道：“我们是来照顾你生意的，就算你是我祖母，也不能叫我滚。”

红杏花道：“我叫你滚，只因为你是我孙子。”

丁喜道：“为什么？”

红杏花用眼色往里面一瞟，道：“我叫你滚，你最好就赶快滚。”

丁喜眼珠子转了转，道：“难道里面有个人是我见不得的？”

红杏花道：“不是人。”

丁喜道：“不是人？”

红杏花道：“里面连一个人都没有。”

丁喜道：“里面有什么？”

红杏花道：“有一杆枪。”

丁喜道：“枪？一杆什么枪？”

红杏花道：“霸王枪。”

05

霸王！

力拔山兮气盖世。

枪！

百兵之祖是为枪。

枪也有很多种，有红缨枪，有钩镰枪，有长枪，有短枪，有双枪，还有练子枪。

这杆枪是霸王枪。

霸王枪长一丈三尺七寸三分，重七十三斤七两三钱。

霸王枪的枪尖是纯钢，枪杆也是纯钢。

霸王枪的枪尖若是刺在人身上，固然必死无疑，就算枪杆打在人身上，也得呕血五斗。

江湖中甚至很少有人能亲眼见到这霸王枪。

可是江湖中每个人都知道，世上最霸道的七种兵器中，就有一种是霸王枪。

普天之下，独一无二的霸王枪。

现在，这杆霸王枪就摆在丁喜面前的桌子上。杏花村虽然又叫作不醉无归小酒家，地方却并不小，靠墙的三张桌子已并了起来，上面铺着红毡，垫着锦墩，还缀着鲜花。

这杆一丈三尺七寸三分长的大铁枪，正摆在上面，就像是人们供奉的神祇。

它的枪尖虽锐利，线条却是纤秀柔和的，经常被擦拭的枪杆，闪耀着缎子般的光泽，显得既尊贵，又美丽，又像是个美丽而骄傲的女神，正躺在那里等着接受人们的膜拜。

丁喜走过去，摸了摸柔软的红毡和锦墩，嗅了嗅新摘下的花香，轻轻叹了口气，喃喃道："看来这杆枪日子过得简直比人还舒服。"

红杏花瞪着他，冷冷道："因为它的确比大多数人都有用。"

丁喜瞪了瞪眼，笑道："你的意思是说，它也比我有用？"

红杏花道："哼。"

丁喜道："它会不会替你捶背，会不会替你端茶倒酒？"

红杏花虽然还想板着脸，却还是忍不住笑了。

她笑的时候，一双远山般迷蒙的眼睛，忽然变得令人无法想象的明亮和年轻。

在这瞬间，连邓定侯都几乎忘记了她是个六七十岁的女人。

丁喜拍了拍光滑的枪杆，道："无论你日子过得多么舒服，我也不羡慕你。"

他走回来自己替自己倒了杯酒，一口喝了下去，微笑着道："你至少没法子自己站起来为自己倒杯酒喝。"

红杏花忽又叹了口气，道："所以它也不会为了一杯酒，就做出比猪还蠢的事。"

丁喜道："我做了比猪还蠢的事？"

红杏花道："我警告过你，叫你不要进来的。"

丁喜道："现在我已经进来了，好像也没有出什么事。"

红杏花又叹了口气，道："现在虽然还没有什么事，可是我保证你以后一定会后悔。"

丁喜道："为什么？"

红杏花也倒了杯酒喝下去，她喝酒的速度居然不比丁喜慢。

一口气喝了三杯酒之后，她忽然问道："你知不知道这杆枪的主人是谁？"

丁喜道："我听说过。"

红杏花道："你说给我听听。"

丁喜道："霸王枪的主人姓王，也就是大王镖局的主人，'一枪擎天'王万武。据说这个人不但脾气刚烈，而且是姜桂之性，老而弥辣。这次联营镖局成立，他说不加入，就是不加入，甚至不惜跟他的老朋友百里长青翻脸。"

邓定侯忽然也叹了口气，在旁边接着道："他甚至还拍着桌子，叫百里长青滚出去。"

丁喜笑道："王老头子脾气之坏，早就天下闻名，可是这件事他倒没做错。"

红杏花道："但你却错了。"

丁喜道："我错了？什么地方错了？"

红杏花道："你说错了。"

丁喜道："难道这杆枪不是王万武的？"

红杏花道："以前是的。"

丁喜道："现在呢？"

红杏花又倒了杯酒，好像想用酒塞住自己的嘴。

难道她心里还藏着些不可告人的秘密？

——每个人都有权保留自己的秘密，只要这秘密不危害公益，谁也没有权逼他说出来。

丁喜还很小的时候，红杏花就常常告诉他这道理。

现在他当然不敢再问。

邓定侯却忍不住问道："这杆枪怎么会在这里的？"

红杏花朝他翻了个白眼，才冷冷道："因为它的主人马上就要来了。”

邓定侯道：“到这里来？来干什么？”

红杏花道：“你是来干什么的？”

邓定侯道：“我是来喝酒的。”

红杏花冷笑道：“你能到这里来喝酒，别人为什么不能来？”

邓定侯看着她，忽然笑了。

他忽然觉得这老太婆的脾气，和那王老头子倒是天生的一对。

他也看得出，这老太婆不愿说的话，只怕天王老子也休想叫她说出来。

所以他只有坐下来喝酒。

他们坐下来的时候，才发现小马为什么会一直都没有说话。

小马的嘴正忙着在喝酒。

刚开封的一坛酒已经快被他喝光了，他的眼睛已经有点发直。

邓定侯忍不住悄悄道：“你能不能劝他少喝点，别喝醉了？”

丁喜道：“不能。”

邓定侯道：“你喜欢让他喝醉？”

丁喜道：“不喜欢。”

邓定侯道：“可是你也不劝他？”

丁喜道：“他清醒的时候，我不许他喝酒，他绝不会喝，可是现在……”

他看了看小马的眼睛，苦笑道：“现在只怕连天王老子都劝不住他了。”

邓定侯叹了口气，也只有苦笑。

他实在不懂，为什么这些人全都是这种连天王老子都无可奈何的脾气。

现在第一坛酒也快被他们喝光了。

红杏花一直手叉着腰，在旁边盯着他们，忽然道："你们枪也看过了，酒也喝够了，现在你们总该走了吧？"

丁喜道："你真要赶我走？"

红杏花冷冷道："难道你真想看着小马在这里醉得满地乱爬？"

丁喜还没有开口，邓定侯已站起来，笑道："我们应该走了，再喝下去，很可能连我都会醉得满地乱爬。"

他刚想去拉小马，外面忽然间走入了十七八个人，看他们的装束打扮，就知道他们不但全是在江湖中混的，而且混得不错。

这些人一进了门，就抢着问道："决斗开始了没有？"

红杏花又翻了翻白眼，道："什么决斗？"

一个锦衣佩刀大汉道："金枪银梭徐三爷，今天要在这里决斗霸王枪，你难道不知道？"

红杏花狠狠瞪了他一眼，还没有开口，别的人已抢着。

"这杆枪一定就是霸王枪。"

"枪既然还在这里，我们就一定没有来迟。"

"听说这里的酒还不错，我们先喝它几杯，等着好戏开锣。"

"不管怎么样，这次决斗我们都绝不能错过，就算要我等三天三夜，我也一样会等的。"

邓定侯看了看丁喜，丁喜看了看邓定侯，两个人全都坐了下去。

红杏花走过来，瞪着他们，忽然叹了口气，道："看样子你们现在是不会走的了。"

丁喜笑道："现在你就是用扫把来赶我们，也赶不走。"

邓定侯笑道："用鞭子抽也抽不走。"

红杏花看看他，又看看丁喜，忽然又笑了，道："老实说，我若是你们，用刀砍都砍不走。"

她自己也坐下来，跟他们坐在一起，喃喃道："但我却还是不懂，那边的那些小兔崽子是怎么会知道这件事的。"

刚才进来的那些人，现在已开始在喝酒。

若有十七八个江湖人已开始在一起喝酒，旁边就算天塌了下来，他们也不会注意。

丁喜看了他们一眼，道："我看他们一定是金枪徐找来的。"

红杏花道："哦？"

丁喜道："有胆子找霸王枪决斗，不管胜负，都已经是很了不起的事，金枪徐当然要找些朋友在旁边看着，日后也好替他在外面宣扬宣扬。"

邓定侯道："所以我正在奇怪。"

丁喜道："奇怪什么？"

邓定侯道："我想不通金枪徐是怎么会有胆子找霸王枪决斗的？"

丁喜道："也许他胆子本来就很大，也许他这几年忽然得了本武功秘笈，练成了种独门枪法。"

邓定侯笑道："我看你一定是看传奇故事看得太多了，这世上哪里来的那许多武功秘笈？我怎么从来也没听说有人找到过。"

丁喜笑道："其实我也没有听说过。"

两个人同时大笑，又同时停住，两个人的眼睛都在瞪着门外，瞪得很大。

门外正有两顶轿子停下来。

轿子很新，装饰得很华丽。

可是无论多华丽的轿子，都不会很好看，他们看的是两个人。

两个人刚从轿子里走下来——当然是女人，很好看的女人。

06

桌上有一壶茶，一壶酒。

轿子里的女人现在已坐下来，一个在喝茶，一个在喝酒。

喝茶的是个很文静的女孩子，很美，很害羞，只要有男人多看她两眼，她就会脸红。

有些女人就像是精美的瓷器一样，只能远远地欣赏，轻轻地捧着，只要有一点粗心大意，她就会碎了。

这女孩就正是属于这一类的。

喝酒的女孩子看来也很文静，也很美，甚至可以说比她的同伴更美。

只不过她的美是另一种美。

若说她的同伴美如新月，那么她的美就像是阳光，美得令人全身发热，美得令人心跳。

她们穿的都是一身雪白的衣服，既没有打扮，也没有首饰。

喝酒的女孩子脸色好像有点苍白，喝茶的女孩子却一直在红着脸。

因为屋子里所有男人的眼睛，都在瞪着她们，丁喜也不例外。

邓定侯叹了口气，喃喃道："难怪有很多女人都认为，天下男人的眼睛都该挖出来。"

丁喜笑道："其实说这话的女人，心里一定最喜欢男人看她。"

邓定侯道："看来你好像很了解女人？"

丁喜道："自己觉得自己很了解女人的男人，若不是疯子，就一定是笨蛋。"

邓定侯道："你既不是疯子，也不是笨蛋。"

丁喜道："我不是。"

邓定侯又看了看那两个女孩子，忽然笑了。

丁喜道："你笑什么？"

邓定侯道："我在笑她们。"

他微笑着悄悄道："这两个女孩子一个喝起茶来像喝酒，一个喝起酒来却像喝茶。"

丁喜大笑。

他们说话的声音本来很低，笑的声音却很大。

喝茶的女孩子头垂得更低，喝酒的女孩子却抬起头，狠狠瞪了他们一眼。

没有人能形容她的眼睛。

丁喜被这双眼睛瞪着的时候，竟也忽然觉得全身发热，心跳加快。

他今年已二十二，见过的女人已不少，可是他从来也未曾有过这种感觉。

他赶快喝酒。

小马却反而不喝酒了。

别人看的是两个女孩子，他的眼睛却始终盯在其中一个人脸上。

喝茶的女孩子脸红的原因，很可能也不是因为别人，而是因为他。

男人都喜欢看女人，却很少有人会像他这样看法的。

他已不仅是用眼睛在看，他看着这女孩子时，就好像在看着他童年梦境中的女神，又好像在看着他相思已久的情人。

一个女孩子被一个英俊的年轻人这么样看着，心里会有什么感觉？

那高大的锦衣佩刀客忽然笑嘻嘻地走过来，挡在他和这女孩子之间。

小马抬起头，瞪着他。

他也笑嘻嘻地看着小马，眼睛里也有了酒意，忽然道："你不认得我？"

小马摇摇头。

这人道："我姓郭，叫郭通。"

小马道："我不认得郭通。"

郭通道："我也不认得你。"

小马道："你来干什么？"

郭通道："来看你。"

小马道："看我？"

郭通笑道："因为我从来也没有看过，像你这样盯着女人的男人，我特地来看看你，是不是得了花痴。"

他的同伴们全都笑了，大笑。

丁喜却在叹气——这个人当然是来找麻烦的，可是他一定想不到，他找上的这麻烦有多大。

所以他还在笑，笑得很得意。

一个男人若能在漂亮的女人面前，侮辱另一个男人，总会觉得自己很了不起，总会认为那女人也会觉得他很了不起，甚至会看上他。

也许就因为这原因，所以女人们才会觉得大多数男人都很愚蠢可笑。

郭通还在笑，还没有笑够，他的脸已开了花，人也飞了出去。

飞出去三四丈，越过了那两个女孩子，"砰"的一声，跌在他自己桌子上，桌上的一碗红烧狮子头正好压在他屁股下，被他压得稀烂粉碎。

他自己的脸却已跟这碗红烧狮子头差不多。

没有人看见他是怎么样飞起来的，也没有人看见小马出手。

小马还是痴痴地坐在那里，痴痴地看着那喝茶的女孩子。

郭通的同伴们怔了半天，才跳起来，有的卷袖子，有的拔刀。

“这小子敢打人，咱们先去把他一双招子废了再说。”

十六七个人大叫大骂，摔杯子，踢椅子，已准备冲过去。

没有人阻拦他们。

小马好像根本不知道这世上还有别的人，红杏花也不见了。

自从这两个女孩子一进门，她就已人影不见。

丁喜叹了口气，道：“你想不想打架？”

邓定侯道：“不想。”

丁喜道：“我也不想。”

邓定侯道：“只可惜看样子我们已非打不可。”

“呼”的一声响，那些人还没有冲过来，已有三四个碗飞了过来。

丁喜还没有出手，突听“叮，叮，叮”三声响，三只碗在半空中就已被打得粉碎。

破碗的碎片和三样打破碗的暗器一起落在地上，赫然竟是三枚发亮的银梭。

“金枪银梭徐三爷来了。”

一个瘦削长脸，高颧鹰鼻，穿着很考究，气派很大的中年人，背负着双手，施施然走进来，顾盼之间，凛凛有威。

两个劲装急服的彪形大汉，扛着个很长很长的布袋，站在他身后。

布袋的分量很沉重，里面装的，显然就是他的金枪。

本来已准备打一场混战的江湖人，看见了他，居然全都安静了些。

金枪徐成名多年，称霸一方，凭掌中一杆金枪，囊中一袋银梭，也曾会过不少高人，一向很少遇见敌手。

在这些江湖豪杰心目中，他一向是个很受尊敬的人物。

“徐三爷一来，这件事就好办了。”

金枪徐沉着脸，冷冷道：“这件事是什么事？你们是来看我打架，还是来打架给我看的？”

一个精壮的小伙子大声道：“我们并不想打架，可是我们也不能看着郭老大被人欺负。”

这少年叫曹虎，是郭通拜把子的老幺，郭通挨了揍，最火的就是他。

金枪徐道：“你是不是想替你们的老大出气？”

曹虎握紧拳头，道：“这气非出不可。”

金枪徐道：“那么你最好先去找坐在那里那个穿宝蓝色衣服的人。”

曹虎道：“动手的并不是他，咱们为什么要先找他？”

金枪徐淡淡道：“因为你们既然想找死，就不如索性快点死，你们找上了他，我保证你们一定可以死得很快。”

曹虎动容道：“他是什么人？”

金枪徐冷笑道：“他也不是什么了不起的人，只不过是个保镖的，叫邓定侯。”

曹虎的脸色变了。

每个人的脸色都变了。

“神拳小诸葛”的名头，他们当然也不会不知道。

近年来正是“开花五犬旗”锋头最劲，势力最大的时候，若有人去惹了他们，简直就像是在太岁头上动土。

这些刚才还威风十足的江湖人，忽然间就已变得像泄了气的皮囊。

金枪徐连看也不再看他们一眼，走过去向邓定侯抱了拳。

邓定侯也站起来抱拳还礼，他一向是个很随和的人，一点架子也没有。

金枪徐道："多年不见，邓兄风采依旧，可贺可喜。"

邓定侯道："一别经年，想不到徐兄居然还记得我，只不过以后若有人想找死，徐兄最好莫要劝他们来找我。"

他微笑着，又道："因为我可以保证，一个人若想死得快些，找我绝不如找我这两位朋友。"

金枪徐道："这两位朋友是……"

丁喜道："我姓丁，丁喜。"

金枪徐上上下下打量他几眼，道："讨人喜欢的丁喜。"

丁喜笑道："有时也叫作倒霉的丁喜。"

金枪徐道："阁下既然是丁喜，这位想必就是愤怒的小马了？"

他转头看着小马，小马却没有看他。

除了那个喝茶的女孩子外，他根本就没有把别的人看在眼里。

金枪徐的脸色又沉了下来。

邓定侯立刻抢着道："听说徐兄今日要在这里约战霸王枪。"

金枪徐道："不是我约他，是他来找我的。"

邓定侯皱眉道："他会来找你？"

金枪徐冷笑道："邓兄也许会认为我根本不值得他出手，我自己也自知不敌，可是他既然已找上了我，我就万无退缩之理。"

他脸上露出种奇怪的表情，接着道："使枪的人，能死在霸王枪下，岂非也是人生一快！"

丁喜立刻挑起拇指，道："好，好汉子。"

金枪徐看看他，冷酷的眼睛里已有了温暖之意，缓缓道："像我们这种江湖中混的人，岂非本就该死在刀枪之下，以草席裹尸。"

丁喜微笑道："我死后若能有条草席裹尸，已经很不错了，要能做几件大快人心的事，就算把我抛在阴沟里喂狗，我也毫无怨言。"

他脸上虽然带着笑，可是一种说不出的愤怒和悲哀，却是微笑也掩饰不了的。

那喝酒的女孩子居然回过头来瞟了他一眼，眼波居然也变得很温柔。

金枪徐也挑起了拇指，大声道："好，好汉子。"

丁喜道："你既然来早了，为何不先坐下来喝两杯？"

金枪徐道："我来得并不早，我已迟到了半个时辰，因为……"

他脸上又露出那种奇怪的表情，慢慢地接着道："因为我还有些后事要料理清楚，我来得干净，去得也要干净。"

一个人明知必死，却还是要来应约，这种勇气绝不是那些住在高楼上的人们所能了解的。

能活着固然好，死了也只不过是脖子上多了个碗大的疤口而已。

那又算得了什么？

丁喜脸上也露出种奇怪的表情，过了很久，才问道："霸王枪呢？"

金枪徐道："不知道。"

丁喜道："你跟他有仇？"

金枪徐道："没有。"

丁喜道："你以前没有见过他？"

金枪徐道："素不相识。"

丁喜道："但他却找上了你。"

金枪徐淡淡道："这也许只不过因为我用的也是枪。"

丁喜冷笑道："除了他之外，难道别人都用不得枪？"

金枪徐淡淡道："就算要用枪，也不该太出名。"

丁喜眼睛里似已有了怒意，对人世间所有不平的事，他都觉得很愤怒。

金枪徐又道：“我只不过在奇怪，既然是他约我的，但自己为什么还不来？”

这句话刚说完，他身后就有个人冷冷道：“我早已来了。”

说话的声音虽然很冷，却又很娇脆、很好听。

说话的竟是个女人。

金枪徐霍然转身，就看见一双可以令人心跳加快的眼睛，正在盯着他。

她手里还拿着杯酒，一双手柔若无骨。

就凭这么样一双手，也能举得起七十三斤七两三钱的霸王枪？

金枪徐皱了皱眉，道：“这位姑娘莫非是在开玩笑？”

喝酒的女孩子板着脸，脸如秋霜。

她不是在开玩笑。

金枪徐看了看摆在桌上的大铁枪，道：“难道你就是……”

喝酒的女孩子打断了他的话，一字字道：“我就是霸王枪！”

第四章

王大小姐

01

她就是霸王枪？

这杆枪长一丈三尺余，至少比她的人要高出一倍多。

这杆枪重七十三斤余，也远比她的人重。

她真的就是霸王枪？

金枪徐不信，丁喜不信，邓定侯也不信，无论谁都不会相信。

但是他们又不能不相信。

金枪徐试探着在问：“姑娘贵姓？”

“姓王。”

“芳名？”

“王大小姐。”

金枪徐笑了笑，道：“这当然不是你的真名字。”

喝酒的女孩子板着脸道：“你用不着知道我的真名，你只要记住‘霸王枪王大小姐’这七个字就行了。”

金枪徐道：“这七个字倒很容易记得住。”

王大小姐道：“就算你现在还记不住，以后也一定会记住的。”

金枪徐道：“哦？”

王大小姐冷冷道："你身上多了个枪口后，就一定永远再也忘不了。"

金枪徐大笑，道："你约战比枪，莫非就是要我记住这七个字？"

王大小姐道："不但要你记得，也要江湖中人人都知道，霸王枪并没有绝后。"

金枪徐道："王老爷子呢？"

王大小姐咬着嘴唇，脸色苍白，过了很久才大声道："我爸爸已经死了，他老人家虽然没有儿子，却还有个女儿。"

她说话的声音就像是在呐喊。

也许她这句话并不是说给屋子里这些人听的，她呐喊，只因为她生怕她远在天上的父亲听不见。

——女儿并不比儿子差。

这件事她一定要证明给她父亲看。

"一枪擎天"王万武真的死了？

像那么样一个比石头还硬朗的人，怎么会忽然就死了？

邓定侯在心里叹息，忍不住道："令尊身子一向康健，怎么会忽然仙去？"

王大小姐瞪眼道："你管不着。"

邓定侯勉强笑道："在下邓定侯，也可算是令尊的老朋友。"

王大小姐道："我知道你认得他，但你却不是他的朋友，他死的时候已连一个朋友都没有。"

她美丽的眼睛里，忽然涌出了泪光，心里仿佛隐藏着无数不能对人诉说的委屈和悲伤。

这是为什么？

是不是因为她父亲死得并不平静？

丁喜忽然道："王老爷子去世后，姑娘想必一定急着要扬名立威，所以才找上徐三爷的。"

王大小姐咬了咬嘴唇，忍住了眼泪，道："我要找的不止他一个。"

丁喜道："哦？"

王大小姐道："从这里开始，往前面去，每个使枪的人我都要会一会。"

丁喜笑了笑，道："若是姑娘在这里就已败了呢？"

王大小姐连想都不想，立刻大声道："那么我就死在这里。"

丁喜淡淡道："为了一点虚名，大小姐就不惜用性命来拼，这也未免做得太过分了吧！"

王大小姐又瞪起眼，怒道："我高兴这么做，你管不着。"

她忽然扭转身，抄起了桌上的霸王枪。

她的手十指纤纤，柔若无骨。

可是这杆七十三斤重的霸王枪，竟被她一伸手就抄了起来。

她抄枪的动作不但干净利落，而且姿态优美。

金枪徐脱口道："好！"

王大小姐道："走！"

她的腰轻轻一扭，一个箭步就蹿了出去。

金枪徐看着她蹿到外面的院子里，忽然长长地叹了口气。

丁喜道："你看她的身手如何？"

金枪徐道："很好。"

丁喜道："你没有把握胜她？"

金枪徐又叹了口气，道："我只不过有点后悔。"

丁喜道："后悔什么？"

金枪徐淡淡道："我本不必急着料理后事的。"

院子里阳光灿烂。

他们一走出去，别的人当然也全都跟着出去，屋子里已只剩下四个人。

小马还是痴痴地坐在那里，痴痴地看着。

那喝茶的女孩子垂着头，红着脸，竟似也忘了这世上还有别人存在。

邓定侯在门后拉着丁喜的手，道："王老头的脾气虽坏，人却不坏。"

丁喜道："我知道。"

邓定侯道："不管怎么说，他都是我的朋友，老朋友。"

丁喜道："我知道。"

邓定侯道："所以……"

丁喜道："所以你不能看着他的女儿死在这里。"

邓定侯点点头，长叹道："可惜这位王大小姐却绝不是金枪徐的对手。"

丁喜道："哦？"

邓定侯道："我知道金枪徐的功夫，的确是经验丰富、火候老到。"

丁喜道："王大小姐好像也不弱。"

邓定侯道："可是她太嫩。"

丁喜道："难道你认为她败了就真的会死？"

邓定侯道："我也很了解王老头的脾气，这位王大小姐看来正跟她老子一模一样。"

丁喜笑了笑，道："我明白了。"

邓定侯道："明白了什么？"

丁喜道："你是想助她一臂之力，金枪徐再强，当然还是比不上神拳小诸葛。"

邓定侯苦笑道："这是正大光明的比武较技，局外人怎么能插手？何况看这位王大小姐的脾气，定是宁死也不愿别人帮她忙的。"

丁喜道："那么你是想在暗中帮她的忙，在暗中给金枪徐吃点苦头？"

邓定侯叹道："我也不能这么做，因为……"

丁喜道："因为一个人有了你这样的身份地位，无论做什么事都得特别谨慎小心，绝不能让别人说闲话。"

邓定侯叹道："我的顾忌确实很多，可是你……"

丁喜道："你是不是想要我替你在暗中修理修理金枪徐，冷不防给他一下子？"

邓定侯道："我的确有这意思，因为……"

丁喜又打断了他的话，道："因为我只不过是个小强盗，无论多卑鄙下流的事都可以做。"

邓定侯道："不管你怎么说，只要你肯帮我这次忙，我一定也会帮你一次忙。"

丁喜看着他，脸上还是带着那种独特的、讨人喜欢的微笑，缓缓地道："我只希望你能明白两件事。"

邓定侯道："你说。"

丁喜微笑道："第一，假如我要去做一件事，我从来也不想要别人报答；第二，我虽然是个强盗，却也有很多事不肯做的，就算砍下我脑袋来，我也绝不去做。"

他微笑着转过身，大步走了出去，走入灿烂的阳光下。

邓定侯怔在那里，怔了很久，仿佛还在回味着丁喜刚才说的那些话。

他忽然发现他那些大英雄、大镖客的朋友，实在有很多都比不上这小强盗。

02

现在屋子里只剩下两个人。

喝茶的女孩子抬起头，四面看了看，忽然站起来，很快地走到小马面前，叫了声："小马。"

她叫得那么自然，就像在千千万万年前就已认得小马这个人，就好像已将这两个字呼唤过千千万万次。

小马也没有觉得吃惊。

一个陌生的女孩子忽然走过来，叫他的名字，在他感觉中竟好像也是很自然的事。

在这一瞬间，他们谁也没有觉得对方是个陌生人。

喝茶的女孩子道："我听别人都叫你小马，所以我也叫你小马。"

小马凝视着她，道："我叫马真，你呢？"

喝茶的女孩子道："我叫杜若琳，以前我哥哥总叫我小琳，你也可以叫我小琳。"

她的胆子一向很小，一向很害羞，从来也不敢在男人面前抬起头。

可是现在她居然也在凝视着小马。

情感本就是件奇妙的事，世上本就有许多无法解释的奇妙感情。

这种感情本就是任何人都无法了解的，有时甚至连自己都不能。

"小琳……小琳……小琳……"

小马轻轻地呼唤着，轻轻地握住了她的手。

她纤弱的指尖在他强壮的手掌里轻轻颤抖，可是她并没有抽回她的手。

小马的人就像是在梦中，声音也像是从梦中传来的。

“我一直是个很孤独的人，没有认得你的时候，我只有一个朋友。”

“我本来也只有一个朋友。”

“哦！”

“谁？”

“王盛兰。”小琳道，“她不但是我的朋友，也是我的姐妹，有时我甚至会把她当作我的母亲。这些年来，若不是她照顾我，也许我已经……”

小马没有让她说下去，轻轻道：“我明白你的意思。”

他的确明白，没有人能比他明白。因为他和丁喜的感情，也正如她们一样，几乎完全一样。

小琳道：“所以我想求你替我做一件事。”

小马道：“你说。”

小琳道：“我要你替我去救她。”

小马道：“救你的朋友？”

小琳点点头，道：“别人都说她绝不是金枪徐的对手，可是她绝不能败。”

小马道：“你要我帮她击败金枪徐。”

小琳道：“不管你用什么法子，我只希望你能为我做到这件事。”

她已握紧了小马的手。

“我知道你一定能做到的。”

现在他们也已走出去。

这里本是个充满了欢乐的地方，现在却忽然变得说不出的空洞寂寞。

人世间本就没有永恒不变的事，更没有永恒的欢乐。

红杏花慢慢地从后面出来，用一双洞悉人生的眼睛目送着他们走出去，喃喃自语叹息："我就知道你们只要一见面，就会互相纠缠，自寻烦恼的，我早就知道……"

有些人就像是钉子和磁铁，只要一遇见，就会粘在一起。

小马和小琳是这样子。

丁喜和王大小姐呢？

红杏花叹息着又道："小马这样子已经够糟的了，可是丁喜以后只怕还要更糟，我实在不应该让他们见面的，我早就知道……"

03

阳光灿烂。

发亮的长枪，在阳光下更亮得耀眼。

蓝天白云，远山青翠，竹篱下开满了鲜花，蜜蜂和蝴蝶在花丛中飞舞，甚至连风都在传播着生命的种子。

这本是个生命孕育成长的季节，在这种季节里，没有人会想到死。

只可惜死亡还是无法避免的。

金枪徐慢慢地解开了套在他金枪上的布袋，眼睛一直在盯着他的对手。

他心里还在想着“死”。

很少有人能比他更了解“死”的意义，因为他已有无数次接近过死亡。

——不是我死，就是你死。

这就是他对于“死”的原则。

这原则简单而残酷，其间绝没有容人选择的余地。

在江湖中混了二十年之后，无论谁都会被训练成一个残酷而自私的人。

金枪徐也不例外，所以才能活到现在。

可是现在他面对着的这个对手，实在太年轻，年轻得连他都不忍看着她死。

——不是她死，就是我死！

——她不能败，我又何尝能败？

他在心里叹了口气，从布袋里抽出了他的枪。

金枪！

金光灿烂，亮得耀眼，二十年来，已不知有多少人死在这耀眼的金光下。

枪的型式削锐，枪尖锋利，枪杆修长，就算拿在手里不动，也同样能给人一种毒蛇般灵活凶狠的感觉。

丁喜远远地看着，脱口而赞：“好枪。”

邓定侯同意：“的确是好枪。”

丁喜道：“霸王枪若是枪中的狮虎，这杆枪就可以算是枪中的毒蛇。”

邓定侯道：“江湖中本来就有很多人，把这杆枪叫作蛇枪。”

丁喜道：“据说这杆枪本来就是用黄金混合精铁铸成的，不但比普通的铁枪轻巧，而且枪身还可以随意弯曲。”

邓定侯道："所以金枪徐用的枪法，也独创一路，与众不同。"

丁喜道："我也听说过，他用的枪法，就叫作蛇刺。"

邓定侯道："他们家传的枪法，本有一百零八式，金枪徐又加了四十一式，才变成现在的蛇枪一百四十九刺。"

丁喜道："霸王枪呢？"

邓定侯笑了笑，道："霸王枪的招式，只有十三式。"

丁喜也笑了笑，道："真正有效的招式，一招就已足够。"

邓定侯忽又叹了口气，道："只可惜你没有看见当年王万武施展他'霸王十三式'的威风，霸王枪在他手里，才真正是霸王枪。"

丁喜没有再说什么，因为这时决斗已经开始。

阳光普照的庭院，仿佛忽然变得充满了杀气。

这两杆枪都是历经百战、杀人无算的利器，它们本身就带着一种杀气。

金枪徐的人，也正像是他手里的枪，削锐、锋利、精悍。

他的眼睛始终在盯着他的对手，双手合抱，斜握金枪。

这正是枪法中最恭敬有礼的起手式，他已表示出他对霸王枪的尊敬。

王大小姐却只是随随便便地将大枪拖在地上，就凭这一点，她已不如金枪徐。

——高手相争，尊敬自己的对手，就等于尊敬自己。

金枪徐嘴角露出冷笑，却还是礼貌极恭，沉声道："当年王老爷子在时，在下无缘求教，如今老成凋谢，枪在人亡，请受我一拜。"

他左腿后屈，真的行了一礼。

王大小姐却只不过点了点头，淡淡道："我是来找你麻烦的，你也不必对我太客气。"

金枪徐沉下了脸，道："我拜的是这杆枪，并不是你。"

王大小姐冷笑道："你最好记住，霸王枪就是我，我就是霸王枪。"

金枪徐冷冷道："在我眼中看来，王老爷子一去，霸王枪也已不在人间了。"

王大小姐怒道："你看不见我手里的枪？"

金枪徐道："这杆枪在王大小姐的手里，已只不过是杆平平常常的大铁枪。"

王大小姐用力咬住了嘴唇，显然在控制着自己的怒气。

她也知道高手相争时，若是心情激动，就随时都可能造成致命的错误。

金枪徐盯着她，又道："在下还未到这里来时，已将所有的后事全都料理清楚。"

王大小姐道："很好。"

金枪徐悠然道："王大小姐你的后事，是不是也已交代好了？"

王大小姐一张脸已气得通红，大声道："我若死在这里，自然有人替我料理后事。"

金枪徐道："谁？"

王大小姐道："你管不着。"

她的手一抡，一丈三尺七寸三分长的大铁枪，就飞舞而起，带起了一阵凌厉的枪风，压得竹篱下的花草全都低下了头。

金枪徐却没有低头，身形一闪，已从铁枪抡起的圆弧外滑了过去。

丁喜叹了口气，道："看来这位王大小姐的确太嫩，竟看不出徐三是故意激她的。"

邓定侯却笑了笑，道："也许徐三这一招反而用错了。"

丁喜道："为什么？"

邓定侯道："霸王枪走的是刚烈威猛一路，本是男子汉用的枪，王大小姐毕竟是个女子，总不免失之柔弱。"

丁喜同意。

邓定侯道："可是她的怒气一发作起来，情况就不同了。"

丁喜道："哦？"

邓定侯微笑道："我可以保证，他们家传的脾气比他们家传的枪法还要厉害得多。"

他们只说了七八句话，王大小姐的霸王枪已攻出三十招。

她的枪法虽然只有十三式，可是一施展起来，却是运用巧妙，变化无方。

她的招式变化间虽不及蛇刺灵巧，可是一种凌厉的枪风，足以弥补招式变化间之不足。

无论谁都看不出这么样一个柔弱的女孩子，竟真的能施展出如此刚烈威猛的枪法，竟真的能将这杆大铁枪挥舞自如。

这种长枪大戟本来只适于两军对垒，冲锋陷阵，若用来与武林高手比武较技，就不免显得太笨重。

可是她用的枪法，又弥补了这一点，无论枪尖、枪身，都能致人的死命，而且枪风所及之处，别人根本无法近她的身。

她三十招攻出，金枪徐只还了六招。

丁喜皱眉道："看样子徐三只怕是想以逸待劳，先耗尽她的力气再出手。"

邓定侯又笑了笑，道："徐三若真的这么想，就又错了。"

丁喜道："为什么？"

邓定侯道："霸王枪分量虽沉重，可是招式一施展开，枪的本身，就能带动起一种力量，她借力使力，自己的力量并不多。"

这道理正如推车一样，车子一开始往前走，本身就能带起股力量，推车的人反而像是被车子拉着往前走了。

邓定侯道："也因为这杆枪的分量太重，力量太大，要闪避就很不容易，所以采守势的一方，用的力气反而比较多。"

他笑了笑，接着道："以前有很多人都跟金枪徐有一样的想法，想以逸待劳，所以才会败在霸王枪下。这其间的巧妙，若不是王老头子偷偷地告诉我，我也不明白。"

丁喜道："知道这其中巧妙的人，当然不会太多。"

邓定侯道："除了百里长青和我之外，王老头子好像没有对别人说过。"

丁喜道："因为你们是他的朋友？"

邓定侯道："他的朋友本来就不多。"

丁喜道："他是你的朋友，我却不是，你为什么要将这秘密告诉我？"

邓定侯笑了笑，道："因为我喜欢告诉你。"

丁喜也笑了。

这解释并不能算很合理，可是对江湖男儿们说来，这理由已足够。

现在王大小姐已攻出七十招，非但已无法遏止，再想近身都已很不容易，只要她枪杆一横，金枪徐就被挡了出去。

他忽然发觉这杆枪最可怕的地方并不是枪锋，这杆一丈三尺七寸三分长的枪，每一分，每一寸都同样可怕。

无论谁都看得出他已落在下风。

只有一个人看不出。

突听一声大喝，竟有个人赤手空拳，冲入了他们的枪阵。

这个人竟是小马。

他真的醉了。

不管他醉的是人，还是酒，他的确已真醉了，否则又怎会看不出这两杆枪之间，枪风所及处，就是杀人的地狱。

看来他不但是“愤怒的小马”，简直是个“不要命的小马”。

居然还举手大呼：“住手，你们都给我住手！”

丁喜的心已沉了下去。

他知道王大小姐是绝不会住手的，也不能住手，因为霸王枪本身所起的力量，已绝非她所能控制。

在这种力量的压迫下，金枪徐想必也一定会使出全力。

一个人若已将全力使出，一招击出后，也很难收回来。

就在这时，两杆枪已全部刺在小马身上。

他的人就像是弹丸忽然弹起，鲜血雨雾般从他身上溅出。

两杆枪居然还没有停。

他们实在已无法停下来，已无法住手，无论谁的枪先停下来，对方都可能给他致命的一击。

谁也不敢冒这个险。

“这个人疯了。”

“他为什么要自己去送死？”

大家惊呼着，眼睁睁地看着小马身子飞起，眼睁睁地等着他落下来。

每个人都看得出，等到这个人再落入枪阵中，就一定已是个死人。

就在这一瞬间，竹篱下的花丛前，忽然有一条长绳飞来，套住了小马的腰。

长绳一抖，小马的人就跟着它一起飞了回去。

他并没有跌入那杀人的枪阵。

他跌入丁喜怀抱里。

04

鲜血还在不停地流，小马整个人都已因痛苦而痉挛扭曲。

可是他眼睛里并没有痛苦，反而像是充满了愉快和满足。

丁喜在跺脚。

“你怎么会做出这种笨事来的？”

小马没有回答。

他的人虽然在丁喜怀里，他的眼睛却始终在看着另一个人。

“小琳……小琳……小琳……”

他虽然已痛苦得连声音都发不出，可是他心里却还在呼喝，不停地呼喝。

小琳在流泪，也不知是悲哀的眼泪，还是感激的眼泪。

丁喜终于看见了她：“你是为了她？是她要你这么样做的？”

小马点点头，又摇摇头。

这当然是他自己愿意做的，他不愿做的事，没有人能勉强他。

这女孩子竟有这么大的力量，能让他心甘情愿地做出这种蠢事？

现在他的酒意已随着冷汗和鲜血流出，清醒使得他的痛苦更剧烈，更难以忍受。

他若是能晕过去，也可以少受些痛苦——晕厥本就是人类自卫的本能之一。

他却在努力挣扎着，不让自己的眼睛合起。

因为他还要看着她。

小琳也在看着他，看到他的痛苦和柔情，也终于忍不住冲了过来，在几十双眼睛的注视下，冲了过来，扑在他身上。

她做梦也想不到自己会有这么大的勇气，会做出这种事。

在这一瞬间，她几乎已不顾一切。

丁喜放下他，放在花圃旁的绿草地上，让他们拥抱在一起。

她的眼泪在他脸上，这一滴滴泪水中，竟仿佛有种神奇的魔力。

他的痛苦竟已减轻，忽然道："你是不是也觉得我这件事做得蠢？"

小琳点点头，又摇摇头。

小马勉强笑了笑，道："可是我只有这么样做，因为我想不出别的法子。"

小琳道："我知道，我……"

她没有说完这句话，因为她已泣不成声。

小马道："你为什么还在哭？难道他们还没有住手？"

小琳道："嗯！"

小马道："你的朋友没有死？"

小琳道："没有。"

小马道："你要我为你做的事，我是不是已替你做到了。"

小琳道："是……是的。"

小马长长吐出口气，居然真的笑了，微笑道："那么你最好告诉我们的朋友，我这件事做得并不太蠢。"

他微笑着闭上了眼睛，也终于晕了过去。

这年轻人们有的痛苦和安慰，丁喜几乎都能同样地感觉得到。

他是他的朋友，是他的兄弟，也是他的父亲。

风依旧在吹，阳光依旧灿烂，两杆枪依旧在飞舞刺击。

丁喜慢慢地转过身，慢慢地向着他们那杀人的枪阵走了过去。

邓定侯失声道："你想干什么？"

丁喜笑了笑，脚步没有停。

邓定侯道："难道你也想去做和他一样的蠢事？"

丁喜又笑了笑。

没有人能了解他和小马的感情，甚至连邓定侯也不能。

他的人忽然飞起，也像小马刚才一样，投入了他们的枪阵。

他竟似也忘了，这两杆枪之间，枪风所及处，就是杀人的地狱。

第五章

奇　变

01

枪锋带起的劲风，冷得刺骨。

有几人知道极冷和极热所给人的感受，几乎是完全一样的？

丁喜知道。

他冲入了这两人的枪阵，就好像投入了洪炉。

邓定侯的心沉了下去。

丁喜绝不能死。

他一定要带他去找出那六封信和六个死人，一定要找出那叛徒的秘密。

可是邓定侯也知道，王大小姐和金枪徐是绝不会住手的。

他只有眼睁睁地看着丁喜投入洪炉，再眼睁睁地等着他被枪尖抛起。

只听一声轻叱，一声低呼，一样东西飞了起来。

飞起来的竟不是丁喜，而是徐三的金枪。

高手相争，掌中的兵器死也不能离手，徐三的金枪是怎么会脱手飞起来的？

他自己甚至都不太清楚。

在金枪徐脱手的前一刹那间，他只看见有个人冲入了他和王大小姐两杆枪的枪锋之间，两杆枪都往这个人身上刺了过去。

他想住手已不及。

可是就在这同一刹那间，这个人突然一拧身，已往他枪锋下蹿过，一只手托住枪的时候，一只手在他腰上轻轻一撞。

他的人立刻就被撞出去七八步，手里的金枪也脱手飞起。

他只有看着，因为他的半边身子已发麻，连一点力气都使不出。

近二十年来，他身经大小百战，几乎从来也没有败过。

他做梦也想不到，世上竟有人能在出手一招间就夺走他手里的金枪，更想不到这个人居然就是那个年纪轻轻的丁喜。

丁喜金枪在手，眨眼间已攻出三招，迅速、毒辣、准确。

金枪徐脸色变得更苍白。

他已看出丁喜用的招式，居然就是他的独门枪法“蛇刺”。

就在片刻前，他还用过同样的招式去对付霸王枪。

事实上，他已将蛇刺中最犀利毒辣的招式全都使出，可是招式一出手，立刻就被封死，根本无法发挥出应有的威力。

丁喜现在只攻出了三招。

三招之后，他就已攻到了霸王枪的核心，突然枪尖斜挑，轻叱一声。

“起！”

只听“呼”的一声响，七十三斤重的霸王枪，竟被他轻轻一挑就挑了起来，夹带着风声飞出。

王大小姐已踉跄后退了七八步。

丁喜凌空翻身，一只手接住了霸王枪，一只手抛出了金枪，抛给徐三。

金枪徐只有用手接住。

等他接住了他的枪，才发现身子不麻了，力气也已恢复了。

丁喜正看着他微笑。

金枪徐咬了咬牙，手腕一抖，也在眨眼间攻出了三招。

这三招也正是丁喜刚才用来对付霸王枪的三招——“毒蛇出穴”“盘蛇吐信”“蛇尾枪”，正是蛇刺中的三招杀手。

在这杆金枪上，他至少已有三十年的苦功，他自信这三招用得绝不比丁喜差。

丁喜既然能在三招间就抢入霸王枪的空门，他为什么不能?

但他却偏偏就是不能。

三招出手，他立刻发现自己整个人都已被一种奇异的力气压住。

他的枪若是毒蛇，丁喜手里的霸王枪就是块千斤巨石。

这块巨石一下子就压住了毒蛇的七寸。

只听丁喜轻叱一声。

“起！”

金枪徐只觉得一股不可抗拒的力量压下来，整个人都已被压缩，手里的枪却弹了出去。

就在这片刻间，他的金枪已脱手两次。

02

金光灿烂，飞虹般落下，“夺”的一声，插在徐三身旁的地上。

徐三没有动，没有开口。

霸王枪也已插在王大小姐身旁，枪杆还在不停地颤动，琴弦般“嗡嗡”地响。

王大小姐也没有动，没有开口，苍白的脸已涨得通红，嫣红的嘴唇却已发白。

丁喜看看她笑了笑，又看看徐三笑了笑。

他只不过笑了笑，并没有说出什么尖刻的话。

“像两位这样的枪法，还争什么风头，逞什么强？”

这句话他并没有说出来，也不必说出来——他用金枪徐的蛇刺击败了霸王枪，又用王大小姐的霸王枪击败了金枪徐。

这是事实。

事实是人人都能看得见的，又何必再说出来？

所以他只不过笑了笑，笑得还是那么温柔，还是那么讨人喜欢。

可是在王大小姐眼里看来，他笑得却比毒蛇还毒，比针还尖锐。

她明朗光亮的眼睛里又有了泪光，忽然顿了顿脚，抄起了霸王枪，拖着枪冲过去，一把拉住了杜若琳：“我们走。”

杜若琳只有走。

她不想走，又不敢不走，走了几步，又忍不住回过头。

等她再转回头时，眼泪已流下面颊。

金枪徐却还是痴痴地站在那里。

金枪徐呆呆地看着面前的金枪。

这杆枪本是他生命中最大的荣耀，但现在却已变成了他的羞辱。

他脸上完全没有表情，心里是什么滋味，也只有他自己知道。

——痛苦和悲伤，就像是妻子的乳房一样，不是让别人看的。

——痛苦愈大，愈应该好好地收藏。

——乳房岂非也一样？

金枪徐忽然笑了，微笑着，抬起头，面对丁喜，道："谢谢你。"

丁喜道："谢谢我？为什么谢谢我？"

金枪徐道："因为你替我解决了个难题。"

丁喜道："什么难题？"

金枪徐望着青翠的远山，目光忽又变得十分温柔，缓缓道："我已在那边的青山下买了几亩田，盖了几间屋，屋后有修竹几百竿，堂前有梅花几十株，青竹红梅间，还有几条小小的清泉。"

丁喜道："好地方。"

金枪徐道："我早已打算在洗手退隐后，到那里去过几年清闲安静的日子。"

丁喜道："好主意。"

金枪徐叹了口气，道："怎奈浮名累人，害得我一点都下不定决心，也不知要等到哪一天才应该放下这个重担子。"

丁喜也叹了口气，道："浮名累人，世上又有几人能放得下这副担子？"

金枪徐道："幸好我遇见了你，因为你，我才下了决心。"

丁喜道："决心放下这担子？"

金枪徐点点头。

丁喜道："决定什么时候放下来？"

金枪徐道："现在。"

他又笑了笑，笑得很轻松，很愉快，因为他的确已将浮名的重担放了下来。

他已不再有跟别人逞强争胜的雄心，已不愿再为一点点浮名闲气出来跟别人拼死拼活。

能解开这个结并不容易，他的确应该觉得很轻松，很愉快。

可是他心里是不是真的能完全放得开？是不是还会觉得有些惆怅，有些辛酸？

这当然也只有他自己知道。

“你有空时，不妨到那边的青山下去找我。”

“我记得，你的屋后有修竹，堂前有梅花。”

“我屋里还有酒。”

“好，只要我不死，我一定去。”

“好，只要我不死，我一定等你来。”

金枪徐也镇定了，显得很洒脱。

一个人只要败得漂亮，走得洒脱，那么败又何妨，走又何妨？

03

红日未坠，金枪徐的人影却已远了。

邓定侯忽然叹了口气，道：“看来这人果然是条好汉。”

丁喜道：“他本来就是。”

邓定侯道：“你看人好像很有眼力。”

丁喜道：“我本来就有。”

邓定侯道：“你也很会解决一些别人解不开的难题。”

丁喜道："我也替你解开这个难题？"

邓定侯道："我就不知要怎么样才能让徐三和王大小姐住手，你却有法子。"

丁喜道："我的法子一向很有效。"

邓定侯叹道："不管你的法子是对是错，是好是坏，的确都很有效。"

丁喜道："所以别人都叫我聪明的丁喜。"

邓定侯笑了。

丁喜道："你知不知道我还有个最大的好处？"

邓定侯道："不知道。"

丁喜道："我最大的好处，就是不够朋友。"

邓定侯道："不够朋友？"

丁喜道："我唯一的一个朋友现在正躺在地上，我却让刺伤他的人扬长而去，而且还跟你站在这里胡说八道。"

现在小马已躺在床上，红杏花的床上。

胖的人都喜欢睡硬床，年轻人都喜欢睡软床，红杏花既不胖，也不再年轻。

她的床很软，又软又大。

红杏花叹息着道："一直要等到七十岁以后，我才能习惯一个人睡觉。"

邓定侯忍不住接道："你今年已有七十？"

红杏花瞪眼道："谁说我已经有七十？今年我才六十七。"

邓定侯想笑，却没有笑，因为他看见小马已睁开了眼睛。

小马睁开眼睛后，说的第一句话就是："小琳呢？"

"小琳？"

“小琳就是你刚才见过的那个女孩子。”

丁喜看着他，脸上已有冷笑，甚至连一点笑意都没有。

小马道：“她是个很好很好的女孩子。”

丁喜不说话。

小马道：“她很乖，很老实。”

丁喜不说话。

小马道：“我看得出她对我很好。”

丁喜淡淡地道：“可是你为她受了伤，她却早已走了。”

小马咬着牙，过了很久，才缓缓道：“她一定有理由走的。”

丁喜道：“她也有理由留下来。”

小马道：“你……你是不是不喜欢她？”

丁喜道：“我只不过想提醒你一件事。”

小马听着。

丁喜道：“不管怎么样，她总是走了，以后你很可能永远再也见不到她，所以……”

小马道：“所以怎么样？”

丁喜道：“所以你最好赶快忘了她。”

小马又咬着牙，沉默了很久，忽然用力一拳捶在床上，大声道：“忘记她就忘记她，这种事也没他妈的什么了不起。”

丁喜笑了，微笑道：“我正在奇怪，你怎么已经有许久没有说‘他妈的’，我还以为你这小王八蛋已变了性。”

小马也笑了，挣扎着要坐起来。丁喜道：“你想干什么？”

小马道：“该走了。”

丁喜道：“你能跟我走？”

小马道：“只要我还剩下一口气，无论你这老乌龟要到哪里去，我爬也要爬着跟去。”

丁喜大笑道:“好，走就走。”

红杏花笑眯眯地看着他。

红杏花道:“你们两个小乌龟真他妈的不愧是好朋友，真他妈的够义气……”

一句话没说完，忽然跳起来，一个耳光掴在丁喜的脸上。

丁喜被打得怔住。

红杏花跳起来大骂道:“可是你为什么不先看看他受伤有多重，难道你真想看着他这条腿残废，真是像乌龟一样跟在你后面爬?”

丁喜只有苦笑。

红杏花指着他的鼻子，狠狠道:“你要滚，就赶快滚，滚得愈远愈好，可是这小王八蛋得乖乖地给我躺在床上养伤，不管谁想带他走，我都先打断他的两条腿。”

丁喜道:“可是我……”

红杏花瞪眼道:“你怎么样? 你滚不滚?”

她的手又扬起来，丁喜这次却已学乖了，早就溜得远远的，赔笑道:“我滚，我马上就滚。”

小马忍不住叫了起来:“你真的不带我走?”

这句话没说完，他脸上也挨了一耳光。

红杏花瞪眼道:“你鬼叫什么? 是不是想要我用针缝起你的嘴?”

小马苦着脸道:“我不想。”

红杏花道:“那么就赶快乖乖地给我躺下去。”

小马居然真的躺了下去。

红杏花面前，这个“愤怒的小马”，竟好像变成了“听话的小山羊”。

“你还不滚? 真想要我打断你的腿?”红杏花又抓起把扫帚，去打丁喜。

丁喜赶紧往外溜，直溜到院子外面，坐上了等在外面的马车，才松了口气，苦笑道："这老太婆真凶。"

邓定侯当然也跟着溜了出来，也在叹着气，道："实在凶得要命。"

丁喜道："你见过这么凶的老太婆没有？"

邓定侯道："没有。"

丁喜叹道："我也没有见过第二个。"

邓定侯道："你真的怕她？"

丁喜道："假的。"

邓定侯不禁大笑，道："看来，她也不像是你的真祖母。"

丁喜道："她不是。"

邓定侯道："是你……"

丁喜打断了他的话，道："可是我没有饭吃的时候，只有她给我饭吃；我没有衣服穿的时候，只有她给我衣服穿；有时候我挨了揍、受了伤，只要我想起她，心里就不会太难受。"

邓定侯道："因为你知道只要到这里来，她就一定会照顾你。"

丁喜点点头，微笑道："只可惜她年纪稍微大了几岁，否则我一定要娶她做老婆。"

邓定侯盯着他看了半天，忽然问道："你真的没有想到过要娶个老婆？"

丁喜笑道："你是不是想替我做媒？"

邓定侯道："我倒真有个很合适的人，配你倒真是一对。"

丁喜道："谁？"

邓定侯道："王大小姐。"

丁喜忽然不笑了，板着脸道："你若喜欢她，为什么不自己娶她做老婆。"

邓定侯道：“我倒也不是没有想过，只可惜我年纪也大了几岁，家里又已经有了个母老虎。”

丁喜板着脸冷笑道：“有趣有趣，你这人怎么变得愈来愈他妈的有趣了。”

邓定侯道：“因为……”

他的话还没有说出来，忽然间“轰隆隆”一声响，这辆大车连人带马都跌进了一个坑里。

丁喜反而笑了。

邓定侯居然也还是动也不动地坐着，而且完全不动声色。

丁喜笑道：“这种落马坑本是我的拿手本领之一，想不到别人居然也会用来对付我。”

邓定侯道：“你怎么知道人家要对付的是你。”

丁喜又笑了笑，道：“我知道，这就叫作报应。”

这时外面已有人在用力敲着车顶，大声道：“里面的人快出来。我们大老板有话要对你们说。”

丁喜看了看邓定侯，道：“你知不知道这附近有什么大老板？”

邓定侯道：“这里距离乱石岗很近，已经是你们的地盘，你应该比我清楚。”

丁喜道：“现在就在这附近的，唯一的一个大老板，好像就是你。”

外面的人又在催，车顶几乎已经快被打破。

丁喜道：“你出不出去？”

邓定侯道：“不出去行不行？”

丁喜道：“不行。”

邓定侯不禁苦笑道：“我看也不行。”

丁喜推开车门，道：“请。”

邓定侯道："你先请，你总是我的客人。"

丁喜道："可是你的年纪比我大，我一向都很尊敬长者。"

邓定侯道："你什么时候变得如此客气的。"

丁喜笑道："我刚才听见外面有弓弦声的时候，就已决心要对你客气些。"

邓定侯大笑。

他当然也听见了外面的弓弦声。

人已埋伏，强弓四布，只要一走出这马车，就可被乱箭射成个刺猬。

但是他们却还是笑得很开心。

邓定侯道："我出去之后，若是中了别人的乱箭，你怎么办？"

丁喜道："那时我就会像缩头乌龟一样，躺在车子里，就算他们叫我祖宗，我也不出去。"

邓定侯大笑道："好主意。"

丁喜道："莫忘记我是聪明的丁喜，想出来的当然都是好主意。"

邓定侯大笑着走出去。在外面站了很久，居然还没有变成刺猬。

一个人高高地站在他对面，从车子里看出去，只看得见这人的一双脚。

一双很纤巧、很秀气的脚，却穿着白布裤和白麻鞋。

这是双女人的脚。

男人当然绝不会有女人的脚，这位大老板难道竟是个女人？

丁喜在车子里大声地问道："外面怎么样？"

邓定侯道："外面的天气很好，既不太冷，也不太热。"

丁喜道："那么，我就不能出去了。"

邓定侯道："为什么？"

丁喜道："我受不了这么好的天气，一出去就只会发疯。"

邓定侯道："现在天气好像快变了，好像还要下雨呢！"

丁喜道："那么我更不能出去了。"

邓定侯道："你怕淋雨？"

丁喜道："怕得要命。"

邓定侯道："不过，现在雨还没有下。"

丁喜道："你难道要我站在外面等着淋雨？"

邓定侯叹了口气，看着站在落马坑上面的大老板，苦笑道："这小子好像已拿定主意，是绝对不肯出来的了。"

大老板冷笑道："不出来也得出来。"

邓定侯道："你有法子对付他？"

大老板道："他再不出来，我就用火烧。"

邓定侯叹了声道："我就知道，世上假如还有一个人能对付丁喜，这个人一定就是王大小姐。"

这位大老板居然就是王大小姐。

四条大汉站在她身后，扛着她的霸王枪，八条大汉张弓搭箭，已将这地方包围住。

杜若琳却远远地坐在一棵树下，用一把大梳子在慢慢地梳着头发。

王大小姐冷冷道："这些兄弟都是我镖局里老伙计，我要他们放火，他们马上就会放火，我要他们杀人，他们也马上就会杀人。"

邓定侯道："我看得出。"

王大小姐道："那么你就应赶紧叫那姓丁的快些滚出来。"

邓定侯道："出来之后怎么样？"

王大小姐道："只要他肯老老实实地回答我一句话，我绝不会难为他。"

邓定侯道："好，我先进去跟他商量商量。"

他刚想走进去，突然“轰”的一响，车顶已被撞开个大洞。

一个人从里面直蹿了出来，身法又快又猛，看样子至少还可以蹿起三丈。

可是他最多只蹿起了三尺。

落马坑上，还盖着面又粗又大的渔网。

邓定侯叹息着，苦笑道：“我早就知道你一遇见王大小姐，就会自投罗网。”

丁喜板着脸，坐在车顶，冷冷道：“有趣有趣，你这人真他妈的有趣极了。”

平时他遇见这种事，还是会笑的，现在他却没有笑。

也不知道为了什么，一看见王大小姐，他就好像再也笑不出。

王大小姐也没有笑，板着脸道：“这上面虽然只有八张弓，可是你只要动一动，在转瞬间他们就能射出五十六根箭。”

丁喜没有动。

他看得出这些大汉都是极好的弓箭手。

王大小姐冷笑道：“你为什么不动？”

丁喜道：“因为我正在等。”

王大小姐道：“等什么？”

丁喜道：“等着听你要问我的那句话。”

王大小姐咬了咬嘴唇——她一开始紧张，就会咬着嘴唇。

她究竟要问丁喜什么事？为什么会变得如此紧张？

邓定侯想不通。

王大小姐终于冷冷道：“你虽然有很多事都做得很混账，我看在邓定侯面上，也懒得跟你计较了，只不过有件事我却非问清楚不可。”

丁喜道：“你问吧。”

王大小姐脸色忽然变得发青，两只手都已握紧，又用力咬了咬嘴唇，才一字一字问道：“五月十三那天，你在哪里？”

丁喜道：“今年的五月十三？”

王大小姐道：“不错，就是今年的五月十三。”

丁喜道：“你费了这么多功夫，挖了这么大一个坑，为的就是要问我这句话？”

王大小姐问道：“不错，我就是要问你这句话，所以你最好老老实实地回答我。”

她看来不但很紧张，而且很激动，连说话的声音都在发抖。

五月十三那天，丁喜在哪里，跟她又有什么关系？

她为什么要如此紧张？

邓定侯更想不通。

丁喜也想不通，忽然叹了口气，道：“幸好你问的是五月十三日，总算我运气看来还不错。”

王大小姐道：“为什么？”

丁喜道：“因为若你问我别的日子，我早就忘了自己是在哪里了。”

王大小姐道：“可是五月十三那天的事情，你却记得。”

丁喜点点头，道：“因为那天我做了件很愉快的事。”

王大小姐道：“什么事？”

她一双手握得更紧，全身都好像在发抖。

丁喜却忽又转过头，去问邓定侯：“你知不知道那天我曾经做了什么事？”

邓定侯苦笑道：“我知道，我当然知道。”

王大小姐大声道：“那天他究竟做了什么事？”

邓定侯道：“他曾经劫了我们的镖。”

王大小姐道：“是在哪里下的手？”

邓定侯道："太原附近。"

王大小姐道："你没有记错？"

邓定侯道："别的事我都可能会记错，这件事绝不会。"

王大小姐道："为什么？"

邓定侯道："我至少有十三万五千个理由。"

王大小姐不懂。

邓定侯苦笑道："为了这件事，我已经赔出了十三万五千两银子，每两银子都可以让我记住这件事。"

王大小姐不说话了，看她脸上的表情，好像觉得松了口气，又好像觉得很失望。

丁喜道："现在你还有没有别的事要问？"

王大小姐道："当然还有。"

丁喜道："还有？"

王大小姐冷冷道："我问你，我跟姓徐的比枪，跟你们有什么关系？你们凭什么要来多事？"

丁喜道："你自己好像刚说过，这些事你都已不再计较了的。"

王大小姐道："现在我又要计较了。"

丁喜道："小马本来是想帮你忙的。"

王大小姐道："帮我的忙？"

丁喜道："他怕你败了后真的会死。"

王大小姐怒道："难道他看不出二十招内我就能把徐三击倒？"

丁喜道："他看不出。"

王大小姐道："难道他是个瞎子？"

丁喜道："他眼睛若能看得很清楚，又怎么会认为这位杜大小姐又乖又老实，而且对他很好？"

王大小姐道："无论她是个什么样的女孩子，你都管不着。"

丁喜道："我也不想管。"

王大小姐道："那姓马的最好也走远些，永远莫要让我们直接看见了他。"

丁喜道："我会去告诉他的。"

王大小姐道："就算天下的男人都死光了，我也不会让小琳下嫁给他的。"

丁喜道："多谢多谢。"

王大小姐咬着嘴唇，狠狠地瞪着他，道："我的话已经说完了，现在你已经可以跪下来了。"

丁喜道："跪下来？"

王大小姐道："不但要跪下来，而且还得恭恭敬敬地给我叩三个头。"

丁喜道："我为什么要跪下来叩头？"

王大小姐道："因为我说的。"

丁喜道："因为你手下的弟兄会发连珠箭？"

王大小姐道："一点也不错。"

丁喜笑了。

他的笑有很多种，现在这种无疑是最不讨人欢喜的一种。

王大小姐瞪眼道："你瞧不起我们的连珠箭？"

丁喜淡淡道："你们的连珠箭究竟是长是短，是圆是尖，我还没有见识过。"

王大小姐怒道："你想见识见识？"

丁喜道："很想。"

王大小姐冷笑道："我本来并不想你这么短命的，你死了可不能怨我。"

丁喜又笑了笑，道："你放心，我是死不了的。"

他忽然站了起来，拉住了上面的渔网，两只手轻轻一扯。

这面连鲨鱼都挣不破的渔网，被他轻轻一扯，居然就被扯破个大洞。

王大小姐脸色变了，轻叱道："不能让他走，留下来。"

叱声出口，弓弦已响，八柄强弓，七箭连珠，尖锐的飞声破空，乱箭已飞蝗般射了过来。

丁喜的两只手，就像是两只专门吃蝗虫的麻雀，一支箭飞来，他接过一支，十支箭飞来，他接过十支，眨眼间就已将五十六支连珠箭全都接在手里。

然后这五十六支箭，又像是一条线似的，从他手里飞了出去，钉入了杜若琳身旁的大树。

丁喜忽然大喝一声。

"断！"

钉在树上，五十六支箭，立刻一寸寸地断成了无数截，只留下一截发亮的箭柄，钉入了树木。

丁喜拍了拍手，微笑道："看来这连珠箭只怕连猪都射不死。"

王大小姐脸色铁青，嘴唇发抖，哪里还说得出话来。

丁喜欣然道："我留在这里，只不过为了想听听你有什么事要问我而已。像这样的连珠箭，就算有个千儿八百支，我还是要来就来，说走就走。"

王大小姐咬着嘴唇，恨恨道："你好，很好。"

丁喜道："现在你还要不要我跪下去叩头？"

王大小姐道："现在你想怎么样？"

丁喜道："你认不认得字？"

王大小姐盯着他，好像恨不得在他脑袋上盯出两个大洞来。

丁喜道："你若认得字的话，为什么不回头去仔细看看？"

王大小姐回过头，才发现那五十六支发亮的箭柄，竟排成了两个字“再见”。

这是什么样的手法，什么样的劲力!

王大小姐深深地吸了一口气，转过去的头似已转不回来。

她实在已没法子再面对丁喜。

丁喜道：“这两个字你认不认得？”

王大小姐跺了跺脚，扭头就走。

丁喜冷冷道：“我是说‘再见’，其实最好是永远不要再见了。”

王大小姐用力咬着嘴唇，忽然跳上了一匹马，打马飞奔。

只听她的声音远远传来：“谁想再见你，谁就是王八蛋！”

第六章

六封信的秘密

01

夕阳满天。

丁喜和邓定侯在夕阳下往前走，汗水已经湿透了衣服。

现在他们的车已破了，马已跛了，连赶车的都已被邓定侯赶走。

所以他们现在唯一的交通工具，就是他们自己的两条腿。

大路上居然连一辆空车都没有。

邓定侯叹息着，喃喃道："夕阳无限好，尤其是夏日的夕阳，我一向最欣赏。"

丁喜道："可是你现在已知道，就算在最美的夕阳下，要用自己的两条腿赶路，滋味也不好受。"

邓定侯擦了擦汗，苦笑道："实在不好受。"

丁喜透视着远方，眼睛里带着深思之色，缓缓道："你若肯常常用自己的两条腿四处去走走，一定还会发现很多你以前想不到的事。"

邓定侯道："哦？"

丁喜道："我本该带你到乱石岗去看看的。"

邓定侯道："乱石岗？"

丁喜道："那里有几十个妇人童子，天天在烈日下流汗流泪，却连吃都吃不饱。”

邓定侯道：“为什么？”

丁喜冷冷道：“你应该知道是为了什么。”

邓定侯道：“你说的是沙家兄弟的孤儿寡妇？”

丁喜道：“就因为他们想劫五犬旗保的镖，所以死了也是白死；也就因为那些孤儿寡妇们是沙家的人，所以挨饿受罪都是活该。江湖中既不会有人同情他们，也不会有人为他们出来说一句话。”

邓定侯终于明白，苦笑道：“你出手劫我们的镖，就是为了要救济他们？”

丁喜冷笑道：“他们难道不是人？”

邓定侯道：“你难道不能用别的法子？”

丁喜道：“你要我用什么法子？难道要那些七八岁的孩子去做保镖的？难道要那些年轻的寡妇跑到妓院里去接客？”

邓定侯不说话了。

丁喜也不开口了，两个人慢慢地往前走，显然都有很多心事。

他们做的事，都是他们自己认为应该去做的，可是现在却连他们自己也分不清是谁对，谁错。

——也许“对”与“错”之间，本就很难分出一个绝对的界限来。

夕阳已淡了，蹄声骤响，三骑快马从他们身边飞驰而过。

马上人意气飞扬，根本就没有将这两个满身臭汗的赶路人看在眼里。

邓定侯却看见了他们，忽然笑了笑，道：“你知道这两个人是谁？”

丁喜摇摇头。

邓定侯道："他们全部是归东景镖局里的第三流镖师，平时看见了我，在三丈以外就会弯腰的。"

丁喜也笑了笑，道："只可惜你现在正是倒霉的时候。"

一个人既有得意的时候，就一定也有倒霉的时候，无论什么人都一样。

邓定侯微笑道："所以我一点也不生气。"

健马驰过，尘土飞扬，一张纸飘飘地落了下来，落在他们面前。

丁喜已走过去，忽然又回身捡了起来，眼睛里忽然发了光。

邓定侯道："这是从他们身上掉下来的？"

丁喜道："嗯。"

邓定侯道："我看看。"

他只看了一眼，脸上也露出种很奇怪的表情，因为他一眼就看见了八个令他触目的字："双枪客决斗霸王枪。"

他接着看下去：

日月双枪：岳。

日枪重二十一斤，长四尺五寸，月枪重十七斤半，长三尺九寸。

霸王枪：王。

长一丈三尺七寸三分，重七十三斤七两三钱。

决战时刻：七月初五，午时。

地点：东阳城，熊家大院。

公证人：熊九太爷。

旁证："活陈平"陈准，"立地分金"赵大秤。

战后讲评："小苏秦"苏小波。

巡场："大力金刚"王虎，"小仙灵"万通。

欢迎观战，保证精彩，凭券入院，每券十两。

看到最后八个字，邓定侯笑了。

丁喜早就笑了。

邓定侯摇着头笑道：“这哪里还像是武林高手的决斗，简直就像是卖狗皮膏药的。”

丁喜笑道：“万通的出身，本来就是卖狗皮膏药的。”

邓定侯道：“哦？”

丁喜道：“他还有个外号，叫‘无孔不入’，只要有一点机会能弄钱，他就不会错过，这一定又是他玩的把戏。”

邓定侯道：“你认得他？”

丁喜道：“这些人我全都认得出来。”

邓定侯道：“哦？”

丁喜苦笑道：“饿虎岗真正的老虎最多只有两条，其余的不是老鼠，就是看门狗，谈不上能够独当一面的。”

邓定侯道：“他们全都是饿虎岗的人？”

丁喜点点头，道：“这些人里面，却只有‘日月双枪’岳麟还勉强可以算是条老虎。”

邓定侯道：“我听说过这个人的名头，以他的身份，怎么肯让小仙灵做这种事？”

丁喜道：“万通不但是只老鼠，还是只狐狸，老虎岂非总是会被狐狸耍得团团转！”

邓定侯道：“还有熊九……”

丁喜道：“熊九虽然是条好汉，可是别人只要给他几顶高帽子一戴，他就糊涂了。”

邓定侯笑着道：“小苏秦当然一定很会给人高帽子戴的。”

丁喜道：“他本来就是饿虎岗上的说客，陈准、赵大秤和我是分赃的，王虎是打手。你若剥开他们外面一层皮，就会发现他们里面什么都没有。”

邓定侯道：“你好像对他们并不太欣赏。”

丁喜并不否认。

邓定侯道：“但你也是饿虎岗上的人。”

丁喜笑了笑，道：“狐狸并不一定要喜欢狐狸，耗子也并不一定要喜欢耗子。”

邓定侯盯着他，道：“你也是耗子？”

丁喜微笑道：“我若是耗子，你岂非就是条多管闲事的狗？”

邓定侯笑了，苦笑。

——狗捉耗子，多管闲事。

他忽然发觉自己的闲事确实管得太多了些。

“就连这件事我都不该问。”他抛开了手里的这张纸。

他苦笑道：“他们是双枪斗单枪也好，是饿老虎斗母老虎也好，都跟我一点关系都没有。”

丁喜道：“有关系。”

邓定侯道：“有？”

丁喜道：“饿虎岗并不是个可以容人来去自如的地方，从前山到后山，一共有三十六道暗卡，十八队巡逻，我本来实在没把握带你上去。”

邓定侯道：“现在你难道已有了把握？”

丁喜点点头，笑道：“老虎要出山去跟母老虎决斗，那些大狐狸、小狐狸、大耗子、小耗子当然也一定会跟着去看热闹的。”

邓定侯眼睛也亮了，道：“所以七月初五那天，饿虎岗的防卫，一定要比平时差得多。”

丁喜道：“一定。”

邓定侯道：“所以我们正好趁机上山去。”

丁喜道：“一点也不错。”

邓定侯笑道：“想不到王大小姐居然也替我们做了件好事。”

丁喜忽然不笑了，冷冷道：“只可惜这件事，对她自己连一点好处都没有。”

邓定侯道：“你认为她绝不是岳麟的对手？”

丁喜道：“你认为她是不是岳麟的对手？”

邓定侯叹了口气，道：“她不是。”

丁喜道：“假如她自己还有一点点自知之明，也应该知道的。”

邓定侯叹道：“所以我实在不懂，她为什么一定要找上江湖中这些最扎手的人物？”

丁喜道：“你不懂，我懂。”

邓定侯道：“你懂？”

丁喜道：“嗯。”

邓定侯道：“你说她是为了什么？”

丁喜道：“她疯了。”

邓定侯也不能不承认：“就算她还没有完全疯，多多少少也有一点疯病。”

丁喜道：“你若遇见了一条发疯的母老虎，你怎么办？”

邓定侯道：“躲开她，躲得远远的。”

丁喜道：“一点也不错。”

02

丁喜他算准了一件事，就很少会有算错的。

所以他是“聪明的丁喜”。

他算准了七月初五那天，饿虎岗的防守果然很空虚，他们从后面一条小路上山，竟连一处埋伏都没有遇见。

“这条路本来就很少有人知道。”

崎岖陡峭的羊肠小路，荒草湮没，后山的斜坡上，一片荒冢。

“做保镖的人，只知道保镖的常常死在强盗手里，却不知道强盗死在保镖手里的更多。”

邓定侯没有开口。

面对着山坡上的这一片荒冢，他也不禁在心里问自己：

——是不是所有的强盗全都该死?

丁喜道：“埋在这里的，全部是强盗，我本不该把那六个埋在这里的。”

邓定侯道：“因为他们不是强盗？”

丁喜淡淡道：“因为他们比强盗更卑鄙，更无耻，至少强盗还不会出卖自己的朋友。”

邓定侯道：“你认为我们一定是被朋友出卖了的？”

丁喜道：“除了你自己之外，还有谁知道你那趟镖的秘密？”

邓定侯道：“还有四个人。”

丁喜道：“是不是百里长青、归东景、姜新和西门胜？”

邓定侯道：“是。”

丁喜道：“他们是不是你的朋友？”

邓定侯道："若说他们这四个人当中，有一个是奸细，我实在不能相信。"

丁喜道："若不是他们这四个人，就一定是另外那人了。"

邓定侯道："另外那个人是谁？"

丁喜道："是你。"

邓定侯只有苦笑。

知道那些秘密的，确实只有他们五个人，没有第六个。

丁喜的嘴在说话，手也没有闲着，他的话里带着讥讽，手里却带着锄头。

锄头比他的舌头动得还快。

现在六口棺材都已被挖了出来——每口棺材里都有一个死人。

丁喜用袖子擦着汗。

丁喜道："你为什么还不打开来看看？"

邓定侯也在用袖子擦着汗，他的汗好像比丁喜的还多。

丁喜道："你是不是不敢看？"

邓定侯道："为什么不敢？"

丁喜道："因为你怕我找出那个奸细来，因为他很可能就是你最好的朋友。"

邓定侯终于叹了口气，道："我的确有点怕，因为我……"

他没有说下去。

刚打开第一口棺材，他就怔住。

他眼睁睁地瞪着棺材里的死人，棺材里这个死人好像也在眼睁睁地瞪着他。

丁喜道："你认识这个人？"

邓定侯点点头，道："这人姓钱，是'振威'的重要人手。"

丁喜道："振威是不是归东景的镖局？"

邓定侯道："嗯。"

丁喜道："你知不知道他的镖局里有人失踪？"

邓定侯摇摇头。

他已打开了第二口棺材，又怔住："这人叫阿旺。"

"阿旺是什么人？"

"是我家的花匠。"邓定侯苦笑。

"你也不知道他失踪了？"

"我已经有七八个月没回家去过。"

丁喜也只有苦笑。

——第三个人是"长青"的车夫，第四个是姜家的厨子，第五个人是"威群"的镖伙，第六个人是替西门胜洗马的。

丁喜道："这六个人现在你已全看见，而且全部都认得。"

邓定侯道："嗯。"

丁喜道："可惜你看过了也是白看的，连一点用都没有。"

邓定侯道："不过，幸好还有六封信。"

丁喜道："这六封信都是一个人写的。"

邓定侯道："嗯。"

丁喜道："你看出这是谁的笔迹吗？"

邓定侯道："嗯。"

丁喜的眼睛亮了。

邓定侯突然笑了笑，笑得很奇怪："这个人的字不但写得好，而且有几笔写得很怪，别人就算要学也很难学会。"

丁喜道："这个人究竟是谁？"

邓定侯笑得更奇怪，慢慢地伸出一根手指，指着自己的鼻子。

"这个人就是我。"

“这个人就是你？”

丁喜想叫，没有叫出来，想笑，又笑不出——这件事并不好笑，一点也不好笑。

事实上，这件事简直可以让人一把鼻涕一把眼泪哭出来。

邓定侯笑的样子就并不比哭好看。

丁喜盯着他，上上下下看了好几遍，忽然问道：“你自己会不会出卖自己？”

邓定侯道：“不会。”

丁喜道：“这六封信是不是你写的？”

邓定侯道：“不是。”

丁喜一句话都不再说，扭头就走。

邓定侯就跟着他走。

走了一段路，两个人的衣服又都湿透，丁喜才叹了口气，道：“其实我们走这一趟也并不是完全没有收获的。”

邓定侯道：“哦？”

丁喜道：“我至少总算得到个教训。”

邓定侯道：“什么教训？”

丁喜道：“下次若有人叫我在这种天气里，冒着这么热的太阳，走这么远的路，来找六个死人探听一件秘密，我就……”

邓定侯道：“你就踢他一脚？”

丁喜道：“我既不是骡子，也不是小马，我不喜欢被人踢，也从来不踢人。”

邓定侯道：“那么你就怎样？”

丁喜道：“我就送样东西给他。”

邓定侯道：“他害你在烈日下白跑了一趟，你还送东西给他？”

丁喜点点头。

邓定侯道："你准备送给他什么东西？"

丁喜道："送他一个人。"

邓定侯道："人？"

丁喜道："一个他心里喜欢，嘴里却不敢说出来的女人。"

邓定侯笑了，道："你说的女人是不是那位王大小姐？"

丁喜也笑了，道："一点也不错。"

邓定侯道："因为王大小姐已疯了。"

丁喜笑道："这个人叫我做这种事，当然也有点疯病，他们两人岂非正是天生的一对？"

邓定侯大笑，道："这个人当然就是我。"

丁喜故意叹了口气，道："你既然一定要承认，我也没法子。"

邓定侯道："反正我嘴里就算不说出来，你也知道我心里一定喜欢得要命。"

丁喜道："答对了。"

邓定侯道："只不过还在担心一件事。"

丁喜道："什么事？"

邓定侯道："若有人真的把王大小姐送给了我，你怎么办呢？"

丁喜又不笑了，板着脸道："你放心，世上的女人还没死光，我也绝不会出家当和尚去，我一向不吃素。"

邓定侯笑道："素虽然不吃，醋总是要吃一点的。"

丁喜用眼角瞄着他，道："我只奇怪一件事。"

邓定侯道："什么事？"

丁喜道："江湖上，怎么没有人叫你滑稽的老邓？"

他们下山的时候，居然也没有遇见埋伏暗卡，这个"可怕的饿虎岗”，竟像是已变成了个任何人都可以随便上去逛逛的地方。

只可惜逛也是白逛。

邓定侯道：“除了这个教训外，你看看还有什么别的收获？”

丁喜道：“还有一肚子气，一身臭汗。”

邓定侯道：“那么，现在我还可以让你再得到一个教训。”

丁喜道：“什么教训？”

邓定侯道：“你以后听人说话，最好听清楚些，不能只听一半。”

丁喜不懂。

邓定侯道：“我只说我的笔迹很少有人能学会，并不是说绝对没有人能学会。”

丁喜的眼睛又亮了。

邓定侯道：“至少我就知道有个人能模仿我写的字，几乎连我自己也分辨不出。”

丁喜道：“这人是谁？”

邓定侯道：“是归大老板归东景。”

丁喜大笑道：“是他？”

邓定侯道：“这个人外表看来，虽然有点傻头傻脑，好像很老实的样子，其实他却是个绝顶聪明的人，连我都上过他的当。”

丁喜道：“你上过他什么当？”

邓定侯道：“有一次他假冒我的笔迹，把我认得的女人全都请到我家里，我一走进门，就看见七八十个女人全都打扮得花枝招展的，坐在我的客厅里，我老婆已气得连颈子都粗了，三个多月没有跟我说过一句话。”

丁喜忍住笑，道：“他为什么要开这种玩笑？”

邓定侯恨恨地道：“这老乌龟天生就喜欢恶作剧，天生就喜欢看别人难受着急。”

丁喜终于忍不住大笑，道："可是你相好的女人也未免太多了一点。"

邓定侯也笑了，道："不但人多，而且种类也多，其中还有几个是风月场中有名的才女，连她们都分不出那些信不是我写的，可见那老乌龟学我的字，实在已可以乱真。"

丁喜道："所以他虽然害了你一下，却也帮了你一个忙。"

邓定侯道："帮了我两个忙。"

丁喜道："哦？"

邓定侯道："他让我清清静静地过了三个月太平日子，没有听见那母老虎啰唆过半句。"

丁喜道："这个忙帮得实在不小。"

邓定侯目光闪动，道："现在他又提醒了我，那六封信是谁写的。"

丁喜的眼睛里也在闪着光，道："你们的联营镖局，有几个老板？"

邓定侯道："四个半。"

丁喜道："四个半？"

邓定侯道："我们集资合力，赚来的利润分成九份，百里长青、归东景、姜新和我各占两份，西门胜占一份。"

丁喜道："所以归东景自己也是老板之一。"

邓定侯道："他当然是的。"

丁喜道："他为什么要自己出卖自己？"

邓定侯沉吟着，道："我们保一趟十万两的镖，只收三千两公费。"

邓定侯道："扣去开支，纯利最多只有一千两，分到他手上，已只剩下二百多两。"

丁喜道："可是我劫下这趟镖之后，就算出手时要打个对折，他还是可以到手一万两。"

邓定侯道："一万两当然比二百两多得多，这笔账他总能算得出来的。"

丁喜笑道："我也相信他一定能算得出，近年来他几乎可算是江湖第一巨富，他那些钱当然不会真的是从天上掉下来的。"

邓定侯道："而且他自己也说过，他什么都怕，银子他绝不怕多，女人也绝不怕多。"

丁喜笑道："我也不怕。"

邓定侯道："我却有点怕。"

丁喜道："怕什么？"

邓定侯叹道："这种事本来就很难找出真凭实据，我只怕他死不认账，我也没法子让他说实话。"

丁喜道："我有法子。"

邓定侯道："什么法子？"

丁喜道："先打掉他两颗门牙，再撕下他的一双耳朵。"

邓定侯笑道："这法子听来好像还不错。"

丁喜道："本来就不错，而且绝对有效。"

邓定侯道："我们几时去动手？"

丁喜道："现在就走。"

邓定侯道："谁去动手？"

丁喜眨了眨眼，道："那老乌龟的武功怎么样？"

邓定侯道："也不能算太好，只不过比金枪徐好一点。"

丁喜道："一点是多少？"

邓定侯道："一点的意思，就是他只要用手指轻轻一点，金枪徐就得躺下。"

丁喜好像已笑不出来了。

邓定侯道："据说他还有十三太保横练的功夫，却也练得不太好，有次我看见一个人只不过在他背上砍了三刀，他就已受不了。"

丁喜道："受不了就怎么办？"

邓定侯道："他就回身抢过了那个人的刀，一下子拗成了七八段。"

丁喜道："然后呢？"

邓定侯道："然后他们就跟我们到珍珠楼喝酒。"

丁喜道："他被人砍了三刀，还能喝酒？"

邓定侯道："他喝得也并不多，因为他急着要小珍珠替他抓痒。"

丁喜道："抓痒？替他抓什么地方？"

邓定侯道："当然是要抓他的背。"

丁喜怔了半天，忽然笑道："我知道了。"

邓定侯道："知道了什么？"

丁喜道："知道应该谁去动手了。"

邓定侯道："谁？"

丁喜道："你。"

第七章

这一条路

01

上山容易，下山也不难。

太阳还没有下山，他们就已下了山。

山下有条小路，路上有棵大树，树下停着辆车，赶车的是个小伙子，打着赤膊，摇着草帽蹲在那里晒太阳。

树荫下有风，风吹过来，传来一阵阵酒香，是上好的竹叶青。

附近看不见人烟，唯一可能有酒的地方，就是这辆大车。

这小伙子一个人在外面晒太阳，却把这么好的酒放在车子里吹风乘凉。

丁喜叹了口气，忽然发现这世上有毛病的人倒是真不少。

邓定侯看着他，问道："你想不想喝酒？"

丁喜道："不想。"

邓定侯很意外，道："为什么？"

丁喜道："因为我虽然是个强盗，却还没有抢过别人的酒喝。"

邓定侯道："我们可以去买。"

丁喜道："我也很想去买，只可惜我什么样的酒铺都看见过，却还没有看见过有开在马车里的酒铺。"

邓定侯笑道："你现在就看见了一个。"

丁喜果然看见了。

那赶车的小伙子，忽然站起来，从车后面拉起了一面青布酒帘，上面还写着："上好竹叶青加料卤牛肉。"

若说现在这世上还有什么事能让丁喜和邓定侯高兴一点，恐怕就只有好酒加牛肉了。

邓定侯道："那老乌龟实在很不好对付，我只怕还没有撕下他的耳朵来，就已先被他打下了我的耳朵。"

丁喜道："所以你现在就很发愁。"

邓定侯道："所以我要去借酒浇愁。"

丁喜道："好主意。"

两个人大步走过去。

"来十斤卤牛肉，二十斤酒。"

"好。"

这小伙子嘴里答应着，却又蹲了下去，开始用草帽扇风。

他们看着他，等了半天，这小伙子居然连一点站起来的意思都没有。

丁喜忍不住道："你的牛肉和酒自己会走过来？"

赶车的小伙子道："不会。"

他连头都没有抬，又道："牛肉和酒不会走路，可是你们会走路。"

丁喜笑了。

小伙子道："我只卖酒，不卖人，所以……"

丁喜道："所以我们只要想喝酒，就得自己走过去拿了。"

小伙子道："拿完之后，再自己走过来付账。"

马车虽然并不新，门窗上却挂着很细密的竹帘子，走到车前，酒香更浓。

“这小伙子的人虽然不太怎么样，卖的酒倒真是顶好的酒。”

“只要酒好，别的事就全部可以马虎一点了。”

邓定侯先走过去，掀起了竹帘。

邓定侯怔住。

丁喜跟着走过去，往车厢里一看。

丁喜也怔住。

一个人舒舒服服地坐在车厢里，手里拿着一大杯酒，正咧着嘴，看着他们直笑。

这个人的嘴表情真多。

这个人赫然竟是“福星高照”归东景。

车厢里凉爽而宽敞，丁喜和邓定侯都已坐下来，就坐在归东景对面。

归东景看着他们，一会儿咧着嘴笑，一会儿撇着嘴笑，忽然道：“你们刚才说的老乌龟是谁？”

邓定侯道：“你猜呢？”

归东景道：“好像就是我。”

邓定侯道：“猜对了。”

归东景道：“你准备撕下我的耳朵？”

邓定侯道：“先打门牙，再撕耳朵。”

归东景叹了口气，道：“你们能不能先喝酒吃肉，再打人撕耳朵？”

邓定侯看看丁喜。

丁喜道：“能。”

于是他们就开始喝酒吃肉，喝得不多，吃得倒真不少。

切好了的三大盘牛肉，转眼间就一扫而空，归东景又叹了口气，道："你们准备什么时候动手？"

邓定侯道："等你先看看六封信。"

六封信拿出来，归东景只看了一封："这些信当然不是你亲笔写的。"

邓定侯道："不是。"

归东景苦笑道："既然不是你写的，当然就一定是我写的。"

邓定侯道："你承认？"

归东景叹道："看来我就算不想承认也不行了。"

丁喜道："谁说不行？"

归东景道："行？"

丁喜道："你根本就不必承认，因为……"

邓定侯紧接着道："因为这六封信，根本就不是你写的。"

归东景自己反而好像很意外，道："你们怎么知道这不是我写的？"

丁喜道："饿虎岗上的人，不是大强盗，就是小强盗，冤家对头也不知有多少。"

邓定侯道："这些人就算要下山比武决斗，也绝不该到处招摇，让大家都知道。"

丁喜道："因为他们就算不怕官府追捕，也应该提防仇家找去，他们的行踪一向都怕别人知道。"

邓定侯道："可是这一次他们却招摇得厉害，好像唯恐别人不知道似的。"

丁喜道："你猜他们这是为了什么？"

归东景道："我不是聪明的丁喜，我猜不出。"

邓定侯道："我也不是聪明的丁喜，但我却也看出了一点苗头。"

归东景道："哦？"

邓定侯道："他们这么样做，好像是故意制造机会。"

邓定侯接道："好让我们上饿虎岗去拿这六封信。"

归东景道："你既然知道这六封信不是你自己写的，就一定会怀疑我了。"

邓定侯道："于是我就要去打你的门牙，撕你的耳朵。"

归东景道："到时我就算否认，也一定没有人会相信。"

丁喜道："于是那个真正的奸细，就可以拍着手在旁边看笑话了。"

归东景不解道："饿虎岗上的好汉们，为什么要替我们的奸细做这种事情？"

丁喜道："因为这个人既然是你们的奸细，就一定对他们有利。"

归东景道："你呢？你不知道这回事？"

丁喜笑了笑，道："聪明的丁喜，也有做糊涂事的时候，这次我好像就做了被人利用的工具。"

归东景也笑了，道："幸好你并不是真糊涂，也不是假聪明。"

邓定侯道："所以现在你耳朵还没有被撕下来，牙齿也还在嘴里。"

归东景盯视着他，忽然问道："我们是不是多年的朋友？"

邓定侯道："是。"

归东景道："现在我们又是好伙伴。"

邓定侯道："不错。"

归东景指着丁喜，道："这小子是不是被我们抓来的那个劫镖贼？"

邓定侯微笑点头。

归东景叹息着，苦笑道："可是现在看起来，你们反而像是好朋友，我倒像是被你们抓住了。”

丁喜笑道：“你绝不会像是个小贼。”

归东景道：“哦？”

丁喜道：“你就算是贼，也一定是个大贼。”

归东景道：“为什么？”

丁喜道：“小贼唯恐别人说他糊涂，所以总是要做出聪明的样子；大贼唯恐别人知道他聪明，所以总是喜欢装糊涂，而且总是装得很像。”

归东景大笑，道：“讨人欢喜的丁喜，果然是真的讨人欢喜。”

他大笑着站起来，拍了拍丁喜的肩，道：“这辆马车我送给你，车里的酒也送给你。”

丁喜道：“为什么给我？”

归东景道：“你喝了酒之后，就喜欢送人东西，我也喜欢你。”

丁喜道：“你自己呢？”

归东景笑道：“我既然已没有嫌疑，最好还是赶快溜开，否则就得陪着你伤透脑筋了。”

归东景道：“奸细既然不是我，也不是老邓，那么能跟饿虎岗串通的，怎么会知道你们要来？”

他摇着头，微笑道：“这些问题全部伤脑筋得很，我是个糊涂人，又懒又笨，遇着要伤脑筋去想的事，一向都溜得很快。”

他居然真的说溜就溜。

丁喜看着邓定侯，邓定侯看看丁喜，两个人一点法子也没有。

归东景跳下马车，忽又回头，道：“还有件事我要问你。”

丁喜道：“什么事？”

归东景道：“你们既然已怀疑我是奸细，怎么会忽然改变主意的？”

丁喜笑了笑，道："因为我喜欢你的嘴。"

归东景看着他，摸了摸自己的嘴，喃喃道："这理由好像还不错，我这张嘴也实在很不错。"

只说了这两句话，他的嘴已改变了四种表情，然后就大笑着扬长而去，却将一大堆伤脑筋的问题，留给了邓定侯和丁喜。

邓定侯叹了口气，苦笑道："这人实在有福气，有些人好像天生就有福气，有些人却好像天生就得随时伤脑筋的。"

丁喜道："哦？"

邓定侯道："他刚才既然说出了那些问题，现在我就算想不伤脑筋都不行了。"

丁喜同意。

邓定侯道："有可能知道我们已到饿虎岗来的，除了我们外，只有百里长青、姜新和西门胜。"

丁喜道："不错。"

邓定侯道："现在看起来，嫌疑最大的就是西门胜了。"

丁喜道："因为他亲耳听见我们的计划。"

邓定侯道："也因为他九份纯利中，只能占一份。"

丁喜道："可是他却已被归东景派出去走镖了。"

邓定侯苦笑道："所以我才伤透脑筋。"

丁喜道："百里长青呢？"

邓定侯道："两个月之前，他就已启程回关东了。"

丁喜道："现在有嫌疑的人岂非已只剩下了'玉豹'姜新？"

邓定侯道："算来算去，现在的确好像已只剩下他，只可惜他已在床上躺了六个月，病得连站都站不起来了。"

他苦笑着又道："据说他得的是色痨，所以姜家上上下下都守口如瓶，不许把这些消息泄露。"

丁喜怔了一怔，道："这么样说来，有嫌疑的人，岂非连一个都没有？"

邓定侯叹道："所以我更伤脑筋。"

丁喜的眼珠转了转，忽又笑道："我教你个法子，你就可以不必伤脑筋了。"

邓定侯精神一振，问道："什么法子？"

丁喜道："这些问题你既然想不通，为什么不去问别人？"

邓定侯立刻又泄了气，喃喃道："这算是个什么法子？"

丁喜道："算是个又简单又有效的法子。"

邓定侯道："这些问题，我能去问谁？"

丁喜道："去问'无孔不入'万通。"

邓定侯精神又一振。

丁喜道："熊家大院的决战那么招摇，一定是他安排的，和你们那边奸细勾结的人，也一定就是他。"

邓定侯道："至少他总有份。"

丁喜道："所以他就一定会知道那奸细是谁。"

邓定侯跳起来，拉住丁喜，道："既然如此，我们为什么还不走？"

丁喜却懒洋洋地躺了下去，微笑道："莫忘我已是有车阶级，为什么还要走路？"

02

他们赶到熊家大院时，熊九太爷正在他那平坦广阔、设备完美的练武场上负手漫步。

他平生有三件最引以为傲的事，这练武场就是其中之一。

自从他退休之后，的确已在这里造就过不少英才，使得附近的乡里子弟，全部变成了身体强壮的青年。

现在他温柔可爱的妻子已故去多年，儿女又远在他方，这练武场几乎已成为他精神上最大的安慰和寄托。

阳光灿烂，是正午。

七月初六的正午。

练武场上柔细的沙子，在太阳下闪闪发光，他平秃的头顶，赤红的脸，在阳光下看来，亮得几乎比两旁兵器架上的枪还耀眼。

他是个健硕开朗的老人，仪表修洁，衣着考究，无论谁都休想从他身上找出一点老人的蹒跚臃肿之态。

丁喜和邓定侯已在应有的礼貌范围内，仔细地观察他很久。

他们只希望自己到了这种年纪时，也能有他这样的精神风度。

在骄阳的热力下，连远山吹来的风都变得懒洋洋的，提不起劲来。

老人“唰”地展开手中折扇，扇面上四个墨迹淋漓的大字：清风徐来。

这四个字看来好像很平凡，很庸俗，但你若仔细咀嚼，就能领略到其中滋味。

熊九太爷轻摇着折扇，已带领着丁喜和邓定侯四面巡视了一周，脸上带着一种骄傲而满足的微笑，道："这地方怎么样？"

邓定侯道："很好，好极了。"

他们只能说很好，但他们说的也并不是虚伪的客气话，而是真心话。

熊九太爷微笑道："这地方纵然不好，至少总算还不小，就算同时有两三千人要进来，这里也照样可以容纳得下。"

邓定侯同意，他们就这么样走一圈，已走了一顿饭的工夫。

熊九太爷道："一个人十两，三千人就三万两，别人在拼命，他们却发财了。"

邓定侯道："这件事前辈也知道？"

熊九太爷纵声大笑道："他们以为我不知道，以为给我戴上顶高帽子，就可以利用我，却不知我年纪虽老了，却还不是老糊涂。"

邓定侯试探着道："前辈这么样做，莫非别有深意？"

熊九太爷笑说道："我这里排场虽摆得大，却是个空架子，经常缺钱用。"

邓定侯道："我听说过，贫穷人家的子弟到这里来练武，前辈不但管吃管用，还负责照顾他们的家小。"

熊九太爷点点头，目中露出种狡黠的笑意，道："这笔开销实在很大，可是有了三万两银子，至少就可以应付个三五年。"

邓定侯也不禁微笑。

现在他才明白熊九的意思，原来这老人竟早已准备黑吃黑。

熊九太爷用一双炯炯有光的眼睛，直视着面前这两个人，忽又笑了笑，道："两位远来，我直到现在还未曾请教过两位的高姓大名，两位一定以为我礼貌疏缓，倚老卖老。"

邓定侯道："不敢。"

熊九太爷笑道："阁下想必就是'神拳小诸葛'邓定侯了。"

邓定侯怔了一怔，道："前辈怎么知道的？"

熊九太爷道："一个三四十岁的年轻人，除了神拳小诸葛外，谁能有这样的风采，这样的气概？"

他目中忽又露出那种狡黠的笑意，道："何况，远在多年前，我就已见过阁下的真面目了，否则我还是一样认不出来的。"

邓定侯又笑了。

他忽然发现这老人的狡黠，非但不可恨，而且很可爱的。

熊九太爷已转向丁喜，道："这位少年人，我倒眼生得很。"

丁喜道："在下姓丁，丁喜。"

熊九道："就是那个聪明的丁喜吗？"

丁喜道："不敢。"

熊九太爷又上下打量他几眼，笑道："好，果然是一副又聪明又讨人喜欢的样子。"

他微笑着，忽然出手，五指虚拿，闪电般去扣丁喜的手腕。

这招正是他当年成名的绝技，"三十六路大擒拿手"。

他的出手不但迅速、准确，而且虚实相间，变化很多。

丁喜直等到脉门已被他扣住，手腕轻轻一翻，立刻又滑出。

老人脸色变了。

三十年来，江湖中还没有一个人能在他掌握下滑脱的。

他看着自己的手，忽又大笑，道："好，果然是英雄出少年，看来我真的已老了。"

丁喜微笑道："可是你双手却还没老，心更没老。"

熊九大笑，拍着丁喜的肩，道："好小子，真是个好小子，你下次若是劫了镖，有剩下的银子，千万莫忘记送来给我，我也缺钱用。"

丁喜道："前辈昨天岂非还赚了三万两？"

熊九道："连一两都没赚到。"

丁喜道："日月双枪和霸王枪的决斗，难道会没有人来看？"

熊九道："有人来看，却没有人决斗。"

丁喜愕然道："为什么？"

熊九道："因为王大小姐根本就没有来。"

丁喜怔住。

邓定侯忍不住问道："饿虎岗上的那些好汉们呢？"

熊九道："他们听人说起王大小姐和金枪徐的那一战，就全都赶到杏花村去了。"

邓定侯立刻躬身道："告辞。"

熊九道："你们也想赶到杏花村去？"

邓定侯点点头。

老人眼里第三次露出那种有趣而狡黠的笑意，道："到了那里，千万莫忘记替我问候那朵红杏花，就说我还是不嫌她老，还等着她来找我。"

车马已启行，熊九太爷还站在门外，带着笑向他们挥手。

从画窗里望去，他的人愈来愈小，头顶却愈来愈亮。

邓定侯忽然笑道："其实我也早就见过他了，只不过一直懒得跟他打交道而已。"

丁喜道："为什么？"

邓定侯道："因为我一直以为他只不过是个昏庸自大的老头子，想不到……"

丁喜道："想不到他却是条老狐狸？"

邓定侯点点头，微笑道："而且是条很可爱的老狐狸。"

丁喜伸直了双腿，架在对面的位置上，忽然自己一个人笑了起来，笑个不停。

邓定侯道："你笑什么？"

丁喜笑道："假如我们真的能替他跟红杏花撮合，让他们配成一对，那岂非一定很有趣？"

邓定侯大笑，道："假如你真有这么大的本事，我情愿输给你五百桌酒席。"

丁喜的人立刻又坐直了，道："真的？"

邓定侯道："只要你能叫那老太婆来找他，我就认输了。"

丁喜道："一言为定？"

邓定侯道："一言为定。"

其实他心里也知道聪明的丁喜一定有这种本事，可是他却情愿输。

因为他从来也没有见过熊九和红杏花这么年轻的老人。

所以他们就应该永远有享受青春欢乐的权利。

所以他希望他们真的能生活在一起。

他也相信，假如这世上真的还有一个人能让那老妖精去找那老狐狸，这个人一定就是丁喜。

03

红杏花忽然从藤椅中跳起来，跳得足足有八尺高，人还没有落下来，就一把揪住了丁喜的衣襟，大声道："什么？你说什么？"

丁喜赔笑道："我什么都没有说，什么话都是那老狐狸说的。"

红杏花瞪眼道："他真的说我怕他？"

丁喜道："他还跟我打赌，说你绝不敢走进熊家大院一步。"

他做出一副不服气，一副要替红杏花打抱不平的样子，他恨恨地道：“最气人的是，他居然还认为你一直都想嫁给他，他却不要你。”

红杏花又跳了起来：“你最好弄清楚，是他不要我，还是我不要他。”

丁喜道：“当然你不要他。”

红杏花道：“为什么？”

丁喜叹道：“因为我知道这种死无对证的事，是永远也弄不清楚的，就让他自己去自我陶醉，我倒也不会少掉一块肉。”

红杏花瞪着他，忽然反手给了他一记耳光，又顺手打碎了酒壶，然后就像是条被人踩疼了尾巴的猫一样，冲了出去。

丁喜摸着自己的脸，喃喃道：“看来这次她真的生气了。”

邓定侯道：“你看得出？”

丁喜苦笑道：“我看不出，却摸得出，我至少已挨过她七八十个耳光，只有这次她打得最重。”

邓定侯道：“就因为打得重，可见她早已对那老狐狸动了心，只不过自己想想，毕竟已有了一大把年纪，总不好意思临老还要上花轿。”

丁喜大笑道：“答对了，有奖。”

邓定侯叹了口气道：“我本来一直认为这法子很不高明，想不到你用来对付她，倒真的很有效。”

丁喜道：“所以现在你已经在后悔，本不该跟我打赌的。”

邓定侯故意冷笑道：“难道你认为我现在已经输了吗？”

丁喜道：“难道你认为你自己现在还没输？”

邓定侯淡然道：“你怎么知道她一定是到熊家大院去的？”

丁喜道：“我当然知道。”

邓定侯道：“她连一点行李也没有带，连一样事都没有交代，就会这样走了？”

丁喜微笑道："她不想走的时候，你就算用火烧了她的房子，她还是一样会动也不动地坐在房子里。"

一直斜倚在旁边软榻上的小马，忽然也笑了笑，接着道："她若想到一个地方，就算光着屁股，也一定会去的。"

邓定侯忍不住大笑，道："看来你们两个人的确都很了解她。"

丁喜道："哦？"

小马道："她明明知道我宁可让伤口烂出蛆来，也不愿这么样躺在床上的。"

他整个人就像是件送给情人的精美礼物一样，被人仔仔细细地包扎了起来。

邓定侯看着他，笑道："幸好你这次总算听了她的话，伤口里若真的烂出蛆来，那滋味我保证一定比这样躺着还难受得多。"

丁喜也同样在看着这个像礼物般被包扎得很好的人，眼睛里连一点笑意都没有，却带着种很奇怪的表情，忽然问道："岳麟、万通他们还没有来？"

小马显得很诧异，反问道："他们会来？"

丁喜慢慢地点了点头，目光不停地往四面搜索，就像是条猎狗。

一条已嗅到了猎物气味的猎狗。

小马道："你在找什么？"

丁喜道："狐狸。"

小马笑了，一笑起来，他的伤口就痛，所以笑得很勉强。

邓定侯忍不住问道："这屋子里有狐狸？"

丁喜道："可能。"

邓定侯道："老狐狸在熊家大院。"

丁喜道："小狐狸却可能在里面。"

邓定侯道："是公的，还是母的？"

丁喜道："当然是母的。"

邓定侯也笑了。就在这时，只听"哗啦啦"一声响，好像有人同时摔破了七八个杯子。

这间房是红杏花的私室，外面才是贩卖酒的地方。

小马皱眉道："这一定是老许伺候得不周到，客人们发了脾气。"

老许就是杏花村唯一的伙计，又老又聋，而且还时常偷喝酒。

这时外面又是"哗啦啦"一声响，酒壶酒杯又被摔破了不少。

邓定侯也不禁皱起了眉，道："这位客人的脾气也未免太大了。"

小马眼珠子转了转，道："岳老大的脾气一向不小，不知道来的是不是他？"

这句话还没有说完，丁喜已冲了出去，邓定侯也跟着冲了出去。

小马看着他们冲出门。

小马忽然长长叹了口气，就好像放下副很重的担子。

只听外面一个人大声道："是你，你居然还没有走？"

这人的声音沙哑低沉，果然是"日月双枪"岳麟的声音。

另外一人道："我们等你已经等得快要急出病来了，你却躲在这里喝酒。"

这人的声音又尖又高，恰好跟岳麟相反，却是兵麟的死党，"活陈平"陈准。

活陈平和立地分金一向形影不离，他既然来了，赵大秤当然也在。

"万通呢？"

这是丁喜的声音。

万通的胆子最小，从来不肯落单，别人都来了，他怎么会没有来？

岳麟道："你要找他？"

丁喜道："嗯。"

岳麟冷冷道："他好像也正想找你。"

丁喜道："他的人在哪里？"

陈准道："就在附近，不远。"

赵大秤道："只要你有空，我们随时都可以带你去找他。"

三个人说话的声音都很奇怪，竟像是隐藏着什么阴谋一样。

——他们对丁喜会有什么阴谋？

小马又皱起了眉，挣扎着想爬起来，可是他身后却忽然伸出了一只手，按住了他的肩。

屋子里本来没有别的人，这人是哪里来的？难道是从他后面的衣柜里钻出来的？

小马显然早已知道衣柜里有人，所以一点也不觉得惊奇意外，却压低了声音，道："快躲进去，说不定他们马上就会进来。"

"不会的。"这人也压低了声音，俯在他肩上轻轻耳语。

"丁喜好像急着要找万通，一定会马上就跟着他们去。"

小马道："他就算要走，也一定会先进来告诉我一声的。"

这人道："也不会。"

小马道："为什么？"

这人道："因为他怕别人跟着他进来，他不愿意别人看见你这样子。"

小马还没有开口，已经听见丁喜在外面大声道："好。"

岳麟道："外面那辆马车是你的吗？"

丁喜道："是别人送给我的。"

陈准冷笑道："原来小丁现在交的都是阔朋友，所以才会把我们忘记了。"

赵大秤道："能交到阔朋友也是好事，我们秃子跟着月亮走，多多少少也可以沾点光。”

几个人冷言冷语，终于还是跟着丁喜一起走了出去，大家谁都没有问起邓定侯。

“神拳小诸葛”名头虽响，黑道朋友见过他真面目的却不多。

脚步声忽然就已去远了，外面只剩下老许一个人在骂街。

“你他娘的是什么玩意儿，乱砸杯子干什么？我操你娘。”

然后外面又传来一阵车辚马嘶声，转眼间也已去得很远。

小马的手和按在他肩上的那只手紧紧地握在一起，就好像彼此都再也舍不得放开。

04

车子里坐七个人虽然还不算太挤，可是邓定侯已被挤到角落里。

因为坐在他这边的几个人，有两个是大块头，尤其是其中一个手里提着把开山大斧的，一条腿就比陈准整个人都重。

“这个人一定就是大力金刚。”

邓定侯看来像是已睡着，其实却一直在观察着这些人。

尤其是岳麟——一个人被称作“老大”，总不会没有原因的。

岳老大的身材并不高大，肩却极宽，腰是扁的，四肢长而有力，只要一抬手，就可以看见一块块肌肉在衣服里跳动不停。

他的脸上却很少有什么表情，古铜色的皮肤，浓眉狮鼻，却长着双三角眼，眼睛里精光四射，凛凛有威。虽然一坐上车就没有动过，看起来却像是条随时随地都准备扑起来择人而噬的山豹子。

“这个人看来不但剽悍勇猛，而且还一定是天生神力。”

邓定侯又从他的手，看到他所拿的枪。

他的手宽阔粗糙，他总是把手平平地放在自己膝盖上，除了小指外，其余的指甲都剪得很秃，仔细一看，才看得出是用牙齿咬的。

“这个人的外表虽然冷酷无情，心里却一定很不平静。”

邓定侯观人于微，知道只有内心充满矛盾不安的人，才会咬指甲。

那对分量极重的“日月双枪”并不在他手里，两杆枪外面也都用布袋套着，也有个人专门跟着他，为他提枪。

这人也是个彪形大汉，看来比大力神更精悍，此刻就坐在岳麟对面，一双手始终没有离开过枪袋，甚至连目光都没有离开过。

陈准却是个很瘦小的人，长得就像是那种从来也没有做过蚀本买卖的生意人一样，脸上不笑时也像是带着诡笑似的。

他们一直都在笑眯眯地看着丁喜，竟像是完全没有注意到车子里还有邓定侯这么样一个人。

丁喜当然也不会急着替他们介绍，微笑着道：“你们本来是不是准备到杏花村去喝酒的？”

岳麟板着脸道：“我们不是去喝酒，难道还是去找那老巫婆的？”

想喝酒的人，喝不到酒，脾气当然难免会大些。

丁喜笑了笑，从车座下提出了一坛酒，拍开了封泥，酒香扑鼻。

陈准深深吸了口气，道：“好酒。”

赵大秤皮笑肉不笑，悠然道：“小丁果然愈来愈阔了，居然能喝得起这种好几十两银子一坛的陈年女儿红，真是了不得。”

陈准笑道：“也许这只不过是什么大小姐、小姑娘送给他的定情礼。”

大力金刚忽然大声道：“不管这酒是怎么来的，人家总算拿出来请我们喝了，我们为什么还要说他的坏话？”

岳麟道：“对，我们先喝了酒再说。”

他一把抢过酒坛子，对着口“咕噜咕噜”地往下灌，一口气至少就已喝了一斤。

陈准忽又叹了口气，道：“这么好的酒，百年难遇，万通却喝不到，看来这小子真是没福气。”

丁喜道：“对了，我刚才还在奇怪，他为什么今天没有跟你们在一起？”

陈准道：“我们走的时候，他还在睡觉。”

丁喜道：“在哪里？”

陈准道：“就在前面的一个尼姑庙里。”

丁喜道：“尼姑庙？为什么睡在尼姑庙里？”

陈准带笑道：“因为那庙里的尼姑，一个比一个年轻，一个比一个漂亮。”

丁喜道：“尼姑他也想动？”

陈准道：“你难道已忘了他的外号叫什么？”

丁喜大笑。

陈准眯着眼笑道：“无孔不入的意思就是无孔不入，一个人的名字会叫错，外号总不会错的。”

05

青山下，绿树林里，露出了红墙一角，乌木横匾上有三个金漆剥落的大字“观音庵”。

你走遍天下，无论走到哪里，都一定可以找到个叫“观音庵”的尼姑庙，就好像到处都有叫“杏花村”的酒家一样。

尼姑庵里出来应门的当然是个尼姑，只可惜这尼姑既不年轻，也不漂亮。

事实上，这尼姑简直比红杏花还老。

就算天仙一样的女人，到了这种年纪，都绝不会漂亮的。

丁喜看了陈准一眼，笑了笑。

陈准也笑了笑，压低声音道："我是说一个比一个年轻，一个比一个漂亮，这是最老最丑的一个，所以只够资格替人开门。"

丁喜道："最年轻的一个呢？"

陈准道："最年轻的一个，当然在万通那小子的屋里了。"

丁喜道："他还在？"

陈准道："一定在。"

他脸上又露出那种诡秘的笑，道："现在就算有人拿扫把赶他，他也绝不会走。"

他们穿过佛殿，穿过后院，梧桐下一间禅房门窗紧闭，寂无人声。

"万通就在里面？"

"嗯。"

"看来他睡得就像是个死人一样。"

"像极了。"

老尼姑走在最前面，轻轻敲了一下门，门里就有个尼姑垂首合十，慢慢地走了出来。

这尼姑果然年轻多了，至少要比应门的老尼姑年轻七八岁。

应门的尼姑至少已有七八十岁。

丁喜忍不住问道："这就是最年轻的一个？"

陈准道："好像是的。"

丁喜笑了。

陈准道："我们也许会嫌她年纪大了些，万通却绝不挑剔。"

丁喜道：“哦？”

陈准道：“因为现在无论什么样的女人，对他说来，都是完全一模一样的。”

丁喜道：“为什么？”

陈准道：“因为……”

他没有说下去，也不必说下去，因为丁喜已看见了万通。

万通已是个死人。

06

屋子里光线很阴暗，一口棺材，摆在窗下，万通就躺在棺材里。

他身上穿着的，还是他平时最喜欢穿的那身蓝绸子衣服。

衣服上没有血渍，他身上也没有伤口，但他的的确确已死了，死了很久。

他的脸蜡黄干瘦，身子已冰冷僵硬。

丁喜深深吸了口气，道：“他是什么时候死的？”

岳麟道：“昨天晚上。”

丁喜道：“是怎样死的？”

岳麟道：“你看不出？”

丁喜道：“我看不出。”

岳麟冷笑道：“那么你就应该再仔细看看，多看几眼了。”

陈准道：“最好先解开他的衣襟再看。”

丁喜迟疑着，推开窗子。

七月黄昏时的夕阳从窗外照进来，照在棺材里的死人身上。

丁喜忽然发现他前胸有块衣襟，颜色和别的地方有显著的不同，就像是秋天的树叶一样，已渐渐开始枯黄腐烂了。

岳麟冷冷道："现在你还看不出什么？"

丁喜摇摇头。岳麟冷笑着，忽然出手，一股凌厉的掌风掠过，这片衣襟就落叶般被吹了起来，露出了他蜡黄干瘦的胸膛，也露出了那致命的伤痕。

一块紫红色的伤痕，没有血，连皮都没有破。

丁喜又深深吸了口气，道："这好像是拳头打出来的。"

岳麟冷笑道："你现在总算看出来了。"

丁喜道："一拳就已致命，这人的拳头好大力气。"

陈准道："力气大没有用，还得有特别的功夫才行。"

丁喜承认。

陈准道："你看不出这是什么功夫？"

丁喜迟疑着，道："你看呢？"

陈准道："无论哪一门，哪一派的拳法，就算能一拳打死人，伤痕也不会是紫红的。"

丁喜道："不错。"

陈准道："普天之下，只有一种拳法是例外的。"

丁喜道："哪种拳法？"

陈准道："少林神拳。"

他盯着丁喜，冷冷道："其实我根本不必说，你也一定知道。"

陈准道："你再仔细看看，万通的骨头断了没有？"

丁喜道："没有。"

陈准道："皮破了没有？"

丁喜道："没有。"

陈准道："假如有一个人一拳打死你，你死了之后，骨头连一根都没有断，皮肉连一点都没伤，你看这个人用的是哪种拳法？"

丁喜道："少林神拳。"

陈准道："会少林神拳的人虽然不少，能练到这种火候的人有几个？"

丁喜道："不多。"

陈准道："不多是多少？"

丁喜道："大概……大概不会超过五个。"

陈准道："少林掌门当然是其中之一。"

丁喜点点头。

陈准道："少林南宗的掌门人，当然也是其中之一了。"

丁喜又是点点头。

陈准道："嵩山本寺的那两位护法长老算不算在内？"

丁喜道："算。"

陈准道："还有一个，你看是谁呢？"

丁喜不说话了。

陈准忽然又笑了笑，转向邓定侯，道："这些问题我本来都不该问他的，因为你知道得一定比他清楚。"

邓定侯道："我为什么应该知道？"

陈准笑了笑道："因为你就是这个人。"

赵大秤道："除了少林四大高僧外，唯一能将少林神拳练到这种火候的人，就是'神拳小诸葛'邓定侯。"

陈准道："所以昨天晚上杀了万通的人，也一定就是邓定侯。"

岳麟冷冷地看着丁喜，冷冷道："现在我只问你，你这朋友是不是邓定侯？"

丁喜叹了口气，苦笑道："这问题你也该问他的，他比我清楚得多。"

邓定侯道："我却有件事不清楚。"

岳麟道："你说。"

邓定侯道："我为什么要杀万通？"

岳麟道："这问题我也正想问你。"

邓定侯道："我想不出。"

岳麟道："我也想不出。"

邓定侯苦笑道："我自己也想不出，我也根本没理由要杀他。"

岳麟道："但你却杀了他，所以更该死。"

邓定侯道："你有没有想到过，也许根本不是我杀了他的？"

岳麟道："没有。"

邓定侯叹了口气，道："难道你真是个完全不讲理的人？"

岳麟道："我若是时常跟别人讲理的话，现在早已死了不知多少次。"

他转向丁喜，忽然问道："我是不是一直将你当作自己的兄弟？"

丁喜承认。

岳麟道："我在有酒喝的时候，是不是总会分给你一半，我在有十两银的时候，是不是总会给你五两的？"

丁喜点头。

岳麟瞪着他，道："那么你现在准备站在哪一边？你说。"

丁喜在心里叹了口气，他早就知道岳麟一定会给他这么样一个选择。

——不是朋友，就是对头。

——不是你死，就是我死。

干他们这一行的人，就像是原野中的野兽一样，永远有他们自己简单独特的生活原则。

岳麟冷冷笑道："假如你想站在他那边，帮他杀了我，我也不会怪你，卖友求荣的人很多，而你并不是第一个。"

丁喜看看他，又看了看邓定侯，道："我们难道就这样杀了他？"

岳麟道："他既然来了，就非死不可。"

丁喜道："我们难道连一点辩白的机会都不给他？"

岳麟道："你想必也该知道，我们杀人的时候，绝不给对方一点机会，任何机会都不给。"

丁喜道："因为辩白的机会，时常都会变成逃走的机会。"

岳麟道："不错。"

丁喜道："只不过，我们若是杀错了人呢？"

岳麟冷冷道："我们杀错人的时候也很多，这也不是第一次。"

丁喜道："所以他就算冤枉，死了也是活该。"

岳麟道："不错。"

丁喜笑了笑，转向邓定侯，道："这样看来，你恐怕只有认命了。"

邓定侯苦笑。

丁喜道："你本就不该学少林神拳的，更不该叫邓定侯。"

邓定侯道："所以我错了。"

丁喜道："错得很厉害。"

邓定侯道："所以我该死。"

丁喜道："你想怎么样死？"

邓定侯道："你看呢？"

丁喜又笑了笑，道："我看你最好买块豆腐来一头撞死。"

他忽然出手，以掌缘猛砍邓定侯的咽喉。

这是致命的一击，他们的出手，也像是野兽扑人一样，凶猛、狠毒、准确，绝不容对方有一点喘息的准备机会。

先打个招呼再出手，在他们眼中看来，只不过是孩子们玩的把戏，可笑而幼稚。

——不是你死，就是我死，一个人也只能死一次。

这一击之迅速凶恶，竟使得邓定侯也不能闪避，眼看着丁喜的手掌已切上他的喉结，岳麟目中不觉露出了笑意。

这件事解决得远比他想象中还容易。

——无论什么事情，只要你处理时用的方法正确，就一定会顺利解决的。

岳麟正对自己所用的方法觉得满意时，丁喜这一击竟突然改变了方向，五指突然缩回，接着就是一个肘拳打在岳麟左肋软骨下的穴道上。

这一击更是迅速准确，岳麟竟完全没有招架抵挡的余地。

他立刻就倒了下去。

五虎怒吼着挥拳，提枪的火速撕裂枪袋，用力抽枪，陈准、赵大秤想夺门而出。

只可惜他们所有的动作都慢了一步。

丁喜和邓定侯已双双出手，七招之间，他们四个人也全都倒了下去。

邓定侯长长吐出口气，嘴角带着笑意，道："我果然没有看错你。"

丁喜道："你看得出我不会真的杀了你？"

邓定侯点点头。

丁喜道："你若看错了呢？"

邓定侯道："看错了就真的该死了。"

丁喜笑了笑，道："不管怎么样，你倒是真沉得住气。"

岳麟虽已倒在地上，却还是狠狠地瞪着他，眼睛里充满了怨毒和仇恨。

丁喜微笑道："你也用不着生气，卖友求荣的人，我又不是第一个。”

邓定侯笑道：“也绝不是最后一个。”

丁喜道：“何况我这样做，只不过因为我知道这个人绝对没有杀死万通，昨天晚上，我一直都跟他在一起。”

邓定侯道：“我虽然练过少林神拳，却没练过分身术。”

丁喜道：“只可惜你们根本不听他解释，所以我只有请你们在这里休息休息，等我查出了真凶，我再带着酒去找你们赔罪了。”

他实在不愿再去看这些恶毒的眼睛，说完了这句话，拉着邓定侯就走。

邓定侯道：“现在我们到哪里去呢？”

丁喜道：“去找人。”

邓定侯道：“找尼姑？”

丁喜淡淡地道：“我对尼姑一向没有兴趣，不管大尼姑、小尼姑都是一样。”

刚才那两个尼姑本来还站在院子里，现在正想开溜，却已迟了。

丁喜已蹿出去，一只手抓住了一个。

老尼姑吓得整个人都软了，颤声道：“我今年已七十三，你……你要找，就该找她。”

丁喜笑了，邓定侯大笑。

慧能本已吓白的脸，却又涨得通红，无论谁都绝不会想到现在她心里是什么滋味。

丁喜笑道：“原来尼姑也一样会出卖尼姑的。”

邓定侯笑道：“尼姑也是人，而且是女人。”

他微笑着拍了拍慧能的肩膀，道：“你用不着害怕，这个人绝不会做出什么太可怕的事，最多只不过……”

丁喜好像生怕他再说下去，立刻抢着道：“最多只不过问你们几句话。”

慧能终于抬起头来看了他一眼，可以保证，绝没有任何人能看得出，她的眼色是庆幸，还是失望。

丁喜只好装作看不见，轻轻咳嗽两声，沉下脸，道：“屋子里那些人是什么时候来的？”

慧能道：“昨天半夜。”

丁喜道：“来的是几个人？”

慧能颤抖着，伸出一只手。

丁喜道：“四个活人，一个死人？”

慧能道：“五个活人。”

老尼姑抢着道：“可是今天他们出去的时候，却已只剩下四个人。”

丁喜眼睛亮了，道：“还有一个人在哪里？”

老尼姑道：“不知道。”

丁喜道：“真的不知道？”

老尼姑道：“我只知道昨天晚上他们曾经到后面的小土地庙里去过一趟。”

丁喜道：“那里有什么人？”

老尼姑道：“什么人都没有，只有个地窖。”

邓定侯的眼睛也亮了。

邓定侯道：“你知道少了的那个人是谁？”

丁喜道：“一定是小苏秦，苏小波。”

邓定侯道：“他是个什么样的人呢？”

丁喜道：“是个很多嘴的人，你若想要他保守秘密，唯一的法子就是……”

邓定侯道：“就是杀了他？”

丁喜笑了笑，道："但你若是他大舅子，就该怎么办呢？"

邓定侯道："我当然不能让我妹子做寡妇。"

丁喜道："当然不能。"

邓定侯道："所以我只有把他关在地窖里。"

丁喜大笑，道："小诸葛果然不愧是小诸葛。"

邓定侯道："小诸葛并不是他大舅子。"

丁喜道："岳麟却是的。"

邓定侯叹了口气，道："假如他妹妹也跟他是一样的脾气，苏小波就不如还是死了的好。"

丁喜忽然皱起了眉，道："你不是他大舅子，那凶手也不是。"

邓定侯道："所以他随时随地都可能把苏小波杀了灭口。"

丁喜道："所以我们若还想从苏小波嘴里问出一点秘密，就应该赶快到那土地庙去。"

第八章

天才凶手

01

尼姑庵后面怎么会还有个土地庙？土地庙怎么会有个地窖？

丁喜眼睛里带着种思索的表情，注视着神案下的石板，喃喃道："这个尼姑庵里面，以前一定有个花尼姑，才会特地盖了个这么样的土地庙。"

邓定侯忍不住问："为什么？"

丁喜道："因为在尼姑庵里没法子跟男人幽会，这里却很方便。"

邓定侯笑了："你好像什么事都知道。"

丁喜并不谦虚："我知道的事本来就不少。"

邓定侯道："你知不知道你自己最大的毛病是什么？"

丁喜道："不知道。"

邓定侯道："你最大的毛病，就是太聪明了。"

他微笑着，用手拍了拍丁喜的肩，又道："所以我劝你最好学学那老乌龟，偶尔也装装傻。"

邓定侯道："那么你就会发现，这世界远比你现在所看到的可爱得多了。"

地窖果然就在神案下。

他们掀开石板走进去，阴暗潮湿的空气里，带着种腐朽的臭气，刺激得他们几乎连眼睛都睁不开。

他们睁开眼，第一样看见的，就是一张床。

地窖很小，床却不小，几乎占据了整个地窖的一大半。

邓定侯在心里叹了口气："看来这小子果然没有猜错。"

有两件事丁喜没有猜错——地窖里果然有张床，床上果然有个人，这个人果然是苏小波。

他的人已像是粽子般被捆了起来，闭着眼似已睡着，而且睡得很熟，有人进了地窖，他也没有张开眼睛。

"他睡得简直像死人一样。"

"像极了。"

丁喜的心在往下沉，一步蹿了过去，伸手握住了苏小波的脉门。

苏小波忽然笑了。

丁喜长长吐出口气，摇着头苦笑道："你是不是觉得这样子很好玩？"

苏小波笑道："我也不知道被你骗过多少次，能让你着急一下也是好的。"

丁喜道："你自己一点都不急？"

苏小波道："我知道我死不了的。"

丁喜道："因为岳麟是你大舅子？"

苏小波忽然不笑了，恨恨道："若不是因为我有他这么样一个大舅子，我还不会这么倒霉。"

丁喜道："是他把你关到这里来的？"

苏小波道："把我捆起来的也是他。"

丁喜笑道："是不是因为你在外面偷偷地玩女人，他才替他的妹妹管教你？”

苏小波叫了起来，道：“你也不是不知道，他那宝贝妹妹是个天吃星，我早就被她掏空了，哪有力气到外面来玩女人！”

丁喜道：“那么他为什么要这样子修理你？”

苏小波道：“鬼知道。”

丁喜眨了眨眼，忽然冷笑道：“我知道，一定是因为你杀了万通。”

苏小波又叫了起来，道：“他死的时候我正在厨房里喝牛鞭汤，听见他的叫声，才赶出来的。”

丁喜道：“然后呢？”

苏小波道：“我已经去迟了，连那个人的样子都没有看清楚。”

丁喜眼睛亮起，道：“那个什么人？”

苏小波道：“从万通屋里冲出来的人。”

丁喜道：“你虽然没有看清楚，却还是看见了他？”

苏小波道：“嗯。”

丁喜道：“他是个什么样身材的人？”

苏小波道：“是个身材很高的人，轻功也很高，在我面前一闪，就看不见了。”

丁喜目光闪动，指着邓定侯道：“你看那个人身材是不是很像他？”

苏小波上上下下打量了邓定侯两眼，道：“一点也不像，那个人最少比他高半个头。”

丁喜看着邓定侯，邓定侯也看了看丁喜，忽然道：“姜新和百里长青都不矮。”

丁喜道：“可惜这两个人一个已病得快死了，一个又远在关外。”

邓定侯的眼睛也有光芒闪动，沉吟着道：“关外的人可以回来，生病的人也可能是装病。”

苏小波看着他们，忍不住道：“你们究竟在谈论着什么？”

丁喜笑了笑，道：“你这人怎么愈来愈笨了？我们说的话，你听不懂，别人对你的好处，你也看不出。”

苏小波道：“谁对我有好处？”

丁喜道：“你的大舅子。”

苏小波又叫了起来，道：“他这么样修理我，难道我还应该感激他？”

丁喜笑道：“你的确应该感激他，因为他本该杀了你的。”

苏小波怔了一怔，又道：“为什么？”

丁喜道：“你真的不懂？”

苏小波道：“我简直被弄得糊涂死了。”

丁喜道：“那么你就该赶快问他去。”

苏小波道：“他的人在哪里？”

丁喜手一指道：“就在前面陪着一个死人、两个尼姑睡觉。”

02

黄昏，后院里更阴暗，屋子里也没有燃灯。

死人已不会在乎屋子里是暗是亮。被点住穴道的人，就算在乎也动不了。

苏小波喃喃道：“看来我那大舅子好像真的睡着了。”

丁喜微笑道：“睡得简直就跟死人差不多。”

说到“死人”两个字，他心里忽然一跳，忽然一个箭步蹿过去，撞开了门。

然后他自己也变得好像个死人一样，全身上下都已冰冷僵硬。

屋子里已没有一个活人。

那对百炼精钢打成的日月双枪，竟已被人折断了，断成了四截，一截钉在棺材上，两截飞上屋梁，还有一截，竟钉入了他自己的胸膛。

但他致命的伤口却不是枪伤，是内伤，被少林神拳打出来的内伤。

大力金刚的伤痕也一样。

陈准、赵大秤，都是死在剑下的。

一柄很窄的剑，因为他们眉心之间的伤口只有七分宽。

江湖中人都知道，只有剑南门下弟子的佩剑最窄，却也有一寸二分。

愈窄的剑愈难练，江湖中几乎没有人用过这么窄的剑。

邓定侯看着岳麟和五虎的尸身，苦笑道："看来这两个人又是被我杀了的！"

丁喜没有开口，眼睛一直瞬也不瞬地盯着陈准和赵大秤眉心间的创伤。

邓定侯道："这两个人又是被谁杀了的？"

丁喜道："我。"

邓定侯怔了怔，道："你？"

丁喜笑了笑，忽然一转身，一翻手，手里就多了柄精光四射的短剑。

一尺三寸长的剑，宽仅七分。

邓定侯看了看剑锋，再看了看陈准、赵大秤的伤口，终于明白："那奸细杀了他们灭口，却想要我们来背黑锅。"

丁喜苦笑道："这黑锅可真的不小呢！"

邓定侯道："他先杀了万通灭口，再嫁祸给我，想要你帮着他们杀了我。”

丁喜道：“只可惜我偏偏就不听话。”

邓定侯道：“所以他就索性一不做，二不休，把你也拉下水。”

丁喜道：“岳麟的嘴虽然稳，到底是比不上死人。”

邓定侯道：“所以他索性把岳麟的嘴也一起封了起来。”

丁喜道：“岳麟的朋友不少，弟兄更多，若是知道你杀了他，当然绝不会放过你。”

邓定侯道：“他们放不过我，也少不了你。”

丁喜叹道：“我们在这里狗咬狗，那位仁兄就正好等在那里看热闹，捡便宜。”

苏小波一直站在旁边发怔，此刻才忍不住问道：“你们说的这位仁兄究竟是谁？”

丁喜道：“是个天才。”

苏小波道：“天才？”

丁喜道：“他不但会模仿别人的笔迹，还能模仿别人的武功，不但会用我这种袖中剑，少林百步神拳也练得不错，你说他是不是天才？”

苏小波叹道：“看来这个人真他妈的是个活活的大天才。”他突然想起一个人，“小马呢？”

丁喜道：“我们现在正要去找他。”

苏小波道：“我们？”

丁喜道：“我们的意思，就是你也跟我们一起去找他。”

苏小波道：“我不能去，我至少总得先把岳麟的尸首送回去，不管怎么样，他总是我大舅子。”

丁喜道：“不行。”

苏小波怔了怔，道：“不行？”

丁喜道：“不行的意思，就是从现在起，我走到哪里，你也要跟到哪里。”

他拍着苏小波的肩，微笑道：“从现在起，我们已变得像是一个核桃里的两个仁，分也分不开了。”

苏小波吃惊地看着他，道：“你有没有搞错？我既不是女人，也不是相公。”

丁喜笑道：“就算你是相公，我对你也没什么兴趣的。”

苏小波道：“那么你跟我这么亲干吗？”

丁喜道：“因为我要保护你。”

苏小波道：“保护我？”

丁喜道：“现在别的人死了都没关系，只有你千万死不得。”

苏小波道：“为什么？”

丁喜道：“因为只有你一个人见过那位天才凶手，也只有你一个人可以证明，岳老大他们并不是死在我们手里的。”

苏小波盯着他看了半天，长长叹了口气，道：“就算你要我跟着你，最好也离我远一点。”

丁喜道：“为什么？”

苏小波眨了眨眼，道：“因为我老婆会吃醋的。”

03

到过杏花村的人，都认得老许，却没有人知道他的来历。

这个人好吃懒做，好酒贪杯，以红杏花的脾气，就算有十个老许也该被她全都赶走了。

可是这个老许却偏偏没有被她赶走。

他只要有了六七分酒意，就根本没有把红杏花看在眼里。

若是有了八九分酒意，他就会觉得自己是个了不起的大英雄，到这里来做伙计，只不过是为了要隐姓埋名，不再管江湖中那些闲事。

据说他真的练过武，也当过兵，所以他若有了十分酒意，就会忽然发现自己不但是个大英雄，而且还是位大将军。

现在他看起来就像是个大将军，站在他面前的丁喜，只不过是他部下的一个无名小卒而已。

丁喜已进来了半天，他只不过随随便便往旁边凳子上一指，道："坐。"

将军有令，小卒当然就只有坐下。

老许又指了指桌上的酒壶，道："喝。"

丁喜就喝。

他实在很需要喝杯酒，最好的是喝上个七八十杯，否则他真怕自己要气得发疯。

他们来的时候，小马居然已走了，那张软榻上只剩下一大堆白布带——本来扎在他身上的白布带。

看到这位大将军的样子，他也一定问不出什么来的。

但他却还是不能不问："小马呢？"

"小马？"

大将军目光凝视着远方："马都上战场去了，大马小马都去了。"

他忽然用力一拍桌子，大声道："前方的战鼓已鸣，士卒们的白骨已如山，血肉已成河，我却还坐在这里喝酒，真是可耻呀，可耻！"

邓定侯和苏小波都看得怔住，想笑又笑不出，丁喜却已看惯了，见怪不怪。

老许忽又一拍桌子，瞪着他们，厉声道："你们身受国恩，年轻力壮，不到战场上去尽忠效死，留在这里干什么？"

丁喜道："战事惨烈，兵源不足，我们是来找人。"

老许道："找谁？"

丁喜道："找那个本来在后面养伤的伤兵，现在他的伤已痊愈，已可重赴战场了。"

老许想了想，终于点头道："有理，男子汉只要还剩一口气在，就应该战死沙场，以马革裹尸。"

丁喜道："只可惜那伤兵已不见了。"

老许又想了想，想了很久，想得很吃力，总算想了起来："你说的是马副将？"

"正是。"

"他已经走了，跟梁红玉一起走的。"

"梁红玉？"

"难道你连梁红玉都不知道？"大将军可光火了，"像她那样的巾帼英雄，也不知比你们这些贪生怕死的小伙子强多少倍，你们还不惭愧？"

他愈说愈火，拿起杯子，就往丁喜身上掷了过去，幸好丁喜溜得快。

邓定侯和苏小波的动作也不慢，一溜出门，就忍不住大笑起来。

丁喜的脸色，却好像全世界每个人都欠他三百两银子没还一样。

苏小波笑道："马副将，小马居然变成了马副将？他以为自己是谁？是岳飞？"

丁喜板着脸，就好像全世界每个人都欠他四百两银子。

苏小波终于看出了他的脸色不对："你在生什么气？生谁的气？"

邓定侯道："梁红玉。"

苏小波道："他又不是韩世忠，就算梁红玉跟小马私奔了，也用不着生气。"

邓定侯道："这个梁红玉并不是韩世忠的老婆。"

苏小波道："是吗？"

邓定侯道："是王大小姐的老搭档。"

苏小波诧异道："霸王枪王大小姐？"

邓定侯点点头，道："他不喜欢王大小姐，所以也不喜欢这个梁红玉了。"

苏小波道："可是小马却跟着这个梁红玉私奔了。"

邓定侯道："所以他生气。"

苏小波不解道："小马喜欢的女人，为什么要他喜欢？他为什么要生气？"

邓定侯道："因为他天生就喜欢管别人的闲事。"

马车还等在外面。

赶车的小伙子叫小山东，脾气虽然坏，做事倒不马虎，居然一直都守在车上，连半步都没有离开。

苏小波道："现在我们到哪里去？"

丁喜板着脸，忽然出手，一把就将赶车的从上面揪了下来。

他并不是想找别人出气。

邓定侯立刻就发觉这赶车的已不是那个说话总是像抬杠的小山东了。

"你是什么人？"

"我叫大郑，是个赶车的。"

"小山东呢？"

"我给了他三百两银子，他高高兴兴地到城里去找女人了。"

丁喜冷笑道："你替他来赶车，却给了他三百两银子，叫他去找女人，他难道是你老子？"

大郑道："那三百两并不是我拿出来的。"

丁喜道："是谁拿出来的？"

大郑道：“是城里状元楼的韩掌柜叫我来的，还叫我一定要把你们请到状元楼去。”

丁喜看看苏小波。

苏小波道：“我不认得那个韩掌柜。”

丁喜又看看邓定侯。

邓定侯道：“我只知道两个姓韩的，一个叫韩世忠，一个叫韩信。”

丁喜什么话都不再说，放开了大郑，就坐上了车。

“我们到状元楼去？”

“嗯。”

到了状元楼，丁喜脸上的表情，也像是天上忽然掉下一块肉骨头来，打着了他的鼻子。

他们实在想不到，花了一千两银子请他们的客人，竟是前两天还想用乱箭对付他们的王大小姐。

王大小姐就像是已变了个人，已经不是那位眼睛在头顶上，把天下的男人都看成王八蛋的大小姐，更不是那位带着一丈多长的大铁枪，到处找人拼命的女英雄。

她身上穿着的，虽然还是白衣服，却已不是那种急装劲服，而是件曳地的长裙，料子也很轻，很柔软，衬得她修长苗条的体态更婀娜动人。

她脸上虽然还是没有胭脂，却淡淡地抹了一点粉，明朗美丽的眼睛里，也不再有那种咄咄逼人的锋芒，看着人的时候，甚至还会露出一点温柔的笑意。

——女人就应该像个女人。

——聪明的女人都知道，若想征服男人，绝不能用枪的。

——只有温柔和微笑，才是女人们最好的武器。

——今天她好像已准备用出这种武器，她想征服的是谁?

邓定侯看着她，脸上带着酒意的微笑。

他忽然发现这位王大小姐非但远比他想象中更美，也远比他想象中更聪明。

所以等到她转头去看丁喜时，就好像在看着条已经快要被人钓上钩的鱼。

丁喜的表情却像是条被人踩疼了尾巴的猫，板着脸道："是你？"

王大小姐微笑着点点头。

丁喜冷冷道："大小姐若要找我们，随便在路上挖个洞就行了，又何必这么破费？"

王大小姐柔声道："我正是为了那天的事，特地来向两位赔罪解释的。"

丁喜道："解释什么？"

王大小姐没有回答这句话，却卷起了衣袖，用一双纤柔的手，为苏小波斟了杯酒。

"这位是——"

"我姓苏，苏小波。"

"饿虎岗上的小苏秦？"

苏小波道："不敢。"

王大小姐道："那天我没有到熊家大院去，实在有不得已的苦衷，还得请你们原谅。"

苏小波笑道："我若是你，我也绝不会去的。"

王大小姐道："哦？"

苏小波道："一个像王大小姐这样的美人，又何必去跟男人舞刀弄枪，只要大小姐一笑，十个男人中已至少有九个要拜倒在裙下了。”

王大小姐嫣然道：“苏先生真会说话，果然不愧是小苏秦。”

丁喜冷冷道：“若不会说话，岳家的二小姐怎会嫁给他？”

王大小姐眼珠子转了转，道：“我早就听说岳姑娘是位有名的美人儿了。”

苏小波叹了口气，道：“也是条有名的母老虎。”

王大小姐道：“既然如此，我劝苏先生还是赶快回去的好，不要让尊夫人在家里等着着急。”

她含笑举杯，柔声道：“我敬了苏先生这一杯，苏先生就该动身了。”

她笑得虽温柔，可是只要不太笨的人，都应该听得出她这是在下逐客令。

苏小波不笨，一点也不笨。

他看了看王大小姐，又看了看丁喜，苦笑道：“其实我也早就想回去了，只可惜有个人一直都不肯放我走。”

丁喜道：“这个人现在已改变了主意。”

苏小波眨了眨眼，道：“他怎么会忽然又改变了主意的？”

丁喜道：“因为他很想听听王大小姐要解释的是什么事？”

苏小波喝干了这杯酒，站起来就走。

邓定侯忽然道：“我们一起走。”

苏小波道：“你……”

邓定侯笑了笑，道：“我家里也有条母老虎在等着，当然也应该赶快回去才对。”

丁喜道：“不对。”

邓定侯道：“不对？”

丁喜道：“现在我们已经被一条绳子绑住了，若没有找出绳上的结，我们谁也别想走出这里。”

邓定侯已站起来，忽然大声道：“杀死万通他们的那个天才凶手，究竟像不像我？”

苏小波道：“一点也不像。”

邓定侯道：“他是不是比我高得多？”

苏小波道：“至少高半个头。”

邓定侯道：“你有没有搞错？”

苏小波道：“没有。”

邓定侯这才慢慢地坐下。

苏小波道：“现在我是不是已经可以走了？”

邓定侯点点头，道：“只不过你还要千万小心保重。”

苏小波笑道：“我明白，我只有一个脑袋，也只有一条命。”

他走出去的时候，就好像一个刚从死牢里放出去的犯人一样，显得既愉快又轻松，一点也不担心别人会来暗算他。

丁喜看着他走出去，眼睛里忽然露出种很奇怪的表情，好像又想追出去。

只可惜这时王大小姐已问出了一句他不能不留下来的话。

“我那么急着想知道，五月十三日那天你在哪里，你是不是觉得很奇怪？”

“是的。”

“你一定想不通我是为了什么？”

“我想不通。”

“那天是个很特别的日子。”王大小姐端起酒杯，又放下，明朗的眼睛里，忽然现出了一层雾。过了很久，她才慢慢地接着道：“家父就是在那天死的，死得很惨，也很奇怪。”

邓定侯皱眉道：“很奇怪？”

王大小姐道："长枪大戟，本是沙场上冲锋陷阵用的兵器，江湖中用枪的本不多，以枪法成名的高手更少之又少。"

邓定侯同意："江湖中以长枪成名的高手，算来最多只有十三位。"

王大小姐道："在这十三位高手中，家父的枪法可以排名第几？"

邓定侯想也不想，立刻道："第一。"

他说的并不是奉承话；近三十年来，江湖中用枪的人，绝没有一个人能胜过他。

王大小姐道："但他却是死在别人枪下的。"

邓定侯怔住，过了很久，才长长吐出口气，道："死在谁的枪下？"

王大小姐道："不知道。"

她端起酒杯，又放下，她的手已抖得连酒杯都拿不稳。

王大小姐道："那天晚上夜已很深，我已睡了，听见他老人家的惨呼才惊醒。"

邓定侯道："可是等到你赶去时，那凶手已不见了。"

王大小姐用力咬着嘴唇，道："我只看见一条人影从他老人家书房的后窗中蹿出来。"

邓定侯立刻抢着问道："那个人是不是很高？"

王大小姐迟疑着，终于点了头，道："他的轻功也很高。"

邓定侯道："所以你没有追。"

王大小姐道："我就算去追，也追不上的，何况我正急着要去看他老人家的动静。"

邓定侯道："你还看见了什么可疑的事？"

王大小姐垂下头，道："我进去时，他老人家已倒在血泊中……"

鲜红的泪，苍白的脸，眼睛凸出，充满了惊讶与愤怒的神色。

这老人死也不相信自己会死在别人的枪下。

王大小姐道："他的霸王枪已撒手，手里却握着半截别人的枪尖，枪尖还在滴着血，却是他自己的血。"

邓定侯道："这半截枪尖还在不在？"

王大小姐已经从身上拿出个包扎很仔细的白布包，慢慢地解开。

枪尖是纯钢打成的，枪杆却是普通的白蜡杆子，折断的地方很不整齐，显然是枪尖已刺入他的致命处之后，才被他握住折断的。

邓定侯皱起了眉。

这杆枪并不好，也没有什么特别的地方，在普通的兵器店里就可以买得到。

王大小姐道："我从七八岁的时候就开始练枪，我们镖局里练枪的人也不少，可是我们从这半截枪尖上，却连一点线索都看不出来。"

邓定侯道："所以你带着他老人家留下来的霸王枪，来找江湖中所有的枪法名家挑战，你想查出有谁的枪法能胜过他。"

王大小姐垂头叹息，道："我也知道这法子并不好，可是我实在想不出别的法子。"

邓定侯道："你看见丁喜的枪法后，就怀疑他是凶手，所以才逼着要问他，五月十三那天，他在哪里？"

王大小姐头垂得很低。

邓定侯叹了口气，道："他的枪法实在很高，我甚至可以保证，江湖中已很少有人能胜过他，但是我也可以保证，他绝不是凶手。"

王大小姐道："我现在也明白了，所以……所以我……"

丁喜忽然打断了她的话，道："你父亲平时是不是睡得很迟？"

王大小姐摇摇头，道："他老人家的生活一向很有规律，起得很早，睡得也早。"

丁喜道："出事之时，夜确已很深了？"

王大小姐道："那时已过了三更了。"

丁喜道："他平时睡得虽早，那天晚上却还没有睡，因为他还留在书房里。"

王大小姐皱眉道："你这么一说，我才想到那天晚上他老人家的确有点特别。"

丁喜道："一个早睡早起已成习惯的人，为什么要破例？"

王大小姐抬起头，眼睛里发出了光。

丁喜道："这是不是因为他早已知道那天晚上有人要来，所以才在书房里等着？"

王大小姐道："我进去的时候，桌上的确好像还摆着两副杯筷，一些酒菜。"

丁喜道："你好像看到，还是的确看到？"

王大小姐道："那时我的心已经乱了，对这些事实在没有注意。"

丁喜叹了气，拿起酒杯，慢慢地啜了一口，忽然又问道："那杆霸王枪，平时是不是放在书房里的？"

王大小姐道："是的。"

丁喜道："那么他就不是因为知道这个人要来，才把枪准备在手边。"

王大小姐同意。

丁喜道："可是他却准备了酒菜。"

王大小姐忽然站起来，道："现在我想起来了，那天晚上我进去的时候，的确看见桌上是有两副杯筷。"

丁喜道："你刚才还不能确定，现在怎么又忽然想了起来？"

王大小姐道："因为我当时虽然没有注意，后来却有人勉强灌了我一杯酒，他自己也喝了两杯。"

她又解释着道："那时我已经快晕过去，所以刚才一时间也没有想起来。”

丁喜沉吟着，又问道：“那书房有多大？”

王大小姐道：“并不太大。”

丁喜道：“就算是个很大的书房，若有人用两杆长枪在里面拼命，那房里的东西，只怕也早就被打得稀烂了。”

王大小姐道：“可是……”

丁喜道：“可是你进去的时候，酒菜和杯筷却还是好好地摆在桌子上。”

王大小姐终于确定：“不错。”

丁喜道：“这半截枪尖，只不过是半截枪尖而已，枪杆可能一丈长，也可能只有一尺长。”

王大小姐道：“所以……”

丁喜道：“所以杀死你父亲的凶手，并不一定是用枪的名家，却一定是你父亲的朋友。”

王大小姐不说话了，只是瞪大了眼睛，看着这个年轻人。

她眼睛里的表情，就好像是个第一次看见珠宝的小女孩。

丁喜道：“就因为他一定是朋友，所以你父亲才会准备着酒菜在书房里等他，他才有机会忽然从身上抽出杆短枪，一枪刺入你父亲的要害，就因为你父亲根本连抵抗的机会都没有，所以连桌上的杯筷都没有被撞倒。”

他又慢慢地啜了口酒，淡淡道：“这只不过是我的想法而已，我想的并不一定对。”

王大小姐又盯着他看了很久，眼睛里闪耀着一种无法形容的光芒，又好像少女们第一次佩戴了珠宝一样。

邓定侯微笑道：“你现在想必已明白，‘聪明的丁喜’这名字是怎么来的。”

王大小姐没有说话，却慢慢地站了起来。

现在也已夜深了，窗外闪动着的星光，就像是她的眼睛。

风从远山吹来，远山一片朦胧。

她走到窗口，眺望着朦胧的远山，过了很久，才缓缓道：“我说过，五月十三是个很特别的日子，并不仅是因为我父亲的死亡。”

邓定侯道：“这一天还有什么特别的地方？”

王大小姐道：“我父亲对自己的身体一向很保重，平时很少喝酒，可是每年到了这一天，他都会一个人喝酒到很晚。”

邓定侯道：“你有没有问过他为什么？”

王大小姐道：“我问过。”

邓定侯道：“他怎么说？”

王大小姐道：“我开始问他的时候，他好像很愤怒，还教训我，叫我最好不要多管长辈的事，可是后来他又向我解释。”

邓定侯道：“怎么解释？”

王大小姐道：“他说在闽南一带的风俗，五月十三是天帝天后的诞辰，这一天家家户户都要祭祀天地，大宴宾朋，以求一年的吉利。”

邓定侯道：“但他并不是闽南人。”

王大小姐道：“先母却是闽南人，我父亲年轻的时候，好像也在闽南待过很久。”

邓定侯道：“我怎么从来没有听说过这件事？”

王大小姐道：“这件事他从来就很少在别人面前提起过。”

邓定侯道：“可是……”

王大小姐忽然打断了他的话，道：“最奇怪的是，每年到了五月十三这一天，他脾气都会变得很暴躁，本来他每天早上都要练一趟枪的，这一天连枪都不练了，从早就一个人待在书房里。”

邓定侯道：“你知不知道他在书房里干什么？”

王大小姐道："我去偷看过几次，通常他只不过坐在那里发怔，有一次却看见他居然画了一幅画。"

邓定侯道："画的是什么？"

王大小姐道："画完了之后，他本来就好像准备把那幅画烧了的，可是看了几遍后，又好像不舍得，就把那幅画卷好，藏在书架后面复壁中一个秘密的铁柜里。"

邓定侯道："你当然也去看过了。"

王大小姐点点头，道："我虽然看过，却看不出什么特别的地方来，他画的只不过是幅普通的山水画，白云青山，风景很好。"

丁喜忽然问道："这幅画还在不在？"

王大小姐道："不在了。"

丁喜失望地皱起眉。

王大小姐道："我父亲去世后，我又打开了那铁柜，里面收藏的东西一样都没有少，偏偏就只有这幅不值钱的画，居然不见了。"

丁喜道："你也不知道是谁拿走的？"

王大小姐摇摇头，道："可是我已将这幅画看得很仔细，我小的时候也学过的。"

丁喜眼睛又亮了，道："现在你能把这幅画再一模一样地画出来看看吗？"

王大小姐道："也许我可以试试看的。"

她很快地就找来笔墨和纸，很快地就画了出来——

蓝天白云，一片青色的山冈，隐约露出一角红楼。

王大小姐放下了笔，又看了几遍，显得很满意，道："这就是了，我画的就算不完全像，也差不了多少。"

丁喜只看了一眼，就转过头来，淡淡地道："这幅画的确没有什么特别，像这样的山水，天下也不知有多少。"

王大小姐道："可是，这幅画上还题了八个很特别的字。"

邓定侯道："写的是什么？"

王大小姐又提起笔。

五月十三，远避青龙。

青龙！

看到了这两个字，邓定侯的脸色竟像是忽然变得很可怕。

王大小姐转过头来，凝视着他，缓缓道："家父在世的时候，常说他朋友之间，见识最广的人，就是神拳小诸葛。"

邓定侯笑了笑，笑得却很勉强。

王大小姐道："我知道他老人家从来不会说谎话，所以……"

邓定侯忽然叹了口气，道："你究竟想问我什么？"

王大小姐道："你知不知道青龙会？"

她忽然问出这句话，邓定侯竟好像又吃了一惊。

青龙会？

他当然知道青龙会。

可是他每次听到这组织的时候，背脊上都好像有条毒蛇爬过。

王大小姐盯着他，缓缓道："我想你一定知道的，据说近三百年来，江湖中最可怕的组织就是青龙会。"

邓定侯没有否认。

因为这的确是事实。

没有人知道这青龙会究竟是怎么组织起来的，也没有人知道这组织的首领是谁。

可是每个人都知道，青龙会组织之严密，势力之庞大，手段之毒辣，绝没有任何帮派能比得上。

王大小姐道："据说青龙会的秘密分舵遍布天下，竟多达三百六十五处。”

邓定侯道：“哦。”

王大小姐道：“一年也恰巧有三百六十五天，所以青龙会就以日期来作为他们秘密分舵的代号，‘五月十三’，想必就是他们的分舵之一。”

邓定侯道：“难道你认为青龙会和你父亲的死有什么关系？”

王大小姐道：“他虽然已是个老人，耳目却还是很灵敏，那天我在外面偷看的时候，他也许早就发现了。”

邓定侯道：“难道你认为那幅画是他故意画给你看的吗？”

王大小姐道：“很可能。”

邓定侯道：“他为的是什么？”

王大小姐道：“也许他以前在闽南的时候，和青龙会结过怨仇，他知道青龙会一定会派人来找他，所以就用这法子来警告我。”

邓定侯道：“可是……”

王大小姐又打断了他的话，道：“他活着时，虽然不愿意跟我说明，却又怕不明不白地遭了别人暗算，所以才故意留下这条线索，让我知道害他的人就是‘五月十三’，这秘密的组织就在这么样一片青色的山冈里。”

邓定侯叹道：“就算真的如此，你也不该忘了下面的四个字。”

远避青龙。

王大小姐紧握着双手，眼睛里已有了泪光，道：“我也知道青龙会的可怕，但我还是不能不为他老人家复仇的。”

邓定侯道：“你有这么大的力量？”

王大小姐道：“不管怎么样，我都要试试。”

她用力擦了擦泪痕，又道：“现在我只恨还不知道这片青色的山冈究竟在哪里。”

邓定侯道："别的事你难道都已知道？"

王大小姐道："我至少已知道'五月十三'这分舵的老大是谁了。"

邓定侯耸然动容道："是谁？"

王大小姐没有直接回答这句话，缓缓道："这个人的确是我父亲的朋友，那天晚上我的父亲的确是在等着他。"

她转过脸，凝视着丁喜，道："有些事我本来都没有想到，可是你刚才的分析，却让我忽然想通了很多事情。"

丁喜淡淡道："我刚才也说过，我的想法并不一定正确。"

王大小姐勉强笑了笑，忽又问道："你知不知道我为什么没有到熊家大院去？"

丁喜冷冷道："大小姐说去就去，说不去就不去，根本就不必要有什么理由的。"

王大小姐道："我有理由。"

她好像并没有听出丁喜话中的刺，居然一点也不生气，接着又道："因为那天早上，我忽然在路上看见了一个人。"

丁喜道："路上有很多人。"

王大小姐道："可是这个人却是我做梦也想不到会在这里看见的。"

丁喜道："哦。"

王大小姐道："那时候天还没有完全亮，他脸上又戴着个人皮面具，一定想不到我会认出他来，但我却还是不能不特别小心。"

丁喜道："为什么？"

王大小姐道："因为那时我就已想到，我父亲很可能就是死在他手里的，他若知道我认出了他，定也不会放过我。"

丁喜道："所以吓得连熊家大院都不敢去。"

王大小姐眼圈又红了，咬着嘴唇道：“因为我知道我自己绝不是他的对手。”

邓定侯忍不住道：“他究竟是谁？”

王大小姐又避开了这问题，道：“但那时我还没有把握确定。”

丁喜道：“现在呢？”

王大小姐道：“刚才我听了你的分析后，才忽然想到，我父亲死的那天晚上，在书房里等的人一定就是他。”

丁喜道：“现在你已有把握能确定？”

王大小姐道：“嗯。”

丁喜道：“但你却还是不敢说出来。”

王大小姐道：“因为……因为我就算说了出来，你们也未必会相信的。”

丁喜道：“那么，你就不必说出来了。”

他自己倒了杯酒，自斟自饮，居然好像真的不想听了。

王大小姐道：“可是书房里却还留着他的药味，我一嗅就知道他曾经来过。”

现在丁喜无论怎么讽刺她，她居然都能忍得住，装作听不见：“昨天早上我遇见他的时候，他恰巧用过那种药，我远远地就嗅到了，所以我根本不必看清他的脸，也知道他是谁。”

她接着又道：“就因为他有这种病，所以他呼吸的声音也跟别人不同，你只要仔细听过两次，就一定可以分辨出来。”

邓定侯虽然没有开口，但脸上的表情却已无疑证实了她的话。

他实在没有想到，这位从小娇生惯养的大小姐，竟是个心细如发的人。

王大小姐盯着他，道：“我想你如果见到他，就一定可以分辨得出。”

邓定侯只有点头。

王大小姐道："五月十三距离七月初一还有四十七天，这段时间已足够让他赶回关外，等着你去接他。"

邓定侯道："可是今年……"

王大小姐道："我也知道今年他是在两个多月前出关的，这段时间也足够让他偷偷地溜回来。"

邓定侯长长吐出口气，道："你说的并不是没有道理，但你却忘了一点。"

邓定侯道："百里长青和你父亲的交情不错，他为什么要害死你父亲？"

王大小姐道："也许因为我父亲坚决不肯参加他们的联盟，而且很不给他面子，所以他怀恨在心；也许因为他是青龙会'五月十三'的舵主，想要挟我父亲做一件事，我父亲不答应，他就下了毒手。"

邓定侯道："难道你已认定了他是凶手？"

王大小姐又握紧双拳，道："我想不出别的人。"

邓定侯道："可是你的理由实在不够充足，而且根本没有证据。"

王大小姐道："所以我一定要找出证据来。"她又补充着道，"要找出证据来，就得先找到百里长青，因为他本身就是个活证据。"

邓定侯道："你知道他现在在哪里？"

王大小姐道："一定就在那片青色的山冈上。"

邓定侯道："你知道这片山冈在哪里？"

王大小姐道："我不知道。"

她黯然叹息，又道："何况就算我能找到这地方，就算我能找到百里长青，我也绝不是他的对手，所以……"

邓定侯道："所以你一定要先找个帮手。"

王大小姐道："而且要找个有用的帮手。"

邓定侯道："你准备找我？"

王大小姐道："不是。"

她的回答简单而干脆，她实在是个很直爽的人。

邓定侯笑了，笑得却有点勉强。

这是件麻烦事，能避免最好，但也不知为了什么，他心里却又觉得有点失望。

王大小姐道："百里长青不但武功极高，而且是条老狐狸。"

邓定侯道："所以你一定要找个武功比他更高的帮手，而且还是条比老狐狸更狡猾的小狐狸。"

王大小姐点点头，眼睛已开始盯着丁喜。

丁喜在喝酒，好像根本就没听见他们说了些什么。

邓定侯瞄他一眼，微笑道："而且这个人还得会装傻。"

王大小姐忽然站起来向丁喜举杯，道："经过了那些事后，我也知道你绝不会帮我忙的，可是为了江湖道义，我还是希望你答应。"

丁喜道："答应你什么？"

王大小姐道："陪我去找百里长青，查明这件事的真相。"

丁喜看着她，忽然笑了，但却绝不是那种又亲切又讨人喜欢的微笑。

他笑得就像是把锥子。

王大小姐还捧着酒杯，站在那里，嘴唇好像已快被咬破了。

丁喜道："你并不是糊涂人，我希望你能明白一件事。"

王大小姐道："你说。"

丁喜道："连自己亲眼看见的事，都未必正确，何况是用鼻子嗅出来的。就凭这一点，你就说人家是凶手，除了你自己外，只怕没有第二个人会相信。"

王大小姐捧着酒杯的手已开始发抖，道："你……你也不信？"

丁喜道："我只相信我自己。"

王大小姐道："那么你为什么不自己去查出真相来？"

丁喜冷冷道："因为我只有一条命，我还不想把这条命送给别人，更不想把它送给你。"

他忽然站起来，掏出锭银子，摆在桌上："我喝了七杯酒，这是酒钱，我们谁也不欠谁的。"

说完了这句话，他就头也不回地走了出去。

王大小姐脸色已发青，一把抓起桌上的银子，好像想用力摔在丁喜的鼻子上。

但是她这只手又慢慢地放下，居然还把这锭银子收进怀里，脸上居然还露出了微笑。

邓定侯反而怔住了，忍不住道："你不生气？"

王大小姐微笑道："我为什么要生气？"

邓定侯道："你为什么不生气？"

王大小姐道："百里长青的确是个很可怕的人，青龙会更可怕，我要他去做这么冒险的事，他当然应该考虑考虑。"

邓定侯道："他好像并不是考虑，是拒绝。"

王大小姐道："就算他现在拒绝了我，以后还是会答应的。"

邓定侯道："你有把握？"

王大小姐眼睛里发着光，道："我有把握，因为我知道他喜欢我。"

邓定侯道："你看得出？"

王大小姐道："我当然看得出，因为我是个女人，这种事只要是女人就一定能看得出的。"

邓定侯又笑了，大笑道："这种事就算男人也一样看得出的。"

他大笑着走出去，追上丁喜。

丁喜道："你看出了什么事？"

邓定侯笑道："我看出前面好像又有个大洞，不管你怎么避免，迟早还是会掉下去。"

丁喜板着脸，冷冷道："你看错了。"

邓定侯道："哦？"

丁喜道："掉下去的那个人不是我，是你！"

第九章

百里长青

01

马车还在外面等着，赶车的人却已不见了。

丁喜跳上前座，抽出了插在旁边的马鞭，邓定侯也只有陪他坐在前面了。

他知道丁喜一定会赶马车，却想不到丁喜赶起车来，就好像孩子急着撒尿一样。

马车飞驰，直奔城外。

“我们现在要到哪里去？”

“找个地方睡觉去。”

“城外有地方睡觉？”

“这辆马车里，就可以睡得下两个人。”

邓定侯叹了口气，就不再说话了，有些人好像天生就有本事叫别人跟着他走，丁喜就是这种人。

假如你遇见了这种人，你也只有陪他睡在马车上。

出城之后，马车走得更快。丁喜板着脸，邓定侯也只有闭着嘴，两个人都显得心事重重。

谁知丁喜反而先问道：“你为什么不说话？”

邓定侯笑了笑，道："我在想……"

丁喜道："想什么？"

邓定侯道："据说黑道上也有很多人组织成一个联盟，为的就是要对付开花五犬旗。"

丁喜道："不错。"

邓定侯道："自从岳麟死了后，他们当然更要加紧行动了。"

丁喜道："不错。"

邓定侯道："这个黑道联盟，若是真的跟我们火并起来，一定天下大乱。"

丁喜道："鹬蚌相争，得利的只有渔翁。"

邓定侯道："可是要做渔翁，也不是件简单的事。"

丁喜道："不错。"

邓定侯道："你认为谁够资格做这个渔翁？"

丁喜道："青龙会。"

邓定侯叹了口气，道："只有青龙会。"

丁喜目光闪动，道："你是不是想说，也只有百里长青够资格点起这场大火？"

邓定侯没有直接回答这句话，却叹息着道："看来这的确是场大火，每个人都要被烧得焦头烂额，除非……"

丁喜插嘴道："除非我们能先查出那个天才的凶手是谁？"

邓定侯点点头，道："我总认为杀死王老头的凶手，也就是杀死万通和岳麟的凶手。"

丁喜道："所以出卖你们的奸细也一定是他。"

邓定侯道："王老头的死，一定跟这件事有密切的关系，他坚决不肯参加我们的联营镖局，也一定有很特别的原因。"

丁喜道："这是你的想法，不是我的。"

邓定侯道："你怎么想？"

丁喜淡淡道："我只不过是个无名小卒而已，随便怎么样想都没有关系的。"

邓定侯道："有关系。"

丁喜道："哦。"

邓定侯盯着他，道："因为我看得出你心里一定是隐藏着很多秘密，你若不肯说出来，这件事只怕就永远不会有水落石出的一天。"

他的眼睛好像也变成了两把锥子。

丁喜笑了。

不是那种锥子般的笑，是那种亲切而讨人欢喜的笑。

——锥子碰锥子，就难免会碰出火花来。

——但是像他这种讨人欢喜的微笑，就连锥子也刺不下去。

邓定侯也笑了，忽然改变话题，道："你知不知道你自己最可爱的是什么地方？"

丁喜摇摇头。

邓定侯道："是你的眼睛。"

丁喜在揉眼睛。

邓定侯又问道："你知不知道你的眼睛为什么是最可爱的？"

丁喜道："你说为什么？"

邓定侯道："因为你的眼睛不会说谎，只要你一说谎，你的眼神就会变得很特别，很奇怪。"

丁喜道："你看见过？"

邓定侯道："我至少看见过三四次。"

丁喜道："哦。"

邓定侯道："只要你一提起王大小姐，你的眼睛就会变成那样子。"

丁喜道："哦？"

邓定侯道："你看见她画的那片青色山冈时，眼神也是那样子的。"

丁喜道："因为我心里虽然喜欢她，嘴里却故意说讨厌；因为我明明知道那片青色山冈是个什么地方，却故意说不知道。"

邓定侯道："一点也不错。"

丁喜又笑了。

邓定侯道："还有，你发现别人在骗你时，眼睛也会变得很奇怪。"

丁喜道："你也看见过？"

邓定侯道："看见过两次。"

丁喜道："哪两次？"

邓定侯道："苏小波走的时候，你就是用那种眼色看着他的。"

丁喜道："你认为我是在怀疑他？"

邓定侯道："也许他才真正是饿虎岗的奸细，万通只不过是受了他的利用而已，所以后来才会被杀了灭口，岳麟发现了他的秘密，才会把他关在地窖里，你虽然救了他，可是当他回到饿虎岗之后，还是不会说老实话的。"

丁喜终于叹了口气，道："他说起谎来，的确可以把死人骗活，活人骗死。"

邓定侯道："所以我不懂。"

丁喜道："什么事你不懂？"

邓定侯道："你明明已经在怀疑他，为什么还把他放走？"

丁喜道："你说呢？"

邓定侯道："是不是因为你想从他身上，找出那个天才凶手来，因为他本身就是条活线索。"

丁喜又叹了口气，道："我心里想的事，你好像比我自己还清楚。"

邓定侯笑了笑，道："还有一次我看见你那种眼色，是在杏花村，在小马养伤的屋子里。"

丁喜道："难道我当时也是用那种眼色看他的？"

邓定侯点点头，道："那时候你一定就已看出他有点不对了。"

丁喜道："因为他忽然变得太老实，居然肯规规矩矩地躺在那里。"

邓定侯笑道："而且他跟我们聊了半天，居然连一句'他妈的'都没有说。"

丁喜叹息道："江山易改，本性难移，一个人若是忽然变了性，多多少少总会有点毛病的。"

邓定侯道："你发现他已经跟杜若琳私奔了，虽然生气，却一点也不着急。"

丁喜板起脸，冷冷道："这是他自己心甘情愿这样的，我为什么要着急？"

邓定侯道："你看见王大小姐时，居然也没有提起这件事。"

丁喜道："她既然不提，我为什么要提？"

邓定侯道："她的确应该问问你的，你也应该问问她，可是你们都没有提起这件事，这是为什么呢？"

丁喜忽然冷笑道："也许她没有时间，也许只因为她根本就不必问。"

邓定侯道："因为小马就在她那里。"

丁喜道："哼。"

邓定侯道："因为他脾气虽然大，心肠却很软，王大小姐若要杜若琳去找他帮忙，他一定不会拒绝的。"

丁喜道："既然他自己愿意做傻瓜，我又何必管闲事。"

邓定侯笑了笑，道："总要有几个人去做傻瓜，假如天下全是聪明人，这世界岂非更无趣？"

丁喜笑道："只可惜这年头真正的傻瓜已愈来愈少了。"

邓定侯笑道："至少我就不能说我自己傻。"

丁喜道："你不傻，那位王大小姐也不傻。"

邓定侯道："哦？"

丁喜道："我当然知道那片青色山冈是什么地方，你看得出我是在说谎，她又何尝看不出？"

邓定侯道："但是她并没有再追问。"

丁喜道："因为她根本就不必问。"

邓定侯道："为什么？"

丁喜道："因为她早就知道那是什么地方了。"

邓定侯微笑道："因为你虽然不告诉她，小马也一定会告诉她。"

丁喜道："哼。"

邓定侯道："就算小马真的是个傻瓜，也应该看得出那地方就是饿虎岗。"

丁喜忽然扬起手，一鞭子抽在马屁股上。

他实在想重重地打小马一顿屁股，竟将这匹拉车的马，当作了小马。

拉车的马也愤怒起来了，长嘶一声，蹿入了道旁的疏林，再也不肯往前走。

丁喜居然就让马车在这里停了下来。

他慢吞吞地下了车，将马鞭打了个活结，挂在树枝上，喃喃道："一个人若是已决心要去做傻瓜，你只有让他去做；一匹马若是已决心不肯往前走了，你也只有让它停下来。"

邓定侯看着他，忽又笑了笑。

邓定侯道："也许你本来就准备在这里停下来的。"

丁喜道："哦？"

邓定侯道："有些人做事总喜欢兜圈子，明明是他要做的事，他却宁愿多花好几倍的力气，让别人去替他做。"

丁喜道："这人有毛病。"

邓定侯道："一点也没有。"

丁喜道："那么他为了什么？"

邓定侯道："只因为他做的很多事都只有傻瓜才肯做，他不愿别人认为他也是个好心的傻瓜，却宁愿让别人把他当作个冷酷的人。"

丁喜道："你认为我就是这一种人？"

邓定侯道："一点也不错。"

丁喜道："我怕你把我当傻瓜？"

邓定侯道："你也怕我问你，城里大大小小的客栈至少有七八十间，你为什么不去住，却偏偏要到这种鬼地方来受罪。"

丁喜道："你好像并没有问。"

邓定侯道："我根本不必问。"

丁喜道："哦？"

邓定侯道："因为我也知道，要到饿虎岗去，就一定得经过这里。"

丁喜道："你还知道什么？"

邓定侯道："我还知道你算准了小马一定会陪王大小姐到饿虎岗去，他们都是性急的人，说不定今天晚上就会动身。"

丁喜道："所以我就在这里等着？"

邓定侯笑道："若是别人要去做傻瓜，你也许会让他去做的，但小马却不是别人，他是你的朋友，也是你的兄弟。"

他微笑着，拿起了挂在树枝上的马鞭，又道："等他来的时候，你是不是准备用这马鞭套住他的颈子？"

丁喜看着他，忽然也笑了笑，道："我只想问你一句话。"

邓定侯道："你问。"

丁喜道："你认为你自己是什么？你是我肚子里的蛔虫？"

邓定侯要笑，却没有笑出来。

风中忽然传来了一阵车轮马蹄声，声音很轻，马车还在很远。

丁喜却已蹿出了疏林，伏在道旁，把一只耳朵贴在地上。

邓定侯也跟过来，压低声音道："是不是他们来了？"

丁喜道："不是。"

邓定侯忙问道："你怎么知道不是？"

丁喜道："马车是空的，车上没有人。"

邓定侯道："你听得出。"

丁喜道："嗯。"

邓定侯叹了口气，道："原来你的耳朵比王大小姐还灵。"

车声忽然已近了，已隐约可以听见鞭梢打马的声音。

既然只不过是辆空车，为什么如此急着赶路？

丁喜忽然又道："车上虽然没有人，却载着样很重的东西。"

邓定侯道："有多重？"

丁喜道："总有七八十斤。"

邓定侯道："你怎么知道那不是人？"

丁喜道："因为人不会用脑袋去撞车顶。"

他的耳朵还没有离开地面，听得出有样东西把车厢撞得不停地发响。

一样七八十斤重的东西，能够撞到车顶。

邓定侯眼睛亮了："莫非是霸王枪？"

丁喜道："很可能。"

邓定侯道："赶车的莫非就是王大小姐？"

丁喜没有开口。

他已看见了一辆黑漆大车，在夜色中飞驰而来，赶车的一身黑衣，头上还戴着顶马连坡大草帽。

假如这个人真的就是王大小姐，她这么样做，并不是没有理由的。

她的行动一定要秘密，绝不能让对方发现她的行踪，所以她虽然急着赶路，却还是没有骑马，马走得虽然比车快，却没有地方可以收藏她的霸王枪。

——小马为什么不在？

——是不是他们已约好了在前面会合？

邓定侯声音压得更低，问道："我们跟去看看怎么样？"

丁喜冷冷道："有什么好看的？"

邓定侯道："你不去我去。"

这时马车已从他们面前急驰而过，赶车的急着赶路，根本没有注意到别的事。

邓定侯一伏身，突然箭一般蹿了出来。

邓定侯凌空翻了个身，一只手轻轻地搭上了马车后的横架，就像是片树叶般挂了上去。

马车已冲出十丈外，转眼间又没入黑暗中，邓定侯好像还向丁喜挥了挥手。

丁喜目送着马车远去，忽然叹了口气，喃喃道："假如前面也有人在听着这辆马车的动静，一定会觉得奇怪，明明是一辆空车的，为什么会忽然多出一个人来？"

他翻了个身，躺在地上，静静地看着天上的星光。

星光照在他眼睛里，他眼睛里的确像是隐藏着很多秘密。

前面的黑暗中，的确也有个人像他一样，用一只耳朵贴在地上，凝神倾听。

他的脸灰白平板，仔细看着，就能看出他脸上戴着个人皮面具。

另外还有个人动也不动地伏在他身边，除了远处的马车声外，四下只能听见他们两个人的呼吸声，其中有个人的呼吸很急促。

“奇怪。”戴着面具的黑衣人忽然道，“明明是辆空车的，怎么会多出一个人来？”

“是不是有个人在半路上了车？”

“可是马车并没有停。”

“也许他是偷偷上车的，也许连赶车的都不知道车上已多了一个人。”

这人看着他的同伴时，神色显得畏惧而恭敬，一双灵活狡黠的眼睛，总是在不停地东张西望着，赫然竟是苏小波。

他的同伴是谁呢？苏小波道：“假如这人真的能在别人不知不觉中上了车，轻功一定不弱，说不定就是丁喜。”

戴着面具的黑衣人冷笑了一声，道：“你们两个人都该死。”

苏小波怔了怔，脸色大变道：“我……我们两个人？”

黑衣人冷冷道：“你太多嘴，他太多事。”

苏小波立刻紧紧闭上了嘴，吓得连大气都不敢喘一口了。

黑衣人的呼吸更急促，忽然从身上拿出个玉瓶，倒出颗黑色的丸药，吞了下去。

一拔开瓶塞，立刻传出种奇异的药香。

——难道这个人真的就是百里长青？

——难道百里长青真的就是那杀人的凶手？

马车已近了。

黑衣人刚闭上眼睛，又张开，眼睛里精光四射，忽然道：“你带着暗器没有？”

苏小波点点头。

黑衣人道：“用你的暗器打马，我对付车上的两个人。”

苏小波又点点头。

他还是不敢开口，这黑衣人轻描淡写的一句话，竟似比沙场上的军令还有效。

黑衣人目光闪动，冷笑道：“不管来的是什么人，只要来，就得死。”

——来的若不是他要找的人呢?

他不管。

就算杀错了人，他也不在乎，别人的死活，他从来不放在心上。

02

车马急行，冷风扑面。

邓定侯轻飘飘地挂在马车后，对自己的身手觉得很满意。

他成家已多年，他的妻子细腰长腿，是个需要很强烈的女人，经过多年的恩爱生活后，更能和他配合无间，他也一直对她很满意。

可是一个女人生过了孩子后，情况就不同了。

所以近年来他很少睡在家里，外面的女人，总是比妻子更体贴更年轻的。

在这方面，他一向很有名。

老天也好像对他特别照顾，过了七八年的荒唐生活，他的体力居然还很好，反应依旧灵敏，身手依旧矫健，看来还是个年轻人。

他的妻子腰脚却已粗得多了，一个女人的性生活若是不能满足，往往就会用“吃”来发泄。

她的脾气也愈来愈暴躁，因为无论什么事都不能代替她的丈夫。她虽然吃得好，穿得好，心里还是有很多苦闷无法发泄。

想到初婚时的缠绵恩爱，他忽然对自己的妻子有了种歉疚之意。

他决定这次回去后，一定要在家里多待几天，也许还可以多生一个儿子。

车子一阵颠动，他忽然从玄想中惊醒，忍不住笑了：“这种时候，我怎么会想起这种事的？”

人们为什么总是会在一些奇奇怪怪的情况中，想起一些不该想的事？

是什么事让他联想到他的妻子的？是不是因为他的妻子也来自闽南？

第十章

解不开的结

01

——五月十三，天帝诞辰。

他还有个朋友的生日，好像也是五月十三，他好像在无意中听见过的。

这朋友是谁?

邓定侯的瞳孔突然收缩，突然想起了一件事。

就在这时，拉车的马忽然一声惊嘶，往道旁直冲了过去，车马忽然翻倒。

邓定侯双臂一振，凌空拔起，道旁的草丛中，还有一道寒光射出，打在已倒下的马腹上。

还有个人也从道旁的草丛中蹿了出来，身法竟似比暗器还快。

只听赶车的大呼：“是你，我就知道你会来找我的。”声音尖锐，果然是王大小姐的声音。

她冲过来拉车门，想拿车厢里的霸王枪，黑衣人却已凌空向她扑下。

邓定侯本来可以趁这时候走的，这黑衣人的目标并不是他。

他没有走。

他不能看着王大小姐死在这人的掌中，他一定要撕下这人的面具来。

黑衣人凌空下击，如鹰搏兔，王大小姐竟连闪避招架的机会都没有。

一击致命，不留活口。

这黑衣人双手几乎已触及了她的头发，突听“呼”的一声，一股劲风从旁边撞了过来。

少林神拳！

据说这种拳法练到炉火纯青时，在百步外就可以置人于死地。

邓定侯的神拳虽然还没有这种威力，但一拳击出，威力已十分惊人。

黑衣人只有先避开这一拳，招式虽撤回，余力却未尽。

王大小姐还是被他的掌风扫及，“砰”的一声撞在马车上，几乎晕了过去。

幸好邓定侯已挡在她面前。

黑衣人冷笑道：“好一个护花使者，我就索性成全了你们，让你们死在一起。”

他的声音沙哑低沉，显然是逼着嗓子说出来的。

他是不是怕邓定侯听出他本来的声音？

邓定侯忽然笑了笑，道：“我劝你最好还是不要出手。”

黑衣人道：“为什么？”

邓定侯道：“因为我知道你一定认得我，我也一定认得你，所以你只要一出手，五招之内，我就能看出你是谁了。”

黑衣人冷笑道：“你看着。”

这三个字说出，他已攻出两招，邓定侯刚闪避开，还击了一招，他又攻出三招。

他的出手不但迅急狠毒，变化奇诡，出手五招，用的竟是五种不同门派的武功。

他第一招攻出时，五指弯曲如鹰爪，用的是淮南王家的“大鹰爪功”。

这一招还未用完，他的身子忽然转开，出手已变成了武当的“七十二路小擒拿法”。

邓定侯还击一招，他双手乍发，连消带打，竟是岳家散手中的杀招“烈马分鬃”，就在这同一刹那间，又踢出了一招北派扫堂腿。

这一招很快又变成了“拐子鸳鸯腿”，然后忽然又沉腰坐马，进逼中宫，双拳带风，直打胸膛，竟变成了邓定侯的看家本事“少林神拳”。

这五招间的变化，实在是瑰丽奇幻，叫人看得眼花缭乱。

黑衣人冷冷道：“你看出了我是谁？”

邓定侯看不出。

他只看出了一件事，一件很可怕的事——就是他实在也不是这个人的敌手。

“神拳小诸葛”纵横江湖多年，什么样的厉害角色他都见过，这还是他第一次觉得自己技不如人。

少林神拳走的是刚猛一路，全凭一口气，现在他的气已馁，拳势也弱了。

黑衣人招式一变，竟以北派劈挂掌，混合着大开碑手使出来。

这正是掌法中最刚烈最威猛的一种。

他以刚克刚，以强打强，七招之间，邓定侯已被逼入死角。

车轮还在转动，马的嘶声已停顿，王大小姐从车窗里抓住了她的枪，还没有拔出来。

突听“喀喇”一声，转动的车轮被打得粉碎，接着又是“格”的一声，竟像是骨头折断的声音。

王大小姐转过头，才发现邓定侯的一条手臂已抬不起来。

黑衣人出手却更凶更狠，他已决心不留下一个活口。

王大小姐脸上汗珠滚滚，还是拔不出这杆也不知被什么东西嵌住了的霸王枪。

邓定侯肘间关节被对方掌锋扫着，也已疼得汗如雨落了。

这种剧烈的痛苦，却激发了他的勇气，使得他更为清醒。

他以一只手击出的招式，竟比两只手还有效。

他的声名本就是血汗和性命去拼来的，他当然不会这样容易就倒下去。

只要还活着，就绝不能倒下去。

就在这时，黑暗中忽然有寒光一闪，像流星般飞了过来。

黑衣人一侧身，这道流星般的光芒就“夺”地钉在马车上，竟是柄短剑，一柄剑锋奇窄，精光四射的短剑。

邓定侯立刻松了口气，他已看出黑衣人脸上起了种面具都掩不住的变化。

他精神一振，奋力攻出三拳。

黑衣人却忽然凌空跃起，倒翻了出去。

就在这时，又是寒光一闪，王大小姐终于拔出了她的霸王枪。

邓定侯一回手，趁着她这一拔之力，将这杆枪标枪般地掷了出去。

一尺长，七十三公斤重的霸王枪，枪锋破空，是多大的威力。

只见黑衣人凌空一个翻身，忽然反手抄住了这杆枪，借力使力，向下一戳。

一声惨呼，一个人被枪锋钉在地上。

黑衣人却又借着这一枪下戳的力量，弹丸般从枪杆下弹了起来，又是凌空几个翻身，竟已掠出十余丈，身形在远处树梢又一弹，就看不见了。

邓定侯几乎已看得怔住。

少林门下虽然并不以轻功见长，他自己却一向喜欢轻功。

他的轻功身法另有传授，在这方面，他一向很自负，总认为江湖中已很少有人的轻功比得上他。

可是现在他跟这个黑衣人一比，这个人若是飞鹰，他最多不过是只麻雀。

直到这时候，他才发现自己的确应该回去多待几天了。

他花在女人身上的工夫实在太多。

就在他觉得自己以后应该远离女人之时，已有个女人走过来，扶住了他。

王大小姐的手虽然冰冷，声音却是温柔的："你伤得重不重？"

邓定侯苦笑摇头。

有些人好像命中注定就离不开女人的，就算他不去找女人，女人也会找上他。

他在心里叹了口气，忽然问道："丁喜呢？"

王大小姐怔了怔，道："他来了？"

邓定侯已不必回答这句话，他已看见丁喜慢吞吞地从黑暗中走了出来。

王大小姐看了看他，又看了看钉在马车上的短剑："这是你的剑？"

丁喜道："嗯。"

王大小姐道："刚才那个黑衣人，好像也认得你这柄剑？"

丁喜道："哦？"

王大小姐目光闪动，盯着他，道："他是不是也认得你？"

丁喜淡淡道："我也不知道他认不认得我，我只知道我不认得他。"

王大小姐道："你连他长得什么样子都没有看清楚，怎么知道不认得他？"

丁喜板起脸，冷冷地道："你怎么知道我没有看清楚？"

王大小姐眼珠子转了转，忽然笑了笑，道："也许你真的比我们看得都清楚一些，他刚才就是从你那边逃走的。"

丁喜摇头道："哼。"

王大小姐忽又沉下脸，道："他刚才既然是从你那边逃走的，你为什么不拦住他？"

丁喜冷冷道："因为你们的霸王枪，先替他开了路。"

王大小姐说不出话来了。

丁喜走过来，拔起了霸王枪，忽又冷笑道："他的确应该谢谢你们，本来他已来不及把这个人杀了灭口，你们却及时把这杆枪送给了他。"

邓定侯轻咳两声，苦笑道："他杀的这个人是谁？"

丁喜道："苏小波。"

邓定侯叹了口气，道："你果然没有看错，苏小波果然真是跟他串通的。"

丁喜慢慢地走过来，拔出了车上的剑。

邓定侯道："这的确是口好剑。"

他还想再仔细看看，却已看不见了。

丁喜一反手，这柄剑就忽然缩入了他的衣袖。

邓定侯道："你刚才那一剑虽然不想伤人，却已把别人吓走了。"

丁喜道："你怎么知道我那一剑不想伤人？"

邓定侯笑了笑，道："这柄剑钉在马车上，只钉入了两寸。"

这是事实，车上的剑痕犹在。

邓定侯道："以你的腕力，再加上这柄剑的锋利，若是真的想伤人，这一剑掷出就算打在石头上，至少也应该打进去五六寸。"

丁喜冷冷道："你也未免把我的力气估量得太高了一些。"

邓定侯笑了笑，道："不管怎么样，那个黑衣人总是被这一剑吓走的。"

丁喜道："哦。"

邓定侯道："他怕的当然并不是这口剑，而是你这个人。"

丁喜淡淡道："或许他也把我估量得太高了。"

邓定侯道："他至少知道这是你的剑，至少知道你是个什么样的人，所以他才会走。"

丁喜看了他两眼，道："你究竟想说什么？"

邓定侯叹了口气，道："有很多的话我都想说出来，只不过现在……"

丁喜道："现在怎么样？"

邓定侯道："现在我只想问你一句话。"

丁喜道："你为什么不问？"

邓定侯盯着他的眼睛。

邓定侯道："你心里究竟隐藏着什么事，为什么不肯说出来？"

丁喜道："你既然知道，我又何必再说。"

邓定侯道："我怎么会知道？"

丁喜冷笑道："你既然不知道，凭什么断定我心里有事？"

邓定侯怔了怔，苦笑道："其实我心里也藏着件事，没有说出来。"

丁喜道："哦？"

邓定侯道："我知道有个人虽然是在关外成名的，但是他成长的地方，却是闽南。”

丁喜听着。

邓定侯道：“闽南是个很偏僻的地方，少年人想在那里出头，很不容易，所以他们就到外面来闯天下，有的人到了中原，有的人出了关。”

王大小姐道：“他们？”

邓定侯道：“当年在一起闯荡江湖的，当然不止一个人。”

王大小姐脸色又发了白，道：“你是说，我父亲也是他们其中之一？”

邓定侯道：“我现在说的只是一个人，他在闽南闯过天下，却在关外成名，所以他跟你父亲是老朋友。”

王大小姐脸色更苍白，握紧他的手，道：“你说的是百里长青？”

邓定侯点点头，道：“一个人发迹之后，总不愿再提起以前那些不得意的往事，所以他和你父亲在闽南那一段经历，江湖中很少有人知道。”

王大小姐道：“你怎么会知道的？”

邓定侯道：“因为我老婆的娘家，恰巧也是闽南的武林世家，她的一个大伯，以前还跟百里长青有过往来。”

提起他的妻子，他就在有意无意间，轻轻放开了王大小姐的手。

王大小姐没有注意。

邓定侯又道：“闽南的武林世家，大多数都很保守，因为他们的乡土观念很重，语言又和中原完全不同，所以他们的子弟，很少到中原来。”

王大小姐道：“所以百里长青在闽南的往事，中原很少有人知道。”

邓定侯道：“可是我老婆却在我面前提起过，她的大伯是辽东大侠的老友，她也觉得很有光彩，她甚至还知道百里长青的生日。”

王大小姐道：“是吗？她怎么会知道的？”

邓定侯道：“因为她的大伯曾经告诉过她，百里长青的生日，跟她是在同一天。”

王大小姐道：“是哪一天？”

邓定侯道：“五月十三。”

繁星在天，大地更安静，暖风吹过树梢，柔软如情人的呼吸。

丁喜忽然道：“你们为什么不说话了？”

没有反应。

丁喜道：“不说话的意思，是不是因为你们都已认定了百里长青就是那该死的天才凶手？”

王大小姐恨恨道：“看来他还是个该死的奸细。”

邓定侯道：“我们的联营镖局若是组织成功，青龙会的势力就难免要受到影响，所以他就把我们的秘密出卖给你。”

丁喜道：“有理。”

邓定侯道：“他这么样做，不但破坏了开花五犬旗的威信，而且还可以坐收渔利。”

丁喜道：“有理。”

邓定侯道：“但他却想不到聪明的丁喜也有失手的时候，这一次的计划既然已注定失败，他就只有再发动第二次。”

丁喜道：“有理。”

邓定侯道：“幸好他早已将青龙会的势力，渗透入饿虎岗，饿虎岗恰巧又发起了一个黑道联盟，他就决心要把这组织收买了，让黑道上的朋友和开花五犬旗火并。”

丁喜道：“有理。”

邓定侯道："只可惜饿虎岗上的兄弟们，还有些不听话，他既然无法收买到这些人，于是就索性把他们杀了灭口。"

丁喜道："有理。"

邓定侯道："然后他再让我们来替他顶这个黑锅，叫你也回不了饿虎岗，因为他对聪明的丁喜多少还有些顾忌。"

丁喜道："有理。"

邓定侯道："大王镖局坚决不肯加入开花五犬旗，也许就因为王老爷子早已知道了他的阴谋，他们早年在闽南时，本是很亲密的朋友。"

丁喜道："有理。"

邓定侯道："据说青龙会的发祥地，本来也在闽南，王老爷子早年时，说不定也曾加入过他们的组织。"

丁喜道："有理。"

邓定侯道："等到青龙会要把势力扩展到中原镖局时，当然就会要王老爷子为他们效力，但这时王老爷子已看透了他们的真面目，虽然被他们威逼利诱，也不为所动，所以才会惨死在他们手下。"

丁喜道："有理。"

邓定侯笑了笑，道："你已经说了九句有理，一定是真的认为我有理了？"

丁喜也笑了笑，道："我承认你说的每句话都有道理，只可惜我连一点证据都没有看见。"

邓定侯道："你要什么样的证据？"

丁喜道："随便什么样的证据都行。"

邓定侯道："假如没有证据，我们就不能把百里长青当作凶手？"

丁喜道："不能。"

邓定侯叹了口气，道："他是王老爷子的朋友，早年也曾经在闽南鬼混过，我们走镖的路线和秘密只有他完全清楚，他不但武功极高，而且还练过百步神拳，甚至连你用的兵器都知道。”

他叹息着，又道：“所有的条件，只有他一个人完全符合，这难道还不够？”

丁喜道：“还不够。”

邓定侯道：“为什么？”

丁喜道：“因为符合这条件的人，并不是只有他一个。”

邓定侯道：“除了他还有谁？”

丁喜又笑了笑，道：“至少还有你。”

邓定侯道：“我？”

丁喜道：“你也是王老爷子的朋友，你的妻子既然是闽南人，你当然也到闽南去过，你们镖局的秘密，你当然也知道。”

邓定侯苦笑道：“而且我当然也练过百步神拳，而且练得还很不错。”

丁喜微笑道：“我当然也知道你绝不会是凶手，我只不过在提醒你，符合这些条件的人，并不一定就是凶手。”

邓定侯看看他，忽然也笑了笑，道：“你只忘了一点。”

丁喜道：“哦？”

邓定侯道：“这些条件，我并不能完全符合，因为我直到昨天晚上为止，还不知道你用的是什么兵器。”

丁喜不能否认。

邓定侯道：“近来你的名气虽然已不小，可是江湖中人见过你的兵器的却不多。”

丁喜也不能否认。

他的确一向很少出手，要解决困难时，他使用的是他的智慧，不是他的剑。

邓定侯一直都在盯着他，又笑了笑，道：“其实我当然知道，你绝不会和那个天才凶手串通的，只不过……”

丁喜道：“只不过怎么样？”

邓定侯道：“我总觉得你应该认得百里长青。”

丁喜道：“为什么？”

邓定侯道：“因为他对你的事，好像很了解，你对他的事，好像也很关心。”

王大小姐忽然冷笑道：“不但很关心，而且一直都在为他辩白，难道……”

丁喜也在冷笑，道：“难道你们认为我是他的儿子？”

王大小姐道：“不管你是他的什么人，你既然要为他辩白，也应该拿出证据来。”

丁喜道：“所以我就该跟你们到饿虎岗去？”

王大小姐道：“不管‘五月十三’是不是百里长青，现在都已回到了饿虎岗。”

丁喜道：“所以我现在就应该跟你们去？”

王大小姐终于承认：“我就是要你现在就去。”

丁喜道：“哈哈。”

王大小姐道：“‘哈哈’是什么意思？”

丁喜道：“‘哈哈’的意思，就是不管你说什么，我不去就是不去。”

王大小姐怔住。

她看看邓定侯，邓定侯也只有看看她。

丁喜悠然道：“两位还有什么高论？”

王大小姐真的着急了，连眼圈都已急红了，忽然大声道：“你为什么不问问我小马的下落？”

丁喜道：“我为什么要问？”

他冷冷地接着道："他又不是个小孩子，难道还要人一天到晚地跟着他，喂他吃奶？"

王大小姐脸也红了，终于忍不住道："可是……可是他们也已经去了饿虎岗，你难道——难道一点也不着急？"

邓定侯已经先着了急，抢着问道："他们是几时去的？"

王大小姐道："我到酒楼去跟你们见面的时候，本来是叫他们在客栈里等我的，谁知道……"

邓定侯道："谁知道等你回去时，他们两个人已经走了。"

王大小姐咬着嘴唇，点了点头，道："小琳告诉我，小马这个人天不怕，地不怕，就只怕他的丁大哥。"

邓定侯道："他知道你去找丁喜，当然不敢再等在那里挨骂。"

丁喜沉着脸道："我唯一要骂的人，就是我自己。"

邓定侯道："不管怎么样，小马总是你的好兄弟，现在饿虎岗既然是把你当作叛徒，当然也不会放过他。"

丁喜道："哼。"

王大小姐道："他们临走的时候，还交代着客栈的账房，说他们要先到饿虎岗去看看，不管结果怎么样，他们都会有话留给老山东的。"

邓定侯道："现在他到饿虎岗去，简直就等于是送羊入虎口，所以……"

王大小姐抢着道："所以不管怎么样，我们都应该尽快赶去。"

丁喜道："哼哼。"

王大小姐道："'哼哼'又是什么意思？"

丁喜冷冷道："'哼哼'的意思就是不管你们到哪里去，我都要去睡觉了。"

02

驾车的马，本来不会是好马，但归东景的马，却没有一匹不是好马。

丁喜刚才临走时候已将这匹马系在树上，他看来虽然是个粗枝大叶的人，其实做事一向很仔细，因为他从小就得自己照顾自己。

他也不管别人是不是在后面跟着，一个人走回来，从车厢里找出半坛酒，一口气喝下去，就跳上车顶，舒舒服服地躺下，放松了四肢。

能有这样一个地方，他已经觉得很满意。

邓定侯和王大小姐当然也只有跟着他来了。

他们找了些枯枝，生了一堆火。

——这里虽然不会有虎狼，蛇虫却一定会有的，生个火总是安全些。

邓定侯也是个做事仔细的人，所以他们才能活到现在。

“你手臂上的伤怎么样了？”

“还好。”

“我带着有金创药，我替你看看。”王大小姐忽然显露了她女性的温柔。

她轻轻地撕开了邓定侯的衣袖，用一点烧酒为他洗净伤口，倒了一点药在上面，再撕开自己一条内裙，替他包扎了起来。

她的动作温柔体贴，只可惜丁喜完全没有看见。

他脱下了自己的衣服，卷起来做枕头，睡得好舒服。

王大小姐好像也没有看见他，却又偏偏忍不住，道：“你看看这个人，在这种地方他居然也能睡得着。”

邓定侯笑了笑，道："据说他从小就在江湖中流浪了，像他这种人，有时连站着都能睡觉的。"

王大小姐咬着嘴唇，沉默了很久，又忍不住道："他难道一直都没有家？"

邓定侯道："好像没有。"

王大小姐仿佛在叹息，却还是板着脸，冷冷道："据说没有家的人，总是对朋友特别够义气的，他却好像是个例外。"

邓定侯道："你认为他对小马不够义气？"

王大小姐道："哼。"

邓定侯道："也许他只不过因为吃的苦太多，所以做事就比别人小心些。"

王大小姐冷笑道："一个真正的男子汉，不管吃了多少苦，都不该像他这么样怕死。"

邓定侯看着她，微笑道："你好像对他很不满意。"

王大小姐道："哼哼。"

邓定侯微笑道："难道你又认为他不喜欢你了？"

王大小姐道："我……"

邓定侯打断了她的话，道："有些人心里虽然喜欢一个人，嘴里却绝不会说出来的，有时他心里愈热情，表面上反而愈冷淡。"

王大小姐道："为什么？"

邓定侯道："因为他们的身世孤苦，生活又不安全，而且随时随地都可能死在别人的刀剑下，所以他们若是真的喜欢一个人时，反而要尽量疏远。"

王大小姐道："因为他不愿连累了他喜欢的这个女孩子？"

邓定侯道："不错。"

王大小姐道："你认为丁喜是这种人？"

邓定侯道："他是的。"他叹息着，又道，"他表面看来虽然很洒脱，很开朗，其实心里却一定有很多解不开的结。"

王大小姐凝视着他，柔声道："你好像总是在替别人着想，总是很能了解别人。"

邓定侯笑了笑，道："这也许只因为我已经老了，老头子总是比较容易谅解年轻人的。"

王大小姐嫣然一笑，道："像你这样的老头子，世界上只怕还没有几个。"

这时一阵仲夏之夜的柔风，正吹过青青的草地。

星光满天，火光闪动，照红了她的脸，风中充满了绿草的芬芳，绿草柔软如毡。

她笑得又那么温柔。

邓定侯忽然发觉自己的心在跳，跳得很快。

他并不是那种一见了美丽的女人就会心跳的男人，可是这个女孩子……

他绝不能让这种情况再发展下去，勉强笑了笑，道："看样子我们也没有什么地方可去了，不如也将就在这里睡一夜，有什么话，等到明天再说。"

王大小姐点点头，道："现在并不太热，我们就睡在火旁边好不好？"

邓定侯好像吓了一跳："我们？"

王大小姐道："你流了很多血，一定会觉得冷的，当然应该睡在火光旁边。"

邓定侯道："可是你……"

王大小姐道："我当然也睡在这里，我怕蛇。"

邓定侯道："你……你可以睡到车上去。"

王大小姐道："蛇难道不会爬到车上去？"

她嫣然一笑，又道："假如你怕我，我可以睡得离你远一点，我的睡相很好，绝不会滚到你身边去的。"

她的睡相并不好，年轻的女孩子，睡相都不会太好，何况，一个像她这么样娇生惯养的大小姐，睡在这种草地上，当然睡不安稳。

睡梦中，她忽然翻了身，一只手竟压到邓定侯胸口上了。

她的手柔软而纤美。

邓定侯连动也不敢动。

他也不是那种坐怀不乱的君子，对年轻美丽的女孩子，他一向很有兴趣。

可是这个女孩子……

他叹了口气，禁止自己想下去。

他开始想丁喜——

这个年轻人的确有很多长处，他喜欢他，就好像喜欢自己的亲兄弟一样。

他又想到了他的妻子——

这几年来，他的确太冷落她了，她却一直都是个好妻子。

他需要时，她就算已沉睡，还是从来也没有拒绝过他。

想起了他们初婚时，那些恩爱缠绵的晚上，想起了她的温柔与体贴，想起了她柔软的腰肢，想起了丰满修长的双腿……

他又禁止自己再想下去。

又是一阵柔风吹过，他轻抚着臂上的伤口，忽然觉得很疲倦，非常疲倦……

他睡着了。

03

丁喜却还没能睡得着，他们刚才说的话，每一句他都听得清清楚楚。

“就算他心里喜欢你，嘴上也绝不会说出来的……”

“他心里一定有很多解不开的结……”

邓定侯的确很了解他，却还了解得不够深。

他疏远她、冷淡她，并不是因为他怕连累了她，而是因为他不敢。

他不敢，因为他总觉得自己配不上，一种别人永远无法解释的自卑，已在他心里打起了结，生下了根。

根已很深了。

饥饿、恐惧、寒冷，像野狗般蜷伏在街头，为了一块冷饼被人像野狗般毒打。

只要一想起这些往事，他身上的衣服就会被冷汗湿透，就会不停地打冷战。

他的童年，实在比噩梦还可怕。

现在这些悲惨的往事虽然早已过去，他身上的创伤也早已平复。

可是他心里的创伤，却是永远也没法子消除的。

“你好像总是在替别人着想，好像总是这么样了解别人……”

他又想到，邓定侯的确是个好朋友、好汉子，他已经欠他太多，几乎也很难还清。

丁喜知道他也很喜欢她。

虽然他已有了家，有了妻子，可是这些事对丁喜来说都不重要。

重要的是，他是绝不能对不起朋友的。

“一个从来没有家的人，对朋友总是特别够义气的。”

“你认为他对小马不够义气？”

丁喜在心里叹了口气，小马不但是他的朋友，也是他的兄弟，他的手足。

小马这一去，的确是送羊入虎口的。

难道他真的就这样看着？

他闭上眼睛，决心要小睡片刻，明天还有很多很多事要做。

繁星满天，夜风温柔。

明天一定是好天气。

04

旭日东升。

第一线阳光冲破晨雾，照射在大地上时，邓定侯就醒了。

他醒来的时候，阳光正照在王大小姐乌黑柔软的头发上。

她的睫毛也很长，她的双颊嫣红，柔发上带着醉人的幽香。

她就睡在他身旁，睡得就像是个孩子。

邓定侯大醉后醒来时，常常会在自己身边发现一个陌生而年轻的女人，他通常都要想很久，才能想起这个女人是怎么到他床上来的。

可是这一次……

他没有想下去，悄悄地站起来，深深呼吸了一口清晨郊外的新鲜空气。

然后他就忽然怔住。

睡在车顶上的丁喜已不见了，系在树上的那匹马也不见了。

清晨郊外的空气很新鲜。

邓定侯见到马车还停在原来之处，不过那匹马和丁喜去了哪里？

马匹不会自己走脱的，一定有人把马匹解开。

这是丁喜所做的吗？

他再深深地吸了口清新的空气，但似乎还没有把醉后的酒意消除，脑子有点模糊。

他在想着，丁喜走了，为什么不说一句话？

第十一章

魔　索

01

“丁喜真的走了！”

他是真的走了，不但带走了那匹马，还带走了一坛酒，却在车上留下两个字：“再见！”

再见的意思，有时候就是永不再见。

“他为什么不辞而别？是不是我们逼他上饿虎岗？”王大小姐用力咬着嘴唇，“我实在想不到他居然是个这么怕死的懦夫。”

“他绝不是。”邓定侯说得很肯定，“他不辞而别，一定有原因。”

“什么原因？”

“我也不知道。”

邓定侯叹了口气，苦笑道：“我本来认为我已经很了解他。”

王大小姐道：“可是你想错了。”

邓定侯叹道：“他实在是个很难了解的人，谁也猜不透他的心事。”

王大小姐道：“我想他一定认得百里长青，说不定跟百里长青有什么特别的关系。”

邓定侯道：“看来的确是好像有一点，其实却绝对没有。”

王大小姐道："你知道？"

邓定侯点点头道："他们的年纪相差太多，也绝不可能有交朋友的机会。"

王大小姐道："也许他们不是朋友，也许他真的就是百里长青的儿子。"

邓定侯笑了。

王大小姐道："你认为不可能？"

邓定侯道："百里长青是个怪人，非但从来没有娶过妻子，我甚至从来也没有看见他跟女人说过一句话。"

王大小姐道："他讨厌女人？"

邓定侯点点头，苦笑道："也许就因为这原因，所以他才能成功。"

他也知道这句话说得有点语病，立刻又接着道："说不定丁喜也是到饿虎岗去的。"

王大小姐道："为什么不跟我们一起去？"

邓定侯道："因为我受了伤，你……"

王大小姐板着脸道："我的武功又太差，他怕连累我们，所以宁愿自己一个人去。"

邓定侯道："不错。"

王大小姐冷笑道："你真的认为他是这么够义气的人？"

邓定侯道："你认为他不是？"

王大小姐道："可是他总知道，他就算先走了，我们还是一定会跟着去的。"

邓定侯道："我们？"

王大小姐盯着他，道："难道你也要我一个人去？"

邓定侯又笑了，又是苦笑。

他这一生中，接触过的女人也不知有多少，却从来也不懂应该怎么拒绝女人的要求。

——也许就因为如此，所以女人也很少能拒绝他。

“你到底去不去？”

“我当然去。”邓定侯苦笑着，看着自己脚上已经快被磨穿了的靴子，道，“我最近肚子好像已渐渐大了，正应该多走点路。”

“你走不动时，我可以背着你。”

“你的意思是不是说，当你走不动时，也要我背着你。”

“我们是不是先去找老山东？”

“嗯。”

“你知道老山东是谁？”

“不知道。”

“我只希望这个老山东还不太老，我一向不喜欢跟老头子打交道。”

“你难道看不出我就是个老头子？”

“你若是老头子，我就是老太婆了。”

两个人若是有很多话说，结伴同行，就算很远的路，也不会觉得远。

所以他们很快就到了饿虎岗。

他们并没有直接上山，邓定侯的伤还没有好，王大小姐也不是那种不顾死活的莽丫头。

山下有个小镇，镇上有个馒头店。

“老山东，大馒头。”

02

“老山东馒头店”资格的确已很老，外面的招牌，里面的桌椅，都已被烟熏得发黑了。

店里的人倒还不太老，却也被烟熏黑了，只有笑起来的时候，才会露出一口雪白的牙齿。

除了做馒头外，他还会做山东烧鸡。

馒头很大，烧鸡的味道很好，所以这家店的生意总不错。

只有在大家都吃过晚饭，馒头店已打了烊时，老山东才有空歇下来，吃两个馒头，吃几只鸡爪，喝上十来杯老酒。

老山东正在喝酒。

一个人好不容易空下来喝杯酒，却偏偏还有人来打扰，心里总是不愉快的。

老山东现在就很不愉快。

馒头店虽然已打烊了，却还开着扇小门通风，所以邓定侯、王大小姐就走了进来。

老山东板着脸，瞪着他们，就好像把他们当作两个怪物。

王大小姐也在瞪着他，也把这个人当作个怪物——有主顾上门，居然还会吹胡子瞪眼睛的人，不是怪物是什么？

邓定侯道：“还有没有馒头？我要几个热的。”

老山东道：“没有热的。”

邓定侯道：“冷的也行。”

老山东道：“冷的也没有。”

王大小姐忍不住叫了起来："馒头店里怎么会没有馒头？"

老山东翻着白眼，道："馒头店里当然有馒头，打了烊的馒头店，就没有馒头了，冷的热的都没有了，连半个都没有。"

王大小姐又要跳起来，邓定侯却拉住了她，道："若是小马跟丁喜来买，你有没有？"

老山东道："丁喜？"

邓定侯道："就是那个讨人喜欢的丁喜。"

老山东道："你是他的朋友？"

邓定侯道："我也是小马的朋友，就是他们要我来的。"

老山东瞪着他看了半天，忽然笑了："馒头店当然有馒头，冷的热的全都有。"

邓定侯也笑了："是不是还有烧鸡？"

老山东道："当然有，你要多少都有。"

烧鸡的味道实在不错，尤其是那碗鸡卤，用来蘸馒头吃，简直可以把人的鼻子都吃歪。

老山东吃着鸡爪，看着他们大吃大喝，好像很得意，又好像很神秘。

邓定侯笑道："再来条鸡腿怎么样？"

老山东摇摇头，忽然叹了口气，道："鸡腿是你们吃的，卖烧鸡的人，自己只有吃鸡爪的命。"

王大小姐道："你为什么不吃？"

老山东又摇头道："我舍不得。"

王大小姐道："那么你现在一定已是个很有钱的人。"

老山东道："我像个有钱人？"

他不像。

从头到尾都不像。

王大小姐道："你赚的钱呢？"

老山东道："都输光了，至少有一半是输给丁喜那小子的。"

王大小姐也笑了。

老山东又翻了翻白眼，道："我知道你们一定把我看成个怪物，其实……"

王大小姐笑道："其实你本来就是个怪物了。"

老山东大笑，道："若不是怪物，怎么会跟丁喜那小子交朋友？"

他上上下下地打量着王大小姐，又道："现在我才真的相信你们都是他的朋友，尤其是你。"

王大小姐道："因为我也是个怪物？"

老山东喝了杯酒，微笑道："老实说，你已经怪得够资格做那小子的老婆了。"

王大小姐脸上泛起红霞，却又忍不住问道："我哪点怪？"

老山东道："你发起火来脾气比谁都大，说起话来比谁都凶，吃起鸡腿来像个大男人，喝起酒来像两个大男人。可是我随便怎么看，我上看下看，左看右看，还是觉得你连一点男人味都没有，还是个十足不折不扣的女人。"

他叹了口气，又道："像你这样的女人若是还不怪，要什么样的女人才奇怪？"

王大小姐红着脸笑了。

她忽然觉得这个又脏又臭的老头子，实在也有很多可爱之处。

老山东又喝了杯酒，道："前天跟小马来的那小姑娘，长得虽然也不错，而且又温柔，又体贴，可是要我来挑，我还是会挑你做老婆。"

邓定侯生怕他们扯下去，抢着问道："小马来过？"

老山东道："不但来过，还吃了我两只烧鸡，十来个大馒头。"

邓定侯道："现在他们的人呢？"

老山东道："上山了。"

邓定侯道："他有没有什么话交代给你？"

老山东道："他要我一看见你们来，就尽快通知他，丁喜那小子为什么没有来？"

王大小姐又开始咬起嘴唇——认得她的人，有很多都在奇怪：一生气她就咬嘴唇，为什么直到现在还没有把嘴唇咬掉？

邓定侯立刻抢着道："现在我们已来了，你准备怎么通知他？"

老山东道："这些日子来，山上面的情况虽然已有点变了，但他却还是有几个好朋友，愿意为他传信的。"

邓定侯道："这种朋友他还有几个？"

老山东叹了口气，道："老实说，好像也只有一个。"

邓定侯道："这位朋友是谁？"

老山东道："拼命胡刚。"

邓定侯道："胡老五？"

老山东道："就是他。"

王大小姐忍不住插口道："这个胡老五是什么样的人？"

邓定侯道："这人剽悍勇猛，昔年和铁胆孙毅并称为'河西双雄'，可以算是黑道上出了名的好汉。"

老山东插嘴道："他每天晚上都要到这里来的。"

邓定侯道："来干什么？"

老山东道："来买烧鸡。"

王大小姐笑了，道："这位黑道有名的好汉，天天自己来买烧鸡？"

老山东眯着眼笑了笑，笑得有点奇怪："他虽然天天来买烧鸡，自己却也只有吃鸡脚的命。"

王大小姐笑道："烧鸡是买给他老婆吃的吗？"

老山东道："不是老婆，是老朋友。"

王大小姐道："铁胆孙毅？"

老山东道："对了。"

王大小姐道："看来这个人非但是条好汉，而且还是个好朋友。"

现在夜已深，静寂的街道上，忽然传来"笃、笃、笃"一连串声音。

老山东道："来了。"

王大小姐道："谁来了？"

老山东道："拼命胡老五。"

王大小姐笑道："他又不是马，走起路来怎么会'笃、笃、笃'地响？"

老山东没有回答，外面的响声已愈来愈近，一个人弯着腰走了进来。

他弯着腰，并不是因为他在躬身行礼，而是因为他的腰已直不起来。

其实他的年纪并不大，看起来却已像是个七八十岁的老头子，满头的白发，满脸刀疤，左眼上蒙着块黑布，右手拄着根拐杖，一走进门，就不停地喘息，不停地咳嗽。

这个人就是那剽悍勇猛的拼命胡老五？就是那黑道上有名的好汉？

王大小姐怔住。

胡老五用拐杖点着地，"笃、笃、笃"，一拐一拐地走了过来，连看都没有往王大小姐和邓定侯这边看一眼。

老山东居然也没有说什么，从柜台后面拿出一个早已准备好的油纸包，又拿出根绳子，把纸包扎起来，还打了两个结。

胡老五接过来，转过身，用拐杖点着地，“笃、笃、笃”，又一拐一拐地走了。

他们连一个字都没有说。

王大小姐忍不住问道：“这个人就是那拼命胡老五？”

老山东道：“是的。”

王大小姐道：“小马就是要他传信的？”

老山东道：“不错。”

王大小姐道：“可是你们却连一句话也没有说。”

老山东道：“我们用不着说话。”

邓定侯道：“小马看见那油纸包上绳子打的结，就知道我们来了，来的是两个人。”

老山东道：“原来你也不笨。”

王大小姐道：“可是小马在山上打听出什么，也该想法子告诉我们呀。”

老山东道：“他在山上暂时不会出什么事，因为孙毅跟他的交情也不错，等到他有消息时，胡老五也会带来的。”

王大小姐点点头，忽又叹了口气，道：“我实在想不通，拼命胡老五怎么会是这样的人？”

老山东喝下最后一杯酒，慢慢地站起来，眼睛里忽然露出种说不出的悲伤，过了很久才缓缓道：“就因为他是拼命胡老五，所以才会变成这样子。”

03

寂静的街道，黯淡的上弦月。邓定侯慢慢地往前走，王大小姐慢慢地在后面跟着，月光把他们的影子拖得很长。

老山东已睡了，用两张桌子一并，就是他的床。

“转过这条街，就是一家客栈，五分银子就可以睡一宿了。”

这种小客栈当然很杂乱。

“到饿虎岗上的人，常常到那里去找姑娘，你们最好留神些。”

王大小姐并没有带着她的霸王枪，她并不想做箭靶子。

邓定侯忽然叹了口气，道：“做强盗的确也不容易，不拼命就成不了名，拼了命又是什么下场呢？那一身的内伤，一脸的刀疤，换来的又是什么？”

做保镖的岂非也一样？

邓定侯勉强笑了笑，道：“只要是在江湖中的人，差不多都一样，除了几个运气特别好的，到老来不是替别人买烧鸡，就得自己卖烧鸡。”

王大小姐道：“你看那老山东以前也是江湖中混的？”

邓定侯道：“一定是的，所以直到今天，他还是改不了江湖人的老毛病。”

王大小姐道：“什么老毛病？”

邓定侯道：“今朝有酒今朝醉，明天的事，管他娘的。”

王大小姐笑了，笑得却不免有些辛酸：“所以丁喜毕竟还是个聪明人，从来也不肯为人拼命。”

邓定侯皱眉道：“这的确是件怪事，他居然真的没来。”

王大小姐冷冷道："这一点也不奇怪，我早就算准他不会来的。"

邓定侯沉思着，又道："还有件事也很奇怪。"

王大小姐道："什么事？"

邓定侯道："饿虎岗那些人明明知道小马是丁喜的死党，居然一点也没有难为他，难道他们要用小马来钓丁喜这条大鱼？"

王大小姐道："只可惜丁喜不是鱼，却是条狐狸。"

一阵风吹过，远处隐约传来一声马嘶，仿佛还有一阵阵清悦的铃声。

他们听见马嘶时，声音还在很远，又走出几步，铃声就近了。

这匹马来得好快。

王大小姐刚转过街角，就看见灯笼下"安住客栈"的破木招牌。

邓定侯忽然一把拉住了她，把她拉进了一条死巷子里。

她被拉得连站都站不稳，整个人都倒在邓定侯身上。

她的胸膛温暖而柔软。

邓定侯的心在跳，跳得很快。

——这是什么意思？

王大小姐忍不住要叫了，可是刚张开嘴，又被邓定侯掩住。

他的手虽然受了伤，力气还是不小。

王大小姐的心也跳得快了起来，她早已听说过江湖中这些大亨的毛病。

他们通常只有一个毛病——

女人。

难道这才是他的真面目？就在这种时候，这种地方……

王大小姐忽然弯起腿，用膝盖重重地往邓定侯两腿之间一撞。

这并不是她的家传武功，这是女人们天生就会的自卫防身的本能。

邓定侯疼得冷汗都冒出来，却居然没有叫出来，反而压低了声音，细声道："别出声，千万不要被这个人看见。"

王大小姐松了口气，终于发现前面已有两匹快马急驰而来，其中一匹马的颈子上，还系着对金铃，"叮叮当当"不停地响。

也就在这时，"砰"的一声，客栈旁的一排平房间，忽然有一扇窗户被震开，一张凳子先打出来，一个人跟着蹿出。

这人的轻功不弱，伸手一搭屋檐，就翻上了屋顶。

马上系着金铃的骑士仿佛冷笑了一声，忽然扬手，一条长索飞出，去势竟比弩箭还急。

屋顶上的人翻身闪避，本来应该是躲得开的。

可是这条飞索却好像又变成了条毒蛇，紧紧地盯着他，忽然绕了两绕，就已将这人紧紧缠住。

马上的骑士手一抖，长索便飞回，这个人也跟着飞了回去。

后面一匹马上的骑士，早已准备好一口麻袋，用两只手撑开。

长索一抖，这个人就像块石头一样掉进麻袋里。

两匹马片刻不停，又急驰而去，眨眼间就转入另一条街道，没入黑暗中，只剩下那清悦而可怕的金铃声，还在风中"叮叮当当" 地响着。

然后就连铃声都再也听不见了。

两匹马倏忽来去，就仿佛是来自地狱的骑士，来拘拿逃魂。

王大小姐已看得怔住。

这样的身手，这样的方法，实在是骇人听闻，不可思议的。

又过了片刻，邓定侯才放开了她，长长吐出口气道："好厉害。"

王大小姐才长长吐出口气，道："他刚才用的究竟是绳子，还是魔法？"

用飞索套人，并不是什么高深特别的武功，塞外的牧人们，大多都会这一手。

可是那骑士刚才甩出的飞索，却实在太快太可怕了，简直就像是条魔索。

邓定侯沉吟着，缓缓道：“像这样的手法，你以前从来没有见过？”

王大小姐眼睛亮了。

她见过一次。

丁喜从枪阵中救出小马时，用的手法好像也差不多。

邓定侯却见过两次。

他的开花五犬旗也是被一条毒蛇般的飞索夺走的。

王大小姐道：“难道那个人就是丁喜？”

邓定侯道：“不是。”

王大小姐道：“你知道他是谁？”

邓定侯道：“这个人叫‘管杀管埋’包送终。”

王大小姐勉强笑了笑，道：“好奇怪的名字，好可怕的名字。”

邓定侯道：“这个人也很可怕。”

王大小姐道：“江湖中人用的外号，虽然大多数都很奇怪，很可怕，可是这么样一个名字，我只要听见过一次，就绝不会忘记。”

邓定侯道：“你没有听见过？”

王大小姐道：“没有。”

邓定侯道：“关内江湖中的人，听见过这名字的确实不多。”

王大小姐道：“这个人是不是一直都在关外？”

邓定侯点点头道：“他的名字虽凶恶，却并不是个恶徒。”

王大小姐道：“哦？”

邓定侯道：“他杀的都是恶徒，若有人做了什么罪大恶极的坏事，却还能逍遥法外，他就会忽然出现。”

邓定侯道：“他便会用飞索把这人一套，用麻袋装起就走，这个人通常就会永远失踪了。”

王大小姐目光闪动，道：“也许他并没有真的把这个人杀死，只不过带回去做他的党羽了。”

邓定侯居然同意：“很可能。”

王大小姐道：“那些恶徒本就是什么坏事都做得出的，为感谢他的不杀之恩，再被他的武功所挟，当然就不惜替他卖命。”

邓定侯同意。

王大小姐道：“他在暗中收买了这些无恶不作的党羽，在外面却博得了一个除奸去恶的侠名，岂非一举两得？”

邓定侯冷笑。

他显然也已想到了这一点。

王大小姐道：“那天才凶手做的事，岂非也总是一举两得的。”

邓定侯道：“不错。”

王大小姐眼睛更亮，道：“你有没有想到过，这位‘管杀管埋’包送终，很可能也是‘青龙会’的人？”

邓定侯道：“嗯。”

王大小姐道：“只要是正常的人，绝不会起‘包送终’这种名字，所以……”

邓定侯道：“所以你认为这一定是个假名字。”

王大小姐点点头，反问道：“你认为他是谁改扮的？”

邓定侯叹了口气，道：“老实说，我也早就怀疑他是百里长青了。”

王大小姐眨了眨眼睛，故意问道：“除奸去恶，本是大快人心的事，为什么要用假名字去干？”

邓定侯道：“因为他是个镖客，身份跟一般江湖豪杰不同，难免有很多顾忌。”

王大小姐道：“还有呢？”

邓定侯道：“因为他做的事本就是见不得人，所以难免做贼心虚。”

王大小姐道：“他生怕这秘密被揭穿，所以先留下条退路。”

邓定侯道：“他本就是个思虑周密、小心谨慎的人。”

王大小姐道：“所以他的长青镖局，才会是所有镖局中经营得最成功的一个。”

邓定侯道：“他本身就是个很成功的人，无论做什么事，都从未失手过一次。”

王大小姐叹了口气，道：“这么样看来，我们的想法好像是完全一样的。”

邓定侯道：“这么样看来，百里长青果然已到了饿虎岗了。”

王大小姐冷笑道：“‘管杀管埋’的行踪一向在关外，百里长青没有到这里来，他怎么会到这里来？”

邓定侯道：“由这一点就可以证明，这两个人，就是一个人。”

王大小姐道：“他刚才杀的，想必也是饿虎岗上的好汉，不肯受他的挟制，想脱离他的掌握，想不到还是死在他手里。”

邓定侯道：“老山东刚才说过，这里时常有饿虎岗的兄弟走动，他不愿让弟兄们发现他手段毒辣，所以又用了‘包送终’的身份。”

王大小姐道：“借刀杀人，栽赃嫁祸，本就是他拿手本事。”

邓定侯又道：“他最可怕的还不是这一点。”

王大小姐道：“哦？”

邓定侯沉吟着，道：“世上的武功门派虽多，招式虽然各不相同，但基本上的道理，却完全是一样的，就好像……”

王大小姐道："就好像写字一样。"

邓定侯点头道："不错，的确就好像写字一样。"

世上的书法流派也很多，有的人学柳公权，有的人学颜鲁公，有的人学汉隶，有的人学魏碑，有的人专攻小篆，有的人偏爱钟鼎文，有的人喜欢黄庭小楷，有的人喜欢张旭狂草。

这些书法虽然各有它特殊的笔法结构，巧妙各不相同，但在基本上的道理也全都是一样的。"一"字就是"一"，你绝不会变成"二"；"十"字在"口"字里面，才是"田"，你如果把它写在口字上面，就变成"古"了。

邓定侯道："一个人若是已参透了武功中基本的道理，那么他无论学哪一门、哪一派的武功，一定都能举一反三，事半功倍，就正如……"

王大小姐道："就正如一个已学会了走路的人，再去学爬，当然很容易。"

邓定侯微笑着点了点头，目中充满赞许，她实在是个很聪明的女孩子。

王大小姐道："这道理我已明白了，所以我也明白，为什么丁喜第一次看见霸王枪，就能用我的枪法击败我。"

邓定侯闭上了嘴。

他好像一直都在避免着谈论到丁喜。

王大小姐又叹了口气，道："我也知道你不愿意怀疑他，因为他是你的朋友，可是你自己刚才也说过，他用的飞索，手法也跟百里长青一样。"

邓定侯不能否认。

王大小姐道："所以我们无论怎么样看，都可以看出丁喜和百里长青之间，一定有某种很奇怪、很特别的关系存在着。"

邓定侯道："只不过……"

王大小姐打断了他的话，道："我也知道他绝不可能是百里长青的儿子，但是他有没有可能是百里长青的徒弟呢？"

邓定侯叹息着，苦笑道："我不清楚，也不能随便下判断，但我却可以确定一件事。"

王大小姐道："什么事？"

邓定侯道："不管丁喜跟百里长青有什么关系，我都可以确定，他绝不是百里长青的帮凶。"

王大小姐凝视着他，美丽的眼睛里也充满了赞许和仰慕。

够义气的男子汉，女人们总是会欣赏的。

黑暗的长空，朦胧的星光。

她的眼波如此温柔。

邓定侯忽然发觉自己的心又在跳，立刻大步走出去："我们还是快找个地方睡一下，明天一早，我们就得起来等小马的消息。"

小马是不是会有消息？

现在他是不是还平安无恙？是不是已查出了"五月十三"的真相？

"五月十三"是不是百里长青？

这些问题，现在还没有人能明确回答，幸好今天已快过去了，还有明天。

明天总是充满了希望的。

"我们不如回到老山东那里去，相信他那里还有桌子。"

"可是前面就已经是客栈了。"

"我看见了，但客栈里太杂太乱，耳目又多，我们还是谨慎些好。"

王大小姐忽然笑了："你是不是很怕跟我单独相处在一起？"

邓定侯也笑了："我的确有点怕，你刚才那一脚踢得实在不轻。"

王大小姐红了脸。

"其实你本来用不着害怕的。"她忽然又说。

"哦？"

"因为……"她抬起头，鼓起勇气道，"因为我本来只不过想利用你来气气丁喜，我还是喜欢他的。"

邓定侯很惊奇，却不感到意外。

这本是他意料中的事，令他惊奇的，只不过因为连他都想不到王大小姐居然会有勇气说出来。

他只有苦笑："你实在是个很坦白的女孩子。"

王大小姐又有点不好意思了，红着脸道："后来我虽然发现你是个很了不起的人，可是……可是你已经有了家，我也只能把你当作我的大哥。"

邓定侯道："你是在安慰我？"

王大小姐脸更红，过了很久，才轻轻道："假如我没有遇见他，假如你……"

邓定侯打断了她的话，微笑道："你的意思我明白，能够做你的大哥，我已经感到很开心了。"

王大小姐轻轻吐出口气，就像是忽然打开了一个结："就因为我喜欢他，所以才生怕他会做出见不得人的事。"

"他不会的。"

"我也希望他不会。"

两个人相视一笑，心里都觉得轻松多了。

然后他们就微笑着走出暗巷。这时夜已很深，他们都没有发觉，远处的黑暗中，正有一双发亮的眼睛在看着他们。

那是谁的眼睛？

第十二章

大宝塔

01

命运是什么?

命运岂非也正像是条魔索，有时它岂非也会像条毒蛇般，紧紧地把一个人缠住，让你空有满腹雄心、满身气力，却连一点也施展不出?

有时它又会忽然飞出来，夺走你生命中最珍贵的东西，就像是丁喜夺走那开花五犬旗。

有时它还会突然把两个本来毫无关系的人，紧紧地缠在一起，让他们分也分不开，甩也甩不脱。

02

这小镇上最高的一栋屋子就是万寿楼。

丁喜正躺在万寿楼的屋脊上。

他静静地躺着，静静地仰视着满天星光。

他没有动。

命运已像是条魔索般，将他整个人都捆住了，他连动都不能动。

他心里也有条绳子，还打了千千万万个结。

什么结能解得开？

只有自己打的结，自己才能解开。

他心里的结，却都不是他自己打成的。

噩梦般的童年，凄凉的身世，艰辛的奋斗，痛苦的挣扎，无法对人倾诉的往事。

每一件事，都是一个结。

何况还有那永无终止的寂寞。

好可怕的寂寞。

寂寞的意思，不仅是孤独，刚才他看见邓定侯和王大小姐依偎在暗巷中，又微笑着走出来的时候，他的寂寞更深。

他忽然有了种被人遗忘了的感觉，这种感觉无疑也是寂寞的一种，而且是最难忍受的一种。

只不过这是他自找的，他先拒绝了别人，别人才会遗忘了他。

所以他并不埋怨，却在祝福，祝福他的朋友们能永远和好。

他的祝福诚恳而真挚，却也是痛苦的。

——假如你知道他的痛苦有多么深，你就会了解“误会”是件多么可怕的事了。

风从远山吹过时，传来了更鼓声。

已是三更。

他忽然跳了起来，用最快的速度，掠向远山。

远山一片黑暗，那青色的山冈，已完全被无边的黑暗笼罩。

03

黑暗永远不会太长久的。

青色的山冈又浸浴在阳光下，阳光灿烂。

灿烂的阳光，从窗外照进来，这破旧的馒头店，也显得有了生气。

王大小姐正在吃她的早点，用馒头蘸着烧鸡卤吃。

馒头是刚出笼的，热得烫手，烧鸡卤却冰冷，吃起来别有一番风味。

比邓定侯拳头还大的馒头，她已经吃了两个。

虽然这两天都没有睡好，可是一清早起来，躲在厨房里偷偷地冲了个冷水澡后，她的精神却特别振奋，胃口也特别好。

她毕竟还年轻。

邓定侯的胃口就差多了，老山东更不行，他宿酒未醒，又没有睡好，正在喃喃地嘀咕着："放着好好的客栈不去睡，却偏偏要来睡我的破桌子，你们这些年轻人，我真不知道你们有什么毛病！"

王大小姐嫣然道："不是我有毛病，是他。"

老山东道："是他？"

王大小姐道："他怕我，因为我不是……"

她没有说下去，她的脸已红了。

老山东眯着眼笑道："因为你不是他的情人，是丁喜的。"

王大小姐没有否认。

没有否认的意思，通常就是承认。

老山东大笑，道："丁喜这小子，果然有两手，果然有眼光。"

他站起来找酒："这是好消息，我们一定要喝两杯庆祝庆祝。"

喜欢喝酒的人，总是能找出个理由喝两杯的。

邓定侯也笑了。

老山东已找出三个大碗，倒了三碗酒，倒得满满的。

邓定侯道："我们少喝点行不行？"

老山东用眼角瞄着他，道："你是不是想喝醋？"

邓定侯苦笑道："就算我要吃醋，吃的也是干醋。"

老山东道："那么你就快喝酒。"

邓定侯道："可是今天……"

老山东道："你放心，胡老五一定要到晚上才会来，因为他的孙大哥一定要等到晚上夜宵时才吃烧鸡，而且要吃新鲜的。"

邓定侯叹了口气，道："要我们坐在这里干等一天，滋味倒真不好受。"

老山东道："你也可以放心，我不会让你们'干'等的，我的酒足够把你们两个人都泡得完全湿透的。"

他又举起了他的碗。

王大小姐忽然道："现在我们就喝酒来庆祝，未免还太早了些。"

老山东皱着眉道："为什么？"

王大小姐也叹了口气，道："因为……因为我虽然对他好，可是……"

老山东道："可是那小子却总是对你冷冰冰的，有时还故意要气你。"

王大小姐咬起了嘴唇，道："他就是这样子。"

老山东又大笑，道："这你就不懂了，就因为他喜欢你，所以才会故意做出这样子来，我早就说过这小子是个怪物。"

王大小姐眼睛里立刻发出了光，立刻用两只手捧起酒碗，好像准备一口气喝下去。

邓定侯并没有阻止。

他知道王大小姐要喝酒时，谁也拦不住的。

就在这时，突听门外“笃”地一响。

门还没有开，门外已贴上了一张红纸。

老板有病，

休业三天。

可是“笃”的一声响过之后，又是“砰”的一响，一个人撞开了门，踉踉跄跄地冲了进来，撞翻了一张桌子，桌子又撞翻了王大小姐手里的碗。

王大小姐居然没有发脾气，因为这个人竟是胡老五。

老山东皱眉道：“难道你已经喝醉了？”

胡老五扶着桌子，弯着腰，不停地喘气，并不像喝醉的样子。

老山东又问道：“是不是孙毅急着要吃烧鸡？”

胡老五摇摇头，忽然又踉踉跄跄地冲了出去。

王大小姐看看邓定侯，邓定侯看看老山东：“这是怎么回事？”

老山东苦笑道：“天知道这是怎么回事，他本来就是个怪物，现在……”

他没有说下去。

他忽然看见桌缝里多了个小小的纸卷，邓定侯当然也看见了。

胡老五刚才就是扶着这张桌子的。

他特地赶来，一定就为了送这个小纸卷。

孙毅并没有要他下山来买烧鸡，他却非急着送来不可，所以只有偷偷地赶来。

他已是个残废人，走这段路并不容易，简直也等于是在拼命。

邓定侯叹了口气："果然不愧是拼命胡老五，为了朋友，他也肯这么拼命！"

王大小姐道："他既然这么拼命，这纸卷上一定有很重要的消息。"

三个人的手一起去拿纸卷，手伸得最快的当然是邓定侯了。

展开纸卷，上面只写了七个字。

今夜子时，大宝塔。

粗糙的纸，字迹很是歪斜潦草。

王大小姐道："这是什么意思？"

邓定侯道："这意思就是说，今夜子时，要我们到大宝塔去。"

王大小姐道："因为那里一定有很重要的事要发生。"

邓定侯道："那件事说不定就是揭破这秘密的关键。"

王大小姐道："大宝塔是个地名？"

老山东道："大宝塔是座宝塔。"

王大小姐道："在什么地方？"

老山东道："就在山神庙后面。"

王大小姐道："山神庙在哪里？"

老山东道："就在大宝塔前面。"

王大小姐道："你能不能说清楚点？"

老山东道："不能。"

王大小姐道："为什么？"

老山东把碗里的酒一口气喝了下去后，才叹了口气，道："因为那地方是个去不得的地方。"

他的表情忽然变得很严肃，慢慢地接着道："据说到那里去的人，从来也没有一个人还能活着回来的。"

王大小姐笑了，笑得却有些勉强，道："那地方难道有鬼？"

老山东道："不知道。"

王大小姐道："你没有去过？"

老山东道："就因为我没有去过，所以我现在还活着。"

他说得很认真，并不像是开玩笑。

王大小姐看着邓定侯。

邓定侯沉思着，道："这么样看来，大宝塔本身一定就有很多秘密，所以……"

王大小姐道："所以我们更非去不可。"

邓定侯也笑了笑，笑得也很勉强，他想得比王大小姐更多。

——说不定这件事根本就是一个圈套，要他们去自投罗网。

但他们还是非去不可。

邓定侯道："既然有大宝塔这么样一个地方，我们总能找得到的。"

王大小姐跳起来，道："我们现在就去找。"

邓定侯急道："现在不能去。"

王大小姐不解道："为什么？"

邓定侯道："我们现在就去，若是被饿虎岗的人发现了，岂非打草惊蛇？"

老山东立刻道："说得有道理。"

王大小姐道："难道我们就这么干坐着，等天黑？"

老山东笑道："我也绝不会让你们干坐着的。"

天已黑了。

邓定侯臂上的伤口，已被重新包扎了起来。他正默默地用一块干布，在擦着一袋铁莲子。

他擦得很慢、很仔细，每一颗铁莲子，都被他擦得发出了亮光。

他成名的武器，就是他的双拳，江湖中几乎已没有人知道他还会暗器。

这袋铁莲子，他的确已有很久很久都没有动过了。

有一次他的铁莲子击出，非但没有打到他要打的人，却从对方的刀锋上反弹出去，误伤了一个在旁边观战的朋友。

自从那次之后，他就不愿再用暗器。

可是现在他却不得不用。

——一个人为什么总是被环境逼迫，做一些他本来不愿做的事？

邓定侯叹了口气，把最后一颗铁莲子放入他的革囊里，把革囊系在腰畔。

王大小姐一直在默默地看着他，这时才问道："现在我们是不是该走了？"

邓定侯点点头，又喝了口酒。

酒虽然会令人反应迟钝，判断错误，却可以给人勇气。

世界上的事，本就大多是这样子的，有好的一面，必定也有坏的一面。

你若能常常往好的一面去想，你才能活得愉快些。

王大小姐也喝了口酒，站起来，对老山东笑了笑，道："谢谢你的酒，也谢谢你的烧鸡和馒头。"

老山东抬起头，瞪着眼睛，看了她很久，忽然道："你决心要去？"

王大小姐道："我是非去不可。"

老山东道："就算明知道去了回不来，你也是非去不可吗？"

王大小姐又笑了笑，道："能不能回来并不重要，重要的是，我们能不能去，该不该去？”

老山东长长叹了口气，道：“说得好，好极了。”

他转过头，盯着邓定侯，道：“看样子你一定也是非去不可的。”

邓定侯笑笑。

老山东道：“只要你觉得应该去做的事，你就非去做不可？”

邓定侯又笑了笑，道：“其实我并不是很想去，因为我也怕死，怕得很厉害，可是假如不去，以后的日子一定比死还可怕。”

老山东道：“好，说得好。”

他忽然站起来，道：“我们走吧。”

邓定侯怔了怔，道：“我们？”

老山东也笑了笑，道：“我若不带路，你们怎么去？”

王大小姐道：“你难道不能告诉我们路，让我们自己去？”

老山东道：“不能。”

王大小姐道：“为什么不能？”

老山东道：“因为我想去。”

王大小姐道：“你自己刚才还说过，去了就很难活着回来。”

老山东道：“我说过之后，你们还是要去，你们能去，我为什么不能去？”

王大小姐道：“我们去是有理由的。”

老山东道：“我也是有理由，我想去看热闹。”

王大小姐苦笑道：“这理由不够好。”

老山东道：“对我来说，却已足够了。”

他微笑着，又道：“你们还年轻，一个正是花样的年华，前程如锦，一个又正在得意的时候，不但名满天下，而且有钱有势。我呢？我有什么？”

王大小姐道：“你……你……”

老山东不让她说话，抢着又道："我已是个老头子，半截已入了土，我既没有妻子儿女，也没有田地财产，每天晚上都喝得半死不活的，活着又跟死了有什么分别？你们能为朋友去拼命，为江湖道义出力，我为什么不能？"

他愈说愈激动，连颈子都粗了。

老山东道："你们就算没有拿我当朋友，可是我喜欢你们，喜欢小马，喜欢丁喜，所以我也非去不可。"

王大小姐看看邓定侯。

邓定侯又喝了口酒，道："我们走吧。"

王大小姐道："我们？"

邓定侯道："我们的意思，就是我们三个人。"

风从远山吹过来，远山又已被黑暗笼罩。

他们三个人走出去，老山东挺着胸膛，走在最前面。

他走出去后，就没有再回头。

王大小姐道："你不把门锁上？"

老山东大笑，道："你们连死活都不在乎，我还在乎这么样一个破馒头店？"

04

远山在黑暗中看来更遥远，但是他们毕竟已走到了，在山峦的环抱里，风的声音由尖锐变为低沉，就像是风也学会了叹息。

为谁叹息？

是不是为了人类的残酷和愚昧？

人与人之间，为什么总是要互相欺骗，互相陷害，互相杀戮呢？

镇上寥落的灯光，现在看起来甚至已比刚才黑暗中的远山更遥远。

甚至比星光更远。

淡淡的星光下，已隐约可以看见山坡上有座小小的庙宇。

邓定侯压低了声音，问道：“那就是山神庙？”

老山东道：“嗯。”

邓定侯道：“大宝塔就在山神庙后面？”

老山东道：“嗯。”

王大小姐抢着道：“可是我怎么连宝塔的影子都看不见？”

老山东道：“那也许只因为你的眼睛不大好。”

王大小姐道：“你的眼睛好，你看见了？”

老山东道：“嗯。”

王大小姐又问道：“在哪里？”

老山东随随便便地伸手往前面一指。

他指着的是个黑黝黝的影子，比山神庙高些，从下面看过去，还有一截露在山神庙的屋脊上，平平的，方方的一截，看来就像是一块很大的山崖，又像是座很高的平台。

他无论说这黑影像什么都行，但它却绝不像是一座大宝塔。

王大小姐道：“你说这就是大宝塔？”

老山东道：“嗯。”

王大小姐道：“大大小小的宝塔我倒也见过几座，可是这么样一座宝塔……”

老山东忽然打断了她的话，道：“我并没有说这是一座宝塔。”

王大小姐道：“你没有说过？”

老山东道：“这根本不是一座宝塔。”

他说话好像已变得有点颠三倒四，就连邓定侯都忍不住问道："这究竟是什么？"

老山东道："是半座宝塔。"

邓定侯怔了怔，道："怎么？宝塔也有半座的？"

老山东道："烧鸡有半只的，馒头有半个的，宝塔为什么不能有半座的？"

王大小姐又抢着道："烧鸡、馒头都有一个的，那只因另外一半已被人吃下肚子里。"

老山东道："不错。"

王大小姐道："另外的一半宝塔呢？"

老山东道："倒了。"

王大小姐道："怎么会倒的？"

老山东道："因为它太高。"

他的眼睛在黑暗中发着光，又道："宝塔跟人一样，人爬得太高，岂非也一样比较容易倒下去？"

邓定侯没有再问，心里却在叹息，这句话中的深意，也许没有人能比他了解得更多。

了解得愈多，话也就说得愈少了。

老山东道："这宝塔本来有十三层，听说花了七八年工夫才盖好。"

王大小姐道："现在呢？"

他目光闪动着，忽又接着道："上面七层宝塔倒下来的时候，下面正有很多人在祭拜着。"

王大小姐动容道："那么宝塔倒下时，岂非压死了很多人？"

老山东道："据说也不太多，只有十三个。"

王大小姐的手已冰冷。

老山东淡淡道："一个人若是死得很冤枉，阴魂总是不散的，所以十三个人，就是十三条鬼魂。"

一阵风吹过，王大小姐忍不住打了个寒噤。

王大小姐道："你能不能不要再说了？"

老山东道："能。"

这个字说出来，断塔上忽然亮起了一点灯光，阴森森的灯光，就像是鬼火。

王大小姐屏住了气，问老山东道："那上面怎么会忽然有人了？"

老山东道："你怎么知道那一定是人？"

王大小姐瞪着他，道："你答应我不再说的了。"

老山东笑了笑，道："我说了什么？"

王大小姐咬住嘴唇，顿了顿脚，道："不管那是人是鬼，我都要上去看看。"

她已经准备上去，邓定侯却一把拉住了她，道："你用不着去看，我保证那一定是人，只不过，人有时候比鬼还可怕。"

想到那个人的阴狠恶毒，王大小姐又忍不住打了个寒噤。

她实在也有点害怕："但是我们若连看都不敢去看，又何必来呢？"

邓定侯道："我们当然要去看看的。"

王大小姐道："我们三个人一起去？"

邓定侯摇摇头，道："我一个人过去看，你们两个人在这里看。"

王大小姐几乎要叫出来了，道："这里有什么好看的？"

邓定侯解释道："你们可以在这里替我把风，假如我失了手，你们至少还可以做我的接应。"

王大小姐道："可是我……"

邓定侯打断她的话，道："三个人的目标是不是比一个人大？"

王大小姐只有承认。

邓定侯道："你总不至于希望我们三个人同时被发现，一起栽在这里吧？"

王大小姐只有闭上了嘴，闭上嘴的时候，她当然又开始在咬嘴唇。

老山东道："山神庙后面有棵银杏树，这树离宝塔已不远，我们可以躲在那里替你把风。"

王大小姐这时忽然又开了口，道："却不知树上有杏子没有？"

老山东道："你现在想吃杏子？"

王大小姐道："我不想吃，我只不过想用它来塞住你的嘴。"

05

宝塔虽然已只剩下六层，却还是很高，走得愈近，愈觉得它高。

有很多人也是这样子的，你一定要接近他，才能知道他的伟大。

你若是站在宝塔前面往上面看，是什么都看不见的，甚至连那一点灯光都看不见了。

巨大的山峦阴影，正投落在这里，除了这一点灯光外，四面一片黑暗。

风声更低沉。

除了这低沉如叹息的风声外，四面也完全没有别的声音了。

邓定侯的动作很轻，他相信就算是一只狸猫，行动时也未必能比他更轻巧。

黑暗又掩住了他的身形，他也相信塔上的不管是人是鬼，都不会发现他的。

但是偏偏就在这时候，塔上已有个人在冷冷道：“很好，你居然准时来了。”

邓定侯一惊，还拿不准这人究竟是在跟谁说话。

这人却又接着道：“你既然已来了，为什么还不上来？”

邓定侯叹了口气，这次他总算已弄清楚，这人说话的对象就是他。

看来他的动作虽然比狸猫更轻，这人的感觉却比猎狗还灵。

他挺起了胸膛，握紧了拳头，尽量使自己的声音镇定：“我既然已来了，当然要上去的。”

每一层塔外，都有飞檐斜出，以邓定侯的轻功，要一层层地飞跃上去并不难。

但是他却宁可走楼梯。

他不愿在向上飞跃时，忽然看见一把刀从黑暗中伸出来。

他也不想被人凌空一脚踢下，像是条土狗一样摔死在这里。

他宁可走楼梯。

不管塔里的楼梯有多窄，多么黑暗，他还是宁可走楼梯的。

就算塔里面也有埋伏，他也宁可走楼梯。

只要能让自己的脚踏在实地上，他心里总是会觉得踏实些。

他一步步地走，宁可走得慢些，总比永远到不了的好。

塔里面既没有埋伏，也没有人。

四面窗户上糊着的纸都已残破了，被风吹得“啪啦、啪啦”地响。

愈走到上面，风愈大，声音愈响，邓定侯的心也跳得愈快。

塔里面没有埋伏，是不是因为所有的力量都已集中在塔顶上？

既然明知他一上到塔顶，就已再也下不来，又何必多费事？

邓定侯的手很冷，手心捏着把冷汗，甚至连鼻尖上都冒出了汗。

这倒并不是完全因为害怕，而是因为紧张。

凶手究竟是谁？

奸细究竟是谁？

这谜底立刻就要揭晓了，到了这种时候，有谁能不紧张？

塔顶上当然有人，有灯，也有人。

一盏灯，两个人。

第十三章

断塔断魂

01

一盏黄油纸灯笼，用竹竿斜斜挑起，竹竿插在断墙里，灯笼不停摇晃。

灯下有一个人，一个衰老佝偻的残废人，阴暗丑陋的脸上，满是刀疤。

胡老五，“拼命”胡老五，此刻他当然不是在拼命，他正在倒酒。

酒杯在桌上，桌子在灯下，他正在替一个很高大的人倒酒。桌子两旁，面对面摆着两张椅子，一张椅子上已有个人坐着，一个很高大的黑衣人，他是背对着楼梯口的。

邓定侯从楼梯走上来，只能看到他的背影，虽然坐着，还是显得很高大，他当然听见了邓定侯走上来的脚步声，却没有回头，只不过伸手往对面的椅子上指了指，道：“坐。”

邓定侯就走过去坐下，坐下去之后，他才抬起头，面对着这个人，凝视着这个人的眼睛。

两个人目光相遇，就好像是刀与刀相击，剑与剑交锋，两个人的脸都同样凝重严肃。

邓定侯当然见过这个人的脸，见过很多次，他第一次见到这个人的脸是在关外……

在那神秘富饶的大平原，雄伟巍峨的长白山，威名远扬的长青镖局里。

从那次之后，他每次见到这个人，心里都会充满敬重和欢愉，因为他敬重这个人，喜欢这个人，可是这一次，他见到他面前的这张脸时，心里却只有痛苦和愤怒。

——百里长青，果然是你，你……你为什么竟然要做这种事？

他虽然在心里大声呐喊，嘴里却只淡淡地说了句："你好。"

百里长青沉着脸，冷冷道："我不好，很不好。"

邓定侯道："你想不到我会来？"

百里长青道："哼。"

邓定侯叹了口气，道："但是我却早已想到你……"

他没有再说下去，因为他看见百里长青皱起了眉，他要说的话，百里长青显然很不愿意听。

他一向不喜欢说别人不愿听的话，何况，现在所有的秘密都已不再是秘密，互相尊重的朋友已变得势不两立了，再说那些话岂非已多余？

无论多周密的阴谋，都一定会有破绽；无论多雄伟的山峦，都一定会有缺口。

风也不知从哪一处缺口吹过来。风在高处，总是会令人觉得分外尖锐强劲；人在高处，总是会觉得分外孤独寒冷。这种时候，总是会令人想到酒的，胡老五也为他斟满了一杯，邓定侯并没有拒绝，不管怎么样，他都相信百里长青绝不是那种会在酒中下毒的人。

他举杯——

他还是向百里长青举杯，这也许是他最后一次向这个人表示尊敬。

百里长青看着他，目中仿佛充满了痛苦和矛盾，那些事或许也不是他真心愿意去做的。

但是他做出来了。邓定侯一口喝干了杯中的酒，只觉得满嘴苦涩。

百里长青也举杯一饮而尽，忽然道：“我们本来是朋友，是吗？”

邓定侯点头承认。

百里长青道：“我们做的事，本来并没有错。”

邓定侯也承认。

百里长青道：“只可惜我们有些地方的做法，并不完全正确，所以才会造成今天这样的结果。”

邓定侯长长叹息，道：“这实在很可惜，也很不幸。”

百里长青摇头道：“最不幸的，现在我已来了，你也来了。”

邓定侯道：“你认为我不该来？”

百里长青道：“我们两个人之中，总有一个人是不该来的。”

邓定侯道：“为什么？”

百里长青道：“因为我本不想亲手杀你。”

邓定侯道：“现在呢？”

百里长青道：“现在我们两个人之中，已势必只有一个能活着回去。”

他的声音平静镇定，充满了自信。

邓定侯忽然笑了。

对于百里长青这个人，他本来的确有几分畏惧，但是现在，一种最原始的愤怒，却激发了他生命中所有的潜力和勇气。

——反抗欺压，本就是人类最原始的愤怒之一。

——就因为人类能由这种愤怒中产生力量，所以人类才能永存。

邓定侯微笑道：“你相信能活着回去的那个人一定是你？”

百里长青并不否认。

邓定侯忽然微笑着站起来，又喝干了杯中的酒。

这一次他已不再向百里长青举杯，只淡淡地说了一个字："请！"

百里长青凝视着他放下酒杯的这只手，道："你的手有伤？"

邓定侯道："无妨。"

百里长青道："你所用的武器，就是你的手。"

邓定侯道："但是我自己也知道，我绝对无法用这双手击败你。"

百里长青道："那你用什么？"

邓定侯道："我用的是另外一种力量，只有用这种力量，我才能击败你。"

百里长青冷笑。

他没有问那是个什么力量，邓定侯也没有说，但却在心里告诉自己："邪不胜正，公道、正义、真理，是永远都不会被消灭的。"

风更强劲，已由低沉变为尖锐，由叹息变为嘶喊。

风也在为人助威？

为谁？

邓定侯撕下了一块衣襟，再撕成四条，慢慢地扎紧了衣袖和裤管。

胡老五在旁边看着他，眼神显得很奇怪，仿佛带些同情怜悯，又仿佛带着讥嘲不屑。

邓定侯并不在乎。

他并不想别人叫他"拼命的邓定侯"，他很了解自己，也很了解他的对手。

江湖中几乎很难再找到这么可怕的对手。

他并不怕胡老五把他看成懦夫，真正的勇气有很多面，谨慎和忍耐也是其中的一面。

这一点胡老五也许不懂，百里长青却很了解。

他虽然只不过随随便便地站在那里，可是眼睛里并没有露出讥诮之意，反而带着三分警惕，三分尊重。

无论谁都有保护自己生命的权利。

为了维护这种权利，一个人无论做什么都应该受到尊重。

邓定侯终于挺起胸，面对着他。

百里长青忽然道："这几个月来，你武功好像又有精进。"

邓定侯道："哦？"

百里长青道："至少你已真正学会了两招，若想克敌制胜，这两招必不可缺。"

邓定侯道："你说的是哪两招？"

百里长青道："忍耐、镇定。"

邓定侯看着他，目中又不禁对他露出尊敬之意。

他虽然已不再是个值得尊重的朋友，却还是个值得尊敬的仇敌。

百里长青凝视着他，忽然道："你还有没有什么放不下的事？"

邓定侯沉吟着，道："我还有些产业，我的妻子衣食必可无缺，我很放心。"

百里长青道："很好。"

邓定侯道："我若战死，只希望你能替我做一件事。"

百里长青道："你说。"

邓定侯道："放过王盛兰和丁喜，让他们生几个儿子，挑一个最笨的过继给我，也好叫我们邓家有个后代。"

百里长青眼睛里又露出了那种痛苦和矛盾，过了很久，才问道："为什么要挑最笨的？"

邓定侯笑了笑，道："傻人多福，我希望他能活得长久些。"

淡淡的微笑，淡淡的请求，却已触及了人类最深沉的悲哀。

是他自己的悲哀，也是百里长青的悲哀。

因为百里长青居然也在向他请求：“我若战死，希望你能替我去找一个叫江云馨的女人，把我所有的产业全都交给她。”

邓定侯忍不住问道：“为什么？”

百里长青道：“因为……因为我知道她有了我的后代。”

两个人都不再说话，只是静静地互相凝视，心里都明白对方一定会替自己做到这件事。

也正因为他们心里都还有这一点信任和尊重，所以他们才会向对方提出这最后请求。

然后他们就已出手，同时出手。

邓定侯的出手凌厉而威猛。

他知道这一战无论是胜是败，都一定是段很痛苦的经历。

他只希望这痛苦赶快结束，所以每一招都几乎已使出全力。

少林神拳走的本就是刚烈威猛一路，拳势一施展开，风生虎虎，如虎出山冈。

塔顶的地方并不大，百里长青有几次都已几乎被他逼了下去。

但是每次到了那间不容发的最后一刹那，他的身子忽然又从容站稳了。

四十招过后，邓定侯的心已在往下沉。

他忽然想起了三十年前，在那古老的禅寺中，他的师父说过的几句话……

——柔能克刚，弱能胜强。

——钢刀虽强，却连一线流水也刺不断，微风虽弱，却能平息最汹涌的海浪。

——你一定要记住这一点，因为你看来虽随和，其实却倔强，看来虽谦虚，其实却骄傲。

——我相信你将来必可成名，因为你这种脾气，必可将少林拳的长处发挥，但是你若忘了这一点，遇见真正的对手时，就必败无疑了。

阴郁的古树，幽深的禅院，白眉的僧人坐在树下，向一个少年谆谆告诫——此情此景，在这一瞬间忽然又重现在他眼前。

这些千锤百炼、颠扑不破的金玉良言，也仿佛又响在他耳边。

只可惜他已将这些话忘记了很久，现在再想起，已太迟了。

他忽然发现自己全身都已被一种柔和却不绝断的力量束缚着，就像是虎豹沉入了深水，蝇蛾投入了蛛网。

然后百里长青的手掌，就像是那山峦的巨大阴影一样，向他压了下来。

他已躲不开。

——死是什么滋味？

他闭上眼。

——温柔绮丽的洞房花烛夜，他的妻子丰满圆润的双腿。

在这一瞬间，他为什么还会想到这点？

——我的妻子衣食必可无缺，我很放心。

他真的能放心？

——邪不胜正，正义终必得胜！

他为什么会败？

他虽然败了，正义却没有败！

因为就在这最后的一刹那间，忽然又有股力量从旁边击来，化解了百里长青这一掌，就像是阳光驱走了山的阴影。

这股力量也正像是阳光，虽然温和，却绝对不可抵御。

百里长青退出三步，吃惊地看着这个人。

邓定侯睁开眼看到这个人，更吃惊。

出手救他的这个人，竟是那个衰老佝偻的残废胡老五。

只不过现在他看来已不再衰老，身子也挺直了，甚至连眼睛都已变得年轻。

“你不是胡老五。”

“我不是。”

“那么你是谁？”

花白的乱发和脸上的面具同时被掀起，露出了一张讨人喜欢的脸。

“丁喜！”

邓定侯终于忍不住叫了出来。

“丁喜？”百里长青盯着他，“你就是那个聪明的丁喜？”

丁喜点点头，眼睛里的表情很奇怪。

百里长青道：“你刚才用的是什么功夫？”

丁喜道：“功夫就是功夫，功夫只有一种，杀人的是这一种，救人的也是这一种。”

百里长青的眼睛里发出光，他想不到这年轻人居然能说得出这种道理。

——在基本上，所有的武功都是一样的。

这道理虽明显，但是能够真正懂得这道理的人却不多。

事实上，能懂得这道理的人，世上根本就没有几个。

这年轻人是什么来历？

百里长青盯着他，忽又出手。

这一次他的出手更慢，更柔和，就像是可以平息海浪的那种微风，又像是从山巅流下，但永远也不会断的那一线流水。

可是这一次他遇见的既不是钢刀，也不是海浪，所以他用出的力量就完全失去意义。

百里长青更惊讶，拳势一变，由柔和变为强韧，由缓慢变为迅速。

丁喜的反应也变了。

邓定侯忽然发现他们的武功和反应，竟几乎是完全一样的。

除此之外，他们两个人之间，竟仿佛还有种很奇妙的相同之处。

百里长青显然也发现了这一点，一拳击出，突然退后。

丁喜并没有进逼。

百里长青盯着他，忽然问道："你的功夫是谁教你的？"

丁喜道："没有人教我。"

百里长青道："那么你的功夫是从哪里学来的？"

丁喜道："你不知道？真的不知道？"

他的表情很奇怪，声音也很奇怪，仿佛充满了痛苦和悲哀。

百里长青的表情却变得更奇怪，就像是忽然有根看不见的尖针，笔直刺入了他的心。

他的身子突然开始颤抖，精神和力量都突然溃散，连声音都已发不出。

他本已百炼成钢，他的力量和意志已无法摧毁，本不该变成这样子的。

邓定侯看着他，看了很久，再看着丁喜，忽然也觉得手脚冰冷。

就在这时，灯笼忽然灭了，黑暗中仿佛有一阵尖锐的风声划过。

风声极尖锐，却又轻得听不见。

只有最歹毒可怕的暗器发出时，才会有这种风声。

暗器是击向谁的？

风声一响，邓定侯的人已全力拔起，他并没有看见这些暗器，也不知这些暗器是打谁，但是他却一定要全力闪避。

因为他毕竟也是经过千锤百炼的高手，他已听见了这种别人听不见的风声。

百里长青和丁喜呢？

在那种情绪激动的时刻，他们是不是还能像平时一样警觉？

黑暗。

天地间一片黑暗，无边无际的黑暗。

邓定侯身子掠起，却反而有种向下沉的感觉，因为他整个人都已被黑暗吞没。

他虽然在凌空翻身的那一瞬间，趁机往下面看了一眼。

可是他什么也没有看见。

他来的时候，附近没有人，塔下没有人，塔里面也没有人。

他一直都在保持着警觉，百里长青和丁喜想必也一样。

若是有人来了，他们三个人之间，至少有一个人会发现。

既然没有人来，这暗器却是从哪里来的？

他也想不通。

这时他的真气已无法再往上提，身子已真的开始往下沉。

下面已变成什么情况？是不是还有那种致命的暗器在等着他？

02

宝塔虽然已只剩下六层，却还是很高，走得愈近，愈觉得高，人就在塔上，更觉得它高，无论谁也不敢一跃而下。

邓定侯咬了咬牙，用出最后一分力，再次翻身，然后就让自己往下坠，坠下三四丈后，到了宝塔的第三层，突又伸手，搭住了风檐。

他终于换了一口气。

这一次他再往下落时，身子已经如落叶。

他的脚终于接触到坚实可靠的土地，在这一瞬间的感觉，几乎就像是婴儿又投入了母亲的怀抱。

对人类来说，也许只有土地才是永远值得信赖的。

但地上也是一片黑暗。

黑暗中看不见任何动静，也听不见任何声音。

塔顶上已发生过什么事？

丁喜是不是已遭了毒手？

邓定侯握紧双拳，心里忽然又有了种负罪的感觉，觉得自己本不该就这么样抛下刚才还救了他性命的朋友。

塔里更黑暗，到处都可能有致命的埋伏，但是现在无论多么大的危险，都已吓不走他了。

他决心要闯进去。

可是在他还没有闯进去之前，断塔里已经有个人先蹿了出来。

他的人已扑起，真气立刻回转，使出内家千斤坠，双足落地，气力再次运行，吐气开声，一拳向这人打了过去。

这正是威镇武林达三百年不改的少林百步神拳，这一拳他使出全力，莫说真的打在人身上，拳风所及处，也极具令人肝胆俱碎的威力。

谁知道这种不可思议的力量打在这人身上后，却完全没有了反应，就像是刺入的坚冰在阳光下消失无形。

邓定侯长长吐出口气，道："小丁？"

人影落下，果然是丁喜。

邓定侯苦笑。

平时他出手一向很慎重，可是今天他却好像变成了个又紧张又冲动的年轻小伙子。

——先下手为强，这句话并不一定是正确的，以逸待劳，以静制动，后发也可以先制，这才是武功的至理。

——少林寺的武功能够令人尊敬，并不是因为它的刚猛之力，而是因为它能使这种力量与精深博大的佛学融为一体。

邓定侯叹了口气，忽然发现成功和荣耀有时非但不能使人成长，反而可以使人衰退。无论谁在盛名之下，都一定会忘记很多事。

但现在却不是哀伤与悔恨的时候，他立刻打起精神，道："你也听见了那暗器的风声？"

丁喜道："嗯。"

邓定侯道："是谁在暗算我们？"

丁喜道："不知道。"

邓定侯道："暗器好像是从第五层打上去的。"

丁喜道："很可能。"

邓定侯道："我并没有看见任何人从里面出来。"

丁喜道："我也没有。"

邓定侯道："那么这个人一定还是躲在塔里。"

丁喜道："不在。"

邓定侯道："是你找不到，还是人不在？"

丁喜道："只要有人在，我就能找到。"

邓定侯道："无论什么样的暗器，都绝不可能是凭空飞出来的。"

丁喜道："很不可能。"

邓定侯道："有暗器射出，就一定有人。"

丁喜道："一定有。"

邓定侯道："无论什么样的人，都绝不可能凭空无影消失的。"

丁喜道："不错。"

邓定侯道："那么这个人呢？难道他不是人，是鬼？"

丁喜道："据说这座断塔里本来就有鬼。"

邓定侯苦笑道："你真的相信？"

丁喜道："我不信。"

邓定侯盯着他，缓缓道："其实你当然早就知道这个人是谁了，也知道他是怎么来的，怎么走的，却偏偏不肯说出来。"

丁喜居然没有否认。

邓定侯道："你为什么不肯说出来？"

丁喜沉吟着，终于长长叹息，道："因为就算说出来，你也不会相信。"

邓定侯道："为什么？"

丁喜道："因为有很多事都很凑巧。"

邓定侯道："什么事？"

丁喜道："这件事的计划本来很周密，但你们却偏偏总是能凑巧找出很多破绽，每一个破绽，凑巧都可以引出条很有力的线索，所有的线索，又凑巧都只有百里长青一个人能完全符合。"

——五月十三的午夜访客。

——时间的巧合。

——渊博高深的武功。

——急促的气喘声。

——用罂粟配成的药。

——绝没有外人知道的镖局秘密。

邓定侯叹了口气，道："仔细想一想，这些事的确都太凑巧了些。"

丁喜道："但却还不是最凑巧的。"

邓定侯道："最凑巧的一点是什么？"

丁喜的声音忽然变得很苦涩，缓缓道："我凑巧正好是百里长青的儿子。"

邓定侯又长长吐出口气，道："你的母亲一定就是他刚才要我去找的江夫人。"

丁喜看看他，道："你早已知道？"

邓定侯摇摇头。

丁喜道："可是你并没有觉得很意外。"

邓定侯叹息道："我以前的确想到过这一点，但你若没有亲口说出来，我还是不敢确定。"

丁喜冷冷道："你能确定什么？确定百里长青是奸细，是凶手？"

邓定侯道："我本来的确几乎已确定了，所以……"

丁喜打断了他的话，道："所以你一见到他，不问青红皂白就要跟他拼命。"

邓定侯又道："我还能问什么？"

丁喜道："你至少应该问问他，他是怎么会到这里来的？在这里等的是谁？"

邓定侯道："这约会不是他定的？"

丁喜道："不是。"

邓定侯道："那么，他等的是谁？"

丁喜道："他跟你一样，也是被人骗来的，他等的也正是你要找的人。"

邓定侯动容道："他等的也是那凶手？"

丁喜道："你不信？"

邓定侯道："他看见我来了，难道就认为我是凶手？"

丁喜道："你看见他在这里，岂非也同样认为他是凶手？"

邓定侯怔住。

丁喜叹了口气，道："看来伍先生的确是个聪明人，对你们的看法一点也没有错。"

邓定侯抢着问道：“伍先生是谁？”

丁喜正容道：“伍先生就是青龙会‘五月十三’分舵的首领，也就是这整个计划的主持人。”

邓定侯又怔住。

丁喜冷笑道：“他早已算准了你们一见面就准备出手了，因为你们都是了不起的大英雄，都觉得自己的想法绝不会错，又何必再说废话，先拼个你死我活岂非痛快得多？”

邓定侯只有听着，心里也不能不承认他说得有理。

第十四章

魂飞天外

01

丁喜道：“在他的计划中，你们现在本该已经都死在塔内的，只可惜……”

邓定侯忽又笑了笑，道：“只可惜你凑巧是百里长青的儿子，凑巧是我的朋友，又凑巧正好是聪明的丁喜。”

丁喜看着他，眼睛里也有了笑意。

就在这时，第三层塔上忽然传出一声暴喝，接着又是“轰”的一响，一大片砖石落了下来，这层塔的墙壁已被打成个大洞。

洞里面更黑暗，什么都看不见。

邓定侯动容道：“百里长青呢？你出来的时候，有没有看见他？”

丁喜摇摇头。

邓定侯又问道：“他现在是不是已经跟那伍先生交上了手？”

丁喜又摇摇头，脸色也很沉重。

邓定侯道：“我们总不能在这里看着，是不是也……”

一句话还没有说完，塔上又传来一声低叱，一声暴喝，已到了第二层。

接着又是“轰”的一声响，一大片砖石落了下来，几乎砸在他们身上。

他们虽然看不见上面的情况，可是上面交手的那两个人武功之高，力量之强，战况之激烈，不用看也可想象得到。

百里长青的武功虽然不是天下第一，他的声名地位，虽然也不是全凭武功得来的，江湖中甚至有很多人认为，就算在他们的联营镖局中，他的武功都不能算是第一把高手。

可是真正了解他的人都知道，他精气内敛，深藏不露，其实无论内力外功，都几乎已达到了巅峰，对武林中各种门派武学的涉猎和研究，更很少有人能比得上。

这一点邓定侯当然了解得更清楚，他刚才还和百里长青交过手。

此刻在塔上跟他交手的人，武功竟似绝不在他之下，所以才会打得这么激烈。

假如这个人真的就是伍先生，那么这伍先生却又是谁呢？

有谁的武功能和百里长青较一时之短长？

假如这伍先生就是出卖联营镖局的奸细、杀害王老爷子的凶手，那么他不是归东景，就是姜新，不是姜新，就是西门胜。

他们三个人本来岂非毫无嫌疑？

这些复杂的问题，在邓定侯心里一闪而过，他当然来不及思索。

就在他准备冲上塔去的时候，忽然间，又是“轰”的一声大震。

本来已只剩下一半的大宝塔，竟完全倒塌了下来。

在塔上决战的那两个人，是不是已必将葬身在这断塔之下？

尘土，碎木，瓦砾，砖石，就像是一片黑云，带着惊雷和暴雨，忽然间凌空压下来。

邓定侯刚想退的时候，丁喜已拉住了他的手，往后面倒蹿而出。

在他很年轻的时候，在那庄严古老的少林寺里，有很多高僧们都曾夸奖过他。

——你虽然性情有些浮躁，武功很难练到登峰造极，可是你跟别人交手时，就算武功比你高的人，也未必是你敌手，因为你的反应快。

无论谁，对别人的赞美和夸奖，都一定比较容易记在心里。

这些话邓定侯就从没有忘记，可是现在，他才发现他的反应并不如自己想象中那么快。

丁喜就比他快，而且快得多。

——一个人年纪渐渐老了，是不是连反应都会变得迟钝呢？

——老，难道真是这么悲哀的事？

邓定侯退出三五丈，痴痴地站在那里，沙石尘土山崩般落在他面前，他竟似完全没有感觉。

每个人都会把自己看得高些的，所以当一个人发现自己真正的价值时，总会觉得若有所失。

这本就是人类不可避免的悲哀之一。

忽然间，动乱已平静，天地间又变得一片静寂，这静寂反而让邓定侯惊醒了。

前面仍然是一片黑暗，那巍峨高矗的大宝塔，却已变成平地。

就在一瞬前，它还像巨人般矗立在那里，藐视着它足下的草木尘土。

可是现在它自己也倒了下去，就倒在它所藐视的草木尘土间。

——宝塔也跟人一样，人爬得太高，也一样比较容易倒下去。

邓定侯又不禁叹了口气。

——百里长青和那位伍先生岂非都是已经爬到高处的人。

想到百里长青，邓定侯才完全惊醒，失声道："他们的人出来没有？"

丁喜道："没有。"

人既然还没有出来，难道真的已葬身在断塔下？

邓定侯脸色变了，立刻冲过去，黑暗中，只见断塔的基层间一片砖石瓦砾堆积，看来就正像是一座坟墓。

无论谁被埋葬在这坟墓里，都再也休想活着出来了。

邓定侯手足已冰冷。

百里长青并不是他很好的朋友，可是现在他心里却很悲痛。

因为他自觉对这个人有所歉疚。

丁喜也已赶过来，正在看着他，仿佛已看透了他的心事。

他对百里长青的误会和怀疑，显然都已消释了。

丁喜眼睛里不禁露出了欣慰之意，这一点本是他衷心盼望的。

邓定侯回过头，看到他的表情，忽然道："百里长青究竟是不是你的父亲？"

丁喜道："是。"

邓定侯板着脸道："可是现在他已葬身在断塔下，你非但一点也不难受，反而好像很高兴。"

丁喜没有回答这句话，反问道："你知不知道这座宝塔为什么特别容易倒塌？"

邓定侯道："因为它太高。"

丁喜摇摇头道："世上还有很多更高的塔，都没有倒塌。"

邓定侯道："难道这其中还有什么特别的原因？"

丁喜道："这座塔是空的。"

邓定侯道："宝塔中间本来就是空的。"

丁喜道："但是它墙壁间也是空的，甚至连地下都是空的。"

邓定侯恍然道："难道这座塔里有复壁地道？"

丁喜道："每一层都有。"

邓定侯皱眉道："宝塔本是佛家的浮屠，里面怎么会有复壁地道？”

丁喜道：“这座宝塔并不是由佛家弟子盖的。”

邓定侯道：“是什么人盖的？”

丁喜道：“强盗。”

宝塔后这一片青色的山冈，多年前就已是群盗啸聚出没之地。

丁喜道：“他们为了逃避官家的追踪，才盖了这座宝塔。作为藏身的退路，所以宝塔下还有条地道直通上面的山寨。”

邓定侯终于完全明白了：“刚才暗算我们的人，就是从复壁地道中来的。”

丁喜道：“不错。”

邓定侯道：“山下的人都认为塔里有鬼，想必也正是因为这缘故。”

丁喜叹道：“所以有很多人到这里来了之后，往往会凭空失踪。”

邓定侯道：“因为这是你们的秘密，若有人在无意间发现这秘密，就得被杀灭口。”

丁喜笑了笑，笑容又变得非常苦涩，道：“不错，也是我们强盗的秘密，你们镖客本来就绝不会知道。”

邓定侯也只有苦笑。

他说出“你们”两个字的时候，就已经知道自己说错话了。

——这是不是因为在他心底深处，还认为丁喜是个强盗呢？

——难道一个人只要出生在盗窟，就注定了终生都要被人看作强盗？

——难道他无论怎么改变，都改变不了别人对他的看法吗？

邓定侯立刻在心里立下个誓愿。

他发誓以后不但要改变自己的想法和看法，还要去改变别人的。

丁喜仿佛又看出了他的心事，微笑道：“不管怎么样，我总是在山上长大的人，所以我当然也知道这秘密。”

邓定侯叹了口气，道：“就因为你知道这秘密，所以我们还活着。”

现在他总算也已明白了“伍先生”的计划了。

“他要我们先交手，等我们打到精疲力竭时，再突然从复壁地道中下毒手，让别人认为我们是同归于尽的，他就可以永远逍遥法外了。”

丁喜也叹了口气，苦笑道：“只不过你就算死了，也是比较幸运的一个。”

邓定侯道：“为什么？”

丁喜道：“因为别人都会认为你是为了要替你们的联营镖局除奸，替王老爷子复仇，才不惜和元凶同归于尽，你死了之后，说不定比活着时更受人尊敬，可是……”

——可是百里长青死了后，冤名就永远也洗不清了。

丁喜道：“等你们死了后，他不但可以永远逍遥法外，而且还可以重回你们的联营镖局，进一步掌握大权。从此以后，中原江湖中的黑白两道，就全都在他掌握中了。”

想到这计划的周密和恶毒，就连他自己都不禁毛骨悚然了。

邓定侯勉强笑了笑，道：“幸好我们还没有死，因为……”

丁喜微笑道：“因为他没有想到这计划中会忽然多出个聪明的丁喜。”

邓定侯笑道：“他更想不到，这个聪明的丁喜非但是百里长青的儿子，还是邓定侯的朋友。”

他的笑容已不再勉强，因为他已发现，无论多恶毒周密的计划，都终必会失败的，因为人还有一种更强大的力量存在。那就是人类的信心和爱心。

就因为丁喜对他的父亲和小马这种爱心，所以才不惜冒险。

一个冷血的凶手，当然不会了解这种感情。

就因为他忽略了这一点，所以他的计划无论多周密，都终必要失败。

瓦砾下没有人，活人死人都没有。

本来在塔里的人，现在显然已都从地道中走了，地道却已被瓦砾封死。

邓定侯道："刚才在塔上和百里长青交手的人，会不会就是你说的那位伍先生？"

丁喜道："很可能。"

邓定侯道："伍先生当然不是他的真名实姓？"

丁喜道："不是。"

邓定侯道："他当然也不会以真面目见人的。"

丁喜道："他脸上戴的那面具，不但真是用人皮做的，而且做得极精巧，用法也极方便，像这样的人皮面具他至少有七八张，所以在一瞬间就可以变换七八种面孔。"

邓定侯道："他身上穿的当然是黑衣服了。"

丁喜道："通常都是的。"

邓定侯道："百里长青忽然看到一个戴着面具的黑衣人，当然不肯放过。"

丁喜道："尤其在这种时候。"

邓定侯道："所以他若想从地道中逃走，无论他逃到哪里，百里长青都一定会跟着去追他的。"

丁喜道："所以现在他们两个人都不在了。"

邓定侯道："这地道是不是可以直通上面的山寨？"

丁喜道："是。"

邓定侯道："伍先生想必已逃回了上面的山寨。"

丁喜道："一进了地道，就根本没有别的路可走。"

邓定侯道："所以百里长青现在也一定到了上面的山寨了。"

丁喜点点头。

邓定侯道："你说过，那地方现在已变成了龙潭虎穴，无论谁闯了进去，都很难再活着出来。"

丁喜道："我说过。"

邓定侯凝视着他，沉下脸道："他是你父亲，现在他入了龙潭虎穴，你准备怎么办？"

丁喜道："你要我怎么办？"

邓定侯冷冷道："你自己应该知道的。"

丁喜道："你的意思是不是说，我们现在应该先花两个时辰把这地道里的瓦砾砖石挖出来，再从地道里上山去送死？"

邓定侯道："为什么一定会是去送死？"

丁喜道："因为那时天已经快亮了，我们一定已累得满身臭汗，而且……"

邓定侯打断了他的话，道："我们并不一定要走地道，这附近一定还有别的路上山。"

丁喜道："当然有。"

邓定侯道："在哪里？"

丁喜道："就在我不愿意去的那条路上。"

邓定侯道："你为什么不愿意去？"

丁喜道："因为我知道他一定能照顾自己的，也因为我还不想死。"

邓定侯道："可是你已经上去过。"

丁喜道："那时候情况不同。"

邓定侯道："有什么不同？"

丁喜道："那时我可以找到个很好的掩护。"

邓定侯道："拼命胡老五？"

丁喜点点头道："山上的人早已把他当作个废物，从来也没有人真看过他，他一个人住在后面的小屋里，从来也没有人问过他的死活。"

邓定侯道："你知道若扮成他，一定可以瞒过别人的耳目。"

丁喜笑了笑，道："我连你们都瞒过了，何况别人？"

邓定侯道："两次到老山东店里去送信的都是你？"

丁喜道："两次都是我。"

他淡淡地接着道："我也知道你们对胡老五这个人虽然会很好奇，却还是不会看得太仔细的，因为他实在不好看。"

邓定侯道："现在这秘密当然已被揭穿了，你再上山去，当然就会有危险。"

丁喜道："所以……"

邓定侯又打断了他的话，道："所以，你就算明知道百里长青和小马都要死在山上，也绝不会再上去，因为你的命比别人值钱。"

丁喜道："我的命并不值钱，假如我有两条命，你就算要我把其中一条拿去喂狗，我会丝毫不在乎的。"

邓定侯道："可惜你只有一条命。"

丁喜叹了口气，道："实在可惜得很。"

邓定侯盯着他，道："你真是一点也不替他担心？"

丁喜也沉下了脸，冷冷道："我还没有生下来，他就已走了。我母亲是个一点武功也不会的女人，而且还有病。我三岁的时候就会捧着破碗上街去要饭，六岁的时候就学会了做扒手。这十几年来，从来也没有人为我担过心，我又何必去关心别人？"

他的声音冰冷，脸上也全无表情，可是他的手却在发抖。

邓定侯又盯着他看了很久，忽然长长叹了口气，道："幸好我是你朋友，幸好我已很了解你，否则我一定也会把你当作个无情无义的人。"

丁喜冷冷道："我本来就是个无情无义的人。"

邓定侯道："你既然真的无情无义，为什么要冒险到这里来？为什么要救我们？为什么要想法子洗脱他的罪名？"

丁喜闭上了嘴。

邓定侯道："其实我也知道你心里一定早已有了打算，只不过不肯说出来而已。"

丁喜还是闭着嘴，既不承认，也没有否认。

邓定侯道："你为什么不肯说？"

丁喜终于叹了口气，道："我就算有话要说，也不是说给你一个人听的。"

邓定侯眼睛亮了，道："当然，我们当然不能撇开那位大小姐。"

丁喜道："她的人呢？"

邓定侯道："就在那边土地庙里的一棵大银杏树上。"

丁喜淡淡地笑，道："想不到她现在居然变得这么老实，居然肯一个人待在树上。"

邓定侯道："她不是一个人。"

丁喜道："还有谁？"

邓定侯道："老山东。"

丁喜本来已跟着他往前走，忽然又停下了脚步。

邓定侯道："你为什么停下来？"

丁喜沉默着，过了很久，才缓缓道："我们已不必去了。"

邓定侯道："为什么？"

丁喜道："因为那树上现在一定已没有人了。"

他的声音还是很冷，脸上还是完全没有表情，可是他的手又开始在发抖。

邓定侯也发觉不对了，动容道："老山东难道不是你的朋友？"

丁喜缓缓道："老山东当然是我的朋友，只不过你们看见的老山东，已不是老山东。"

邓定侯脸色也变了。

他现在才明白，为什么丁喜两次送信去，都没有以真面目和他们相见；为什么他明知那大宝塔的约会是个陷阱，却连一点暗示警告都没有给他们。

因为他绝不能让这个"老山东"怀疑他，他一定要让邓定侯和百里长青相见，才能将计就计，揭穿伍先生的阴谋和秘密。

现在邓定侯当然也已明白，为什么这个"老山东"一定要跟着他们来，而且急得连门都没有闩。

一个卖了几十年烧鸡，自己却连一条鸡腿都舍不得吃的人，本不该那么大方的。

现在他什么事都明白了，只可惜现在已太迟。

02

树上果然已没有人，只留下了一块被撕破的衣襟。

王大小姐的衣襟。

现在她当然也已被掳上了山寨——无论谁到了那里，都很难活着回来。

她当然更难。

树下的风很凉，邓定侯站在这夜的凉风里，冷汗却已湿透了衣裳。

自从他出道以来，在江湖人的心目中，他一直是个很有才能的人，无论什么样的难题，到了他手里大多数都能迎刃而解。

所以他自己也渐渐认为自己的确很有才能，对自己充满了信心。

可是现在他却忽然发现自己原来只不过是个呆子。

一个只会自作聪明、自我陶醉的呆子。

丁喜忽然拍了拍他的肩，道："你用不着太难受，我们还有希望。"

邓定侯道："还有什么希望？"

丁喜道："还有希望能找到那位王大小姐的。"

邓定侯道："到哪里去找？"

丁喜道："老山东的馒头店。"

邓定侯苦笑道："难道这个不是老山东的老山东，还会带她回馒头店去？"

丁喜道："就因为他不是老山东，所以才会把她带回馒头店。"

邓定侯道："为什么？"

丁喜道："因为馒头店里不但可以做馒头，还可以做一些别的事。"

邓定侯更不懂，道："可以做什么事？"

丁喜叹了口气，道："你真的不懂？"

邓定侯摇摇头。

丁喜苦笑道："假如你认识那个不是老山东的老山东，你就会懂了。"

邓定侯道："你认得他？"

丁喜点点头。

邓定侯道："他究竟是什么人？"

丁喜道："他是一个老色鬼。"

03

云淡星稀，夜更深了。

老山东馒头店，却还有灯光露出。

看见这灯光，邓定侯也不知是应该松口气，还是应该更担心。

现在，王大小姐就算没有被掳入虎穴，却必定已落入虎口，落在虎穴和落在虎口的情形几乎没有多大的差别，总之是在极短的时间内，便面临令人不想再看下去的景象便是。

——猎物会被毫无人性的老虎吃掉了。

他现在看不见丁喜脸上的表情。

他一直落在丁喜的后面，眼中虽然尽了全力，还是看不出丁喜的表情。

邓定侯没有出声，老山东馒头店里，在灯光下，丁喜坐下来，想要找些吃的，但是微弱灯光之下照见可以吃的更不多，只有一些干了的牛肉。

“你想喝酒？”丁喜说着，脸上还是没有表情。

丁喜就是这样的人，他不论碰上什么，如果从表情上看，他不会透露出什么来。

不过他嘴边常常挂着逗人喜欢的笑容，因为通常他都以微笑来松弛他的心情。

但这时连嘴边的微笑也没有了，是心里正在替谁担心？也许是王大小姐，或许是自己。

甚至是邓定侯，邓定侯那时却什么也不知道。

“你以为这儿会有酒卖？”

“一定有的，只要你也想喝就有。”

“我们还有喝酒的时间？”

“有的，我在想，最少还有一段不长不短的时间。”

“那么我愿意奉陪喝点。”

“不饮则已，要饮酒，自然要喝个痛快，不过奉陪两个字倒也用不着，你知道要饮酒的不只是我。”

“对了，我为自己而喝酒，不喝则已，喝一点着实是不够的，但是喝个痛快，有足够的时间吗？”

“只要你想饮酒，时间是绰绰有余裕的。”

邓定侯猜想，到这时，还有时间可以喝酒，事情自然不会有什么凶险了。

他松了口气，大声道：“酒，有好的酒拿来。”

老山东的馒头店里，这时其实除了丁喜和邓定侯之外，哪里有什么人。

丁喜自然看到店里一个人也没有，邓定侯更清楚，这家老山东馒头店，连伙计也没有。

邓定侯不敢自己取酒来喝，丁喜也不想去，邓定侯坐下来，重又大声道：“有人吗？”

但是，酒是有的，却没有人回答邓定侯大声的问话。

酒放在柜台下，有好几个小坛。

小坛上面有一只瓦碗，酒坛里也透出一些酒香，而且香气是上好的酒。

要喝酒，便得自己去拿，这是什么规矩？

果然酒很香，很浓，邓定侯倒了酒坛里的酒喝着，丁喜也喝着。

老山东的馒头店里，没有人骚扰两人，这点看来丁喜已经知道了的。

邓定侯在想着，丁喜说饮过了酒，还有足够的时间，那更不会错了。

酒已饮得够了，时间也一刻一刻地过去。

这点他已不再惊异，也不再难受，他已承认自己在很多方面都不如丁喜。

一个人若是真的已认输了，反而会觉得心平气和，可是丁喜至少应该停下来跟他商量商量，用什么方法进入这馒头店？用什么法子才能安全救出王大小姐？

每次行动之前，他都要计划考虑很久，若没有万无一失的把握，他绝不出手。

就在他开始考虑的时候，丁喜已一脚踢破了那破旧的木门，冲了进去。

这是最简单、最直接的一种法子，这法子实在太轻忽，太鲁莽。

丁喜竟完全没有经过考虑，就选择了这种法子。

——年轻人做事总是难免冲动些的。

邓定侯在心里叹了口气，正准备冲进去接应。

可是等他冲进去的时候，王大小姐已坐起来，老山东已倒了下去，他们这次行动已完全结束，而且完全成功。

邓定侯笑了，苦笑。

他忽然发现年轻人做事的方式并不是完全错的，他忽然觉得自己的思想好像已有点落伍了。

——就因为他能这么样想，所以他永远是邓定侯，永远能存在。

——只可惜像他这种有身份的人能够这么样想一想的并不多。

王大小姐看看他，看看丁喜，再看看地上的老山东，心里虽然有无数疑问，却连一句话都没有问。

因为她根本不知道应该从哪里问起。

丁喜也没有说。

反正她迟早总会知道的，又何必急着要在此时说。

这次行动已圆满结束，下一次行动呢？

邓定侯也同样漫无头绪，忍不住问道："现在我们是坐下来吃馒头，还是躺下去睡一觉？"

丁喜道："现在我们就上山。"

邓定侯怔了怔，道："你好像刚才还说过，你不能上去的。"

丁喜道："我不能上去，老山东能，尤其是带着两个俘虏的时候，更应该赶快上去。"

邓定侯终于明白："两个俘虏就是我和王大小姐。"

丁喜点头。

邓定侯道："老山东就是你。"

丁喜笑道："这老色鬼能扮成老山东，小色鬼当然也可以。"

邓定侯道："你能瞒得过山上那么多双眼睛？"

丁喜道："每个人都有他自己的特征，所以别人才能辨认他。"

他又解释道："最重要的一点，当然是容貌上的，其次是身材、神气、举动和味道。"

邓定侯道："味道？"

丁喜道："每个人都有他自己的味道，有些人天生就很香，有些人天生就臭。"

邓定侯道："这点倒不难，老山东整个人嗅起来就像只烧鸡。"

丁喜道："我若穿上这身衣服，嗅起来一定差不多。"

邓定侯道："你的身材跟他也很像，只要在肚子上多绑几条布带，再驼起背就行了。"

丁喜道："我从小就常在他这里偷馒头吃，他的神气举动，我有把握可以学得很像。"

王大小姐忽然道："你本来就有这方面的天才，若是改行去唱戏，一定更出名。"

丁喜淡淡道："我本来就打算要改行了，在台上唱戏至少总比在台下唱安全些。"

王大小姐道："你在台下唱？"

丁喜道："人生岂非本就是一台戏？我们岂非都在这里唱戏？"

王大小姐闭上了嘴。

丁喜说出来的话，好像总是很快就能叫她闭上嘴的。

邓定侯道："可是你的脸……"

丁喜道："容貌不同，可以易容，我的易容术虽然并不高明，幸好老山东这副尊容也没有什么人会注意，你就真想要人多看两眼，也绝对没有人会愿意。"

他笑了笑，又道："何况，我还带着三样很重要的礼物上去，送礼的人总是比较受欢迎的。"

邓定侯点头道："我和王大小姐当然都是你要带去的礼物了。"

丁喜道："你们算两样。"

邓定侯道："还有一样是什么？"

丁喜道："烧鸡。"

04

房屋是用巨大的树木盖成的，虽然粗糙简陋，却带着种原始的粗犷淳朴，看来别有一种令人慑服的雄壮气势。

这里的人也一样，野蛮，剽悍，勇猛，就像是洪荒时的野兽。

只有一个人是例外。

这个人穿着身黑衣服，阴森森的脸上全无表情，一双炯炯有光的眼睛里表情却很多。

这个人看来既不野蛮，也不凶猛，却远比别的人更可怕。

——别人若是野兽，他就是猎人；别人若是棍子，他就是枪锋。

这个人当然就是伍先生。

百里长青就站在这大厅里，面对着这些野兽，面对着这杆枪锋。

他是人，只是一个人。

但他绝不比野兽柔顺，绝不比枪锋软弱。

伍先生盯着他，忽然长长叹了口气，道："你不该来的，实在不该来的。"

百里长青冷笑。

伍先生道："你本该已是个死人，连尸体都已冰冷。你和邓定侯若是全都死了，现在岂非就已经天下太平了？"

百里长青道："我们死了，还有丁喜。"

伍先生道："丁喜是不足惧的。"

百里长青道："哦？"

伍先生道："他武功也许不比你差，甚至比你更聪明，但是他不足惧。"

百里长青道："为什么？"

伍先生道："因为你是位大侠客，他却是个小强盗。"

百里长青道："只可惜大侠客有时也会变成小强盗。"

伍先生道："你是在说我了？"

百里长青不否认。

伍先生道："你已知道我是谁？"

百里长青道："你是霸王枪的多年老友，你对联营镖局的一切事都了如指掌，对我的事也很熟悉，你的武功一向深藏不露，因为你有个能干的总镖头挡在你前面，你自己根本用不着出手。”

他盯着伍先生道：“像你这样的人，江湖中能找得出几个？”

伍先生道：“只有我一个？”

百里长青道：“我只想到你一个。”

伍先生叹了口气，道：“看来你好像真是已知道我是谁了，所以……”

百里长青道：“所以今日不是你死，就是我死。”

他脸上全无表情，眼睛里却在笑：“因为你们整天在为江湖中大大小小的事奔波劳碌，我却可以专心躲在家里练武，有时我甚至还有余暇去模仿别人的笔迹，打听别人的隐私。”

百里长青道：“你故意将镖局中的机密泄露给丁喜，就因为你早已知道他是我儿子？”

伍先生微笑道：“我也知道你跟王老头早年在闽南做的那些见不得人的事。”

百里长青道：“因为你已入了青龙会。”

伍先生道：“青龙会想利用我，我也正好利用他们，大家互相利用，谁也不吃亏。”

百里长青道：“我只奇怪一点。”

伍先生道：“你说。”

百里长青道：“以你的声名地位和财富，为什么还要做这种事？”

伍先生道：“我说过，有两样事我是从来不会嫌多的。”

百里长青道：“钱财和女子？”

伍先生道：“对了。”

突听大厅外有人笑道：“现在你的钱财又多了一份，女人也多了一个。”

百里长青回转头，就看见了用绳子绑着的邓定侯和王大小姐，也看见丁喜，可是他完全认不出这个满身油腻的糟老头就是丁喜，没有人能认出。

伍先生笑道："你错了，现在我女人只多了一个，钱财却多出四份。"

丁喜道："四份？"

伍先生道："邓定侯的一份，王大小姐的一份，百里长青的一份，再加上联营镖局的盈利，岂非正是四份？"

丁喜笑道："也许还不止四份。"

伍先生道："哦？"

丁喜道："姜新多病，西门胜本就受你指使，现在他们都到了你掌握之中，放眼天下，还有谁敢与你争一日之短长，江湖中的钱财，岂非迟早都是你的？"

伍先生又大笑，道："莫忘记我本来就一向有福星高照。"

他走过来，拍了拍这个老山东的肩，道："我当然也不会忘了你们这些兄弟。"

丁喜道："我知道你不会忘的，只不过你吃的是肉，我们却只能吃些骨头。"

说到"肉"字，本来被绳子绑着的邓定侯和王大小姐已扑上来，丁喜也已出手，说到"骨头"两个字时，伍先生的骨头已断了十三根。

就在这一瞬间，永远有福星高照的归东景，已变成霉星照命，变得真快。天有不测风云，人有旦夕祸福，人生本就是这样子的，只不过变化实在来得太快，本来占尽了上风的人，忽然间就跌得爬不起来，这变化甚至连百里长青和邓定侯都不能适应。

现在他们已退出去，带着小马和小琳一起退出去。擒贼先擒王，归东景一倒下，别的人根本不敢出手，就算出手，也不足惧。

邓定侯忍不住道：“你一直说这是件很困难、很危险的事，为什么解决得如此容易？”

丁喜淡淡道：“就是因为这件事太困难，太危险，所以归东景想不到有人敢冒险。”

邓定侯道：“就是因为他想不到，所以我们才能得手。”

丁喜笑了笑，道：“非但他想不到，就连我自己都想不到。”

可是他们现在已知道，一个人只要有勇气去冒险，天下就绝没有不能解决的事。班超、张骞，他们敢孤身涉险，就正是因为他们有勇气。古往今来的英雄豪杰，能够立大功成大事，也都是因为这“勇气”两个字。但勇气并不是凭空而来，是因为爱，父子间的亲情，朋友间的友情，男女间的感情，对生命的珍惜，对国家的忠心，这些都是爱。若没有爱，谁知道这个世界会变成个什么样的世界？若没有爱，谁知道这故事会变成个什么样的结局？

丁喜在前面走，王大小姐在后面跟，他们已走了很久，已走了很远。谁也不知道他要走到哪里去。谁也不知道她要跟到几时。

丁喜终于忍不住回头：“你为什么一直跟着我？”

王大小姐回答：“因为我高兴。”

丁喜又开始往前走，却已走得慢多了。

如果丁喜没有勇气，如果王大小姐没有勇气，这个故事就不会有这么愉快的结局了。

所以我说的第六种武器并不是霸王枪，而是勇气。

《七种武器3：离别钩·霸王枪》完

相关情节请看《七种武器4：愤怒的小马·七杀手》

古龙经典

第一辑

古龙经典 *01* 《绝代双骄》（一）

古龙经典 *02* 《绝代双骄》（二）

古龙经典 *03* 《绝代双骄》（三）

古龙经典 *04* 《绝代双骄》（四）

古龙经典 *05* 《七种武器：长生剑·孔雀翎》

古龙经典 *06* 《七种武器2：碧玉刀·多情环》

古龙经典 *07* 《七种武器3：离别钩·霸王枪》

古龙经典 *08* 《七种武器4：愤怒的小马·七杀手》

古龙经典 *09* 《欢乐英雄》（上）

古龙经典 *10* 《欢乐英雄》（下）

古龙经典 *11* 《三少爷的剑》

古龙经典 *12* 《英雄无泪》

古龙经典 *13* 《大地飞鹰》（上）

古龙经典 *14* 《大地飞鹰》（下）

古龙经典 *15* 《彩环曲》

古龙经典 *16* 《剑客行》（上）

古龙经典 *17* 《剑客行》（下）

第二辑

古龙经典 *18* 《小李飞刀：多情剑客无情剑》（上）

古龙经典 *19* 《小李飞刀：多情剑客无情剑》（中）

古龙经典 *20* 《小李飞刀：多情剑客无情剑》（下）

古龙经典 *21* 《小李飞刀2：边城浪子》（上）

古龙经典 *22* 《小李飞刀2：边城浪子》（下）

古龙经典 *23* 《小李飞刀3：九月鹰飞》（上）

古龙经典 *24* 《小李飞刀3：九月鹰飞》（下）

古龙经典 *25* 《小李飞刀4：天涯·明月·刀》（上）

古龙经典 *26* 《小李飞刀4：天涯·明月·刀》（下）

古龙经典 *27* 《流星·蝴蝶·剑》（上）

古龙经典 *28* 《流星·蝴蝶·剑》（下）

古龙经典 *29* 《圆月弯刀》（上）

古龙经典 *30* 《圆月弯刀》（下）

古龙经典 *31* 《七星龙王》

古龙经典 *32* 《绝不低头》

古龙经典 *33* 《苍穹神剑》

古龙经典 *34* 《月异星邪》

古龙经典 *35* 《飘香剑雨》（上）

古龙经典 *36* 《飘香剑雨》（下）

第三辑

古龙经典 *37*　《陆小凤传奇：金鹏王朝》

古龙经典 *38*　《陆小凤传奇2：绣花大盗》

古龙经典 *39*　《陆小凤传奇3：决战前后》

古龙经典 *40*　《陆小凤传奇4：银钩赌坊》

古龙经典 *41*　《陆小凤传奇5：幽灵山庄》

古龙经典 *42*　《陆小凤传奇6：凤舞九天》

古龙经典 *43*　《陆小凤传奇7：剑神一笑》

古龙经典 *44*　《白玉老虎》（上）

古龙经典 *45*　《白玉老虎》（下）

古龙经典 *46*　《名剑风流》（上）

古龙经典 *47*　《名剑风流》（中）

古龙经典 *48*　《名剑风流》（下）

古龙经典 *49*　《碧血洗银枪》

古龙经典 *50*　《猎鹰·赌局》

古龙经典 *51*　《血鹦鹉》（上）

古龙经典 *52*　《血鹦鹉》（下）

古龙经典 *53*　《游侠录》

古龙经典 *54*　《失魂引》

第四辑

古龙经典 *55*　《楚留香新传：借尸还魂》

古龙经典 *56*　《楚留香新传2：蝙蝠传奇》

古龙经典 *57*　《楚留香新传3：桃花传奇》

古龙经典 *58*　《楚留香新传4：新月传奇·午夜兰花》

古龙经典 *59*　《萧十一郎》

古龙经典 *60*　《火并萧十一郎》

古龙经典 *61*　《武林外史》（上）

古龙经典 *62*　《武林外史》（中）

古龙经典 *63*　《武林外史》（下）

古龙经典 *64*　《大人物》

古龙经典 *65*　《风铃中的刀声》

古龙经典 *66*　《护花铃》（上）

古龙经典 *67*　《护花铃》（下）

古龙经典 *68*　《剑毒梅香》（上）

古龙经典 *69*　《剑毒梅香》（中）

古龙经典 *70*　《剑毒梅香》（下）

图书在版编目（CIP）数据

七种武器. 3，离别钩·霸王枪 / 古龙著. -- 上海 ：文汇出版社，2017.9

（古龙文集）

ISBN 978-7-5496-2298-6

Ⅰ. ①七… Ⅱ. ①古… Ⅲ. ①侠义小说—中国—当代 Ⅳ. ①I247.5

中国版本图书馆CIP数据核字（2017）第215228号

著作权合同登记号：09-2017-710

七种武器3：离别钩·霸王枪

作　　者 / 古　龙

责任编辑 / 甘　棠
特邀编辑 / 周奥扬　闵　唯
封面装帧 / 李子琪

出版发行 / 文匯出版社
上海市威海路 755 号
（邮政编码 200041）
经　　销 / 全国新华书店
印刷装订 / 北京中科印刷有限公司
版　　次 / 2017 年 9 月第 1 版
印　　次 / 2017 年 9 月第 1 次印刷
开　　本 / 890mm × 1270mm　1/32
字　　数 / 342 千字
印　　张 / 13.75

ISBN 978-7-5496-2298-6
定　　价 / 58.00元

装订质量问题，请致电010-85866447（免费更换，邮寄到付）